S0-BZZ-239

GÖTTINGER ORIENTFORSCHUNGEN

IV. REIHE: ÄGYPTEN

Herausgegeben von Friedrich Junge und Wolfhart Westendorf

Band 15

Jürgen Horn

STUDIEN ZU DEN MÄRTYRERN DES NÖRDLICHEN OBERÄGYPTEN

I

MÄRTYRERVEREHRUNG UND MÄRTYRERLEGENDE IM WERK DES SCHENUTE

BEITRÄGE ZUR ÄLTESTEN ÄGYPTISCHEN MÄRTYRERÜBERLIEFERUNG

1986

OTTO HARRASSOWITZ · WIESBADEN

JÜRGEN HORN

STUDIEN ZU DEN MÄRTYRERN DES NÖRDLICHEN OBERÄGYPTEN

I

MÄRTYRERVEREHRUNG UND MÄRTYRERLEGENDE IM WERK DES SCHENUTE

BEITRÄGE ZUR ÄLTESTEN ÄGYPTISCHEN MÄRTYRERÜBERLIEFERUNG

1986

OTTO HARRASSOWITZ · WIESBADEN

CIP-Kurztitelaufnahme der Deutschen Bibliothek

Horn, Jürgen:
Studien zu den Märtyrern des nördlichen Oberägypten / Jürgen Horn. - Wiesbaden : Harrassowitz
(Göttinger Orientforschungen : Reihe 4, Ägypten ; Bd. 15)

NE: Göttinger Orientforschungen / 04

1. Horn, Jürgen: Märtyrerverehrung und Märtyrerlegende im Werk des Schenute. - 1986

Horn, Jürgen:
Märtyrerverehrung und Märtyrerlegende im Werk des Schenute : Beitr. zur ältesten ägypt. Märtyrerüberlieferung / Jürgen Horn. - Wiesbaden : Harrassowitz, 1986.
(Studien zu den Märtyrern des nördlichen Oberägypten / Jürgen Horn ; 1) Göttinger Orientforschungen : Reihe 4, Ägypten ; Bd. 15)
ISBN 3-447-02576-X

 Gedruckt mit Unterstützung der Deutschen Forschungsgemeinschaft. Druck: Hubert & Co., Göttingen. Printed in Germany.

Inhaltsverzeichnis

Vorwort VII

Abkürzungen IX

Abgekürzt zitierte Literatur (Kurztitelverzeichnis) XII

Vergleichende Übersicht zu den in dieser Arbeit
benutzten Monatsbezeichnungen des äygptisch-
koptischen Kalenders XIII

§ 1: Schenutes Haltung zur Märtyrerverehrung 1

§ 2: Bemerkungen zu Inhalt und Form der Schenute
bekannten Märtyrerlegenden 11

§ 3: Schenute zitiert aus dem Martyrium des Psote
(und Kallinikos): Kulttopographischer Hintergrund und textgeschichtliche Bedeutung 27
(1) Kulttopographischer Hintergrund 27
(2) Textgeschichtliche Bedeutung 31
Einleitung 31
Kommentar zur Textgestalt 36
Gesamtbefund 44

Exkurs zu § 3: Der Märtyrer Kallinikos (und sein
"Paargenosse" Psote) 49
Zum Namen des Märtyrers 49
Zur bischöflichen Stellung des Märtyrers 52
Zum Festtag des Kallinikos 57
Zum Martyriums- und Begräbnisort des Kallinikos 64
Zu den literarischen Traditionen über Kallinikos 70
Schlußbemerkung 76

§ 4: Schenutes Gebrauch von ⲇⲓⲁⲧⲁⲅⲙⲁ und ⲡⲣⲟⲥⲧⲁⲅⲙⲁ:
Semantischer und hagiographischer Hintergrund 79
Einleitung 79
Beispiele für Schenutes Verwendung der Worte 80
ⲇⲓⲁⲧⲁⲅⲙⲁ und ⲡⲣⲟⲥⲧⲁⲅⲙⲁ im Sprachgebrauch
der koptischen Bibel 83
A. Im Neuen Testament 83
B. Im Alten Testament (Septuaginta) 83

(§ 4, Fortsetzung)

Der Sitz im Leben von ⲇⲓⲁⲧⲁⲅⲙⲁ "Erlaß, Edikt (des Königs)" und ⲡⲣⲟⲥⲧⲁⲅⲙⲁ "Anordnung, Erlaß (des Königs)" 88

Kontrollfrage: Spielen ⲇⲓⲁⲧⲁⲅⲙⲁ und ⲡⲣⲟⲥⲧⲁⲅⲙⲁ in den Texten eine Rolle, die mit Verwaltung und Rechtsleben Ägyptens zu tun haben? 96

ⲇⲓⲁⲧⲁⲅⲙⲁ und ⲡⲣⲟⲥⲧⲁⲅⲙⲁ bei Schenute: Schlußfolgerungen für die ägyptische Hagiographie 97

Fazit 100

Anhang: Ein sa^{c}idisches liturgisches Lied ("Antiphon") auf Psote und Kallinikos 101

Einleitende Bemerkungen und Textedition 101

Zum Text der Antiphon und seinen literarischen Quellen 109

Das Verhältnis der (sa^{c}idischen) Antiphon zu den (bohairischen) Hymnen ("Psali") des Difnār 112

Die Stellung der Antiphon in der Hs. M 575 und der Festtag des Psote und Kallinikos 115

a) Die Stellung der Antiphon in der Hs. 116

b) Die Nennung von zwei Heiligen in der Überschrift des Abschnittes 118

c) Schlußfolgerungen 121

Index I: Koptische und arabische Wörter 125

Index II: Begriffe und Namen 127

Falttafel: Textsynopse zu § 3 (Die Bezeugung des Briefes des Diokletian an Arianus) . . . . . hinter S.130

Vorwort

Diese Arbeit ist Teil einer Folge von Studien, die den christlichen Märtyrern gewidmet sind, deren Heimat im nördlichen Oberägypten liegt, d.h. deren Begräbnisstätte ("Topos") dort angesiedelt ist. Ermöglicht wurden diese Studien durch die finanzielle Förderung der Deutschen Forschungsgemeinschaft für das Forschungsprojekt "Vorstudien zum Verhältnis zwischen spätägyptischer und koptischer Religion", das am Seminar für Ägyptologie und Koptologie der Universität Göttingen arbeitet (Projektleiter: Prof.Dr. Wolfhart Westendorf). Im Rahmen dieses Projektes arbeitet der Autor an dem Teilunternehmen "Ägyptisches Christentum im Spiegel der hagiographischen Literatur", dessen Ergebnisse sich unter anderem in der hier hier vorliegenden Arbeit niederschlagen. Sie eröffnet eine Reihe von Veröffentlichungen zu einer nur unzureichend erforschten Landschaft auf der sehr bunten Landkarte der Christentumsgeschichte - einer recht farbigen Landschaft, zu der aber der Zugang durch mannigfaltige Hindernisse (und Vorurteile) erschwert ist.

Daß es sich lohnt, dem mühsamen Pfad in diese historische Landschaft zu folgen, vermag derade diese erste Folge der "Studien zu den Märtyrern des nördlichen Oberägypten" zu zeigen - haben wir doch mit dem oberägyptischen Abt Schenute einen Gewährsmann vor uns, der uns historisch bis in das erste Jahrhundert der Verehrung diokletianischer Märtyrer führt und der als zuverlässiger Zeuge gelten darf, da er dem aufgeblühten Märtyrerkult zwar nicht ablehnend, aber mit kritischer Reserve gegenübersteht. Bekannt ist Schenute als scharfer Kritiker der typisch ägyptischen Ausuferungen des Märtyrerkultes, und zwar schon seit dem Erscheinen von Zoegas "Catalogus", erst recht aber seit Leipoldts eindringlicher Darstellung von Leben und Werk des Abtes Schenute. Daß auch er die richtig verstandene Verehrung der Märtyrer mit Nachdruck befürwortet hat, ist demgegenüber weitgehend unbeachtet geblieben. Noch mehr aber blieb unbemerkt, welche Indizien sich aus seinem Werk für den Stand der literarischen Entwicklung der ägyptischen Märtyrerlegende um 400 n. Chr. ergeben: Editum est, sed coptice scriptum - non legitur.

Die bekannt-unbekannten Schriften des Schenute in neuer Weise zu erschließen, ist das Hauptanliegen dieser Arbeit. Dabei wird der Zugang, unter den Vorzeichen des eingangs genannten Forschungsunternehmens, durch verschiedene Aspekte bestimmt werden, die aber alle um das Zentrum

Schenute, und zwar als (Augen-)Zeugen der christlichen Märtyrerverehrung seiner Zeit, gruppiert sind. Von hier aus erklärt sich dann auch die Notwendigkeit von Exkurs und Anhang zu diesen Studien, in deren Mittelpunkt zwei Märtyrer stehen, mit deren Kult Schenute ganz real konfrontiert war: die Bischöfe Psote und Kallinikos. So werden zwei fragmentarische Predigten des Schenute, die schon lange in ihrer Existenz bekannt sind, und ein Ausschnitt aus einer dritten, die als inhaltlich unbekannt gelten darf, unten näher besprochen - alle drei von Amélineau in seinen "Oeuvres de Schenoudi" publiziert (s.u. §§ 1 und 2). Daneben aber wird das hagiographische Textdossier zu Psote (und Kallinikos, soweit vorhanden) eine besondere Rolle spielen, d.h. eine Auseinandersetzung mit Orlandis Edition des Psote-Dossiers (s.u. § 3 und den Exkurs dazu), aber auch mit der Kirchenpoesie zu den beiden Märtyrern stattfinden (s.u. den Exkurs zu § 3 und den Anhang). Welche Bedeutung der Sprachgebrauch der koptischen hagiographischen Literatur, wie er in den §§ 2 und 3 behandelt wird, für das Lexikon des Koptischen hat, wird an einem charakteristischen Exempel im § 4 ausgeführt. Weiteren Aufschluß über in dieser Arbeit behandelte Gegenstände geben die am Schluß beigegebenen Indices.

Zum Schluß bleibt mir, ein Wort des Dankes abzustatten: an meine langjährige Kollegin im Forschungsprojekt, Ursula Rößler-Köhler, für ihre liebenswürdige Bereitschaft, immer wieder "neue Entdeckungen" auf dem Gebiete der koptischen Hagiographie geduldig anzuhören, insbesondere aber an Wolfhart Westendorf als Leiter des Forschungsunternehmens, der sich mit Zuwendung und Einsatz seines Mitarbeiters auch dann annahm, wenn dessen Arbeitsergebnisse zwar neu waren, aber außerhalb der "programmierten Linie" des Projektes - wie auch hier im Falle des Schenute - lagen. Mein Dank gilt ferner Frau Karen Krah, M.A., die sich der Anfertigung der Druckvorlage unterzogen hat, und schließlich den Gutachtern des Projektes, und ihrer (teilweise massiven) Kritik an ihm, insbesondere Prof.Dr.Dr. Martin Krause (Münster), auf dessen freundliche Anregung der Anhang zu dieser Arbeit zurückgeht.

Göttingen, im Juli 1986 Jürgen Horn

Abkürzungen

Die in dieser Arbeit verwendeten Abkürzungen für Zeitschriften und Reihen, Quelleneditionen, biblische Bücher u.a. folgen dem Abkürzungsverzeichnis der Theologischen Realenzyklopädie (TRE) (TRE. Abkürzungsverzeichnis. Zusammengestellt von Siegfried Schwertner, Berlin - New York 1976), hilfsweise den vom Lexikon der Ägyptologie (LÄ) benutzten Abkürzungen. Die folgende Übersicht erläutert zusätzliche Abkürzungen bzw. solche, die im folgenden in einem bestimmten Sinne gebraucht werden.

A.D.	Anno Domini (nach Jahreszahlen in der Zählung "nach Christi Geburt")
A.M.	Anno Martyrum (nach Jahreszahlen in der Zählung nach der Ära der Märtyrer)
arab. *(vor Seitenzahlen)*	"arabisch" zur Kennzeichnung der Seitenzählung der Ausgaben arabischer Texte
Bed.	Bedeutung (wird besonders zur Kennzeichnung von spezifischen Bedeutungsangaben in Wörterbüchern benutzt)
Bez.	Bezeichnung
Bf.	Bischof
Bl.	Blatt (einer Handschrift), auch: unpaginiertes Blatt eines gedruckten Buches; Vorderseite: Vs., Rückseite: Rs.
Ebf.	Erzbischof
Enk. *(+ Name eines Heiligen)*	Enkomion (Lobrede) auf ...
fol., foll.	folium, folia: Blatt (Folium) einer Handschrift; Vorderseite: r, Rückseite: v (jeweils direkt nach der Zahl für das Blatt)
Fragm.	Fragment
Hs., Hss.	Handschrift, Handschriften
id.	idem: dasselbe (= der betreffende Textzeuge bietet denselben Wortlaut)

Kol.	Kolumne einer in mehreren Kolumnen geschriebenen Handschrift (bzw. in deren Edition, sofern diese die Schriftkolumnen wiedergibt); linke Kolumne: Kol.I, rechte Kolumne: Kol.II
Lit.	Literatur
LXX	Septuaginta (griechische Übersetzung des Alten Testamentes)
Mart. *(+ Name eines Märtyrers)*	Martyrium (Märtyrerlegende) des/der ...
Mir. *(+ Name eines Heiligen)*	Miracula (Erzählung von den Wundern) des/der ...
om., omm.	omittit, omittunt: (der betreffende Textzeuge, die betreffenden Textzeugen) läßt aus, lassen aus
p., pp.	pagina, paginae: Seite, Seiten einer Handschrift, und zwar nach der Paginierung durch Schreiber der Handschrift; nie die Seite eines gedruckten Buches
r *(nach Zahlen)*	recto: Vorderseite des Blattes (fol.) einer Handschrift
Rs.	Rückseite eines Blattes, s.o. Bl.
S.	Seite eines gedruckten Buches; nie die Seite einer Handschrift (s.o. p.). Die Seitenzahl eines Buches wird in dieser Arbeit nur dann durch "S." markiert, wenn die Weglassung zu Mißverständnissen führen würde (etwa bei Konkurrenz von Zählung nach Seiten und nach Nummern).
Syn.Alex.	Synaxarium Alexandrinum: das arabischsprachige Synaxar der koptischen Kirche (in den Ausgaben von FORGET in CSCO und von BASSET in PO benutzt)
v *(nach Zahlen)*	verso: Rückseite des Blattes (fol.) einer Handschrift
Vs.	Vorderseite eines Blattes, s.o. Bl.
Z.	Zeile der Seite einer Handschrift/ eines gedruckten Buches. Zur eindeutigen Identifi-

kation von Passagen in Handschriften/ Druckausgaben werden in dieser Arbeit häufig die Zeilenzahlen beigegeben. Diese werden von der Seitenzahl der Hs./ des Druckes einfach durch Komma getrennt, "Z." also weggelassen, wenn keine Mißverständnisse entstehen können. Es heißt also durchweg einfach "(p.) 138, 7" statt "S./p.138 Z.7".

(Zeilenzählung) Zeilenzählung auf der Seite einer Handschrift/ Druckausgabe wird zur sicheren Identifizierung einer Textpassage auch dann benutzt, wenn der Text keine explizite Zählung bietet. S.o. bei Z.

Abgekürzt zitierte Literatur
(Kurztitelverzeichnis)

AMÉLINEAU, Schenoudi I	s. S.1 Anm.6
AMÉLINEAU, Schenoudi II	s. S.15 Anm.83
BAUMEISTER, Martyr Invictus	s. S.2 Anm.11
BUDGE, Misc.	s. S.34 Anm.156
DELEHAYE, Martyrs d'Égypte	s. S.2 Anm.7
Difnār (ed. O'LEARY)	s. S.50 Anm.199 und S.101 Anm.380
LEIPOLDT, Sinuthius III und IV	s. S.5 Anm.31
MASON, GTRI	s. S.16 Anm.90
O'LEARY (ed.), Difnār	s.o. Difnār (ed. O'LEARY)
ORLANDI, Psote	s. S.14 Anm.72
Synaxarium Alexandrinum (ed. BASSET) III	s. S.51 Anm.205 und vgl. ebd. Anm.204
Synaxarium Alexandrinum (ed. FORGET) I	s. S.29 Anm.134 und vgl. S.51 Anm.204
WESSELY, GKT I	s. S.15 Anm.86
ZOEGA, Catalogus	s. S.1 Anm.1

Vergleichende Übersicht zu den in dieser Arbeit benutzten Monatsbezeichnungen des ägyptisch-koptischen Kalenders

	Kopt.-arabisch	Sa^c^idisch (häufigste Formen)	Griechisch	Äthiopisch
(1)	Tūt	ⲑⲟⲟⲩⲧ	Θωύτ	Maskaram
(2)	Bāba	ⲡⲁⲟⲡⲉ	Φαωφί	Ṭĕqĕmt
(3)	Hatūr	ϩⲁⲑⲱⲣ	Ἀθύρ	Hĕdār
(4)	Kīhak (Kiyahk)	ⲭⲟⲓⲁϩⲕ (ⲕⲟⲓⲁϩⲕ)	Χοιάκ	Tāḫšāš
(5)	Ṭūba	ⲧⲱⲃⲉ	Τῦβι	Ṭĕr
(6)	Amšīr	ⲙ̄ϣⲓⲣ	Μεχείρ	Yakātīt
(7)	Baramhāt	ⲡⲁⲣ(ⲉ)ⲙϩⲟⲧⲡ (ⲡⲁⲣⲙ̄ϩⲁⲧ)	Φαμενῶθ	Magābīt
(8)	Barmūda	ⲡⲁⲣⲙⲟⲩⲧⲉ	Φαρμοῦθι	Mīyāzyā
(9)	Bašans (Bašuns)	ⲡⲁϣⲟⲛⲥ	Παχών	Gĕnbōt
(10)	Ba'ūna	ⲡⲁⲱⲛⲉ	Παῦνι	Sanē
(11)	Abīb	ⲉⲡⲏⲡ	Ἐπείφ, Ἐπῖφι	Ḥamlē
(12)	Misrā	ⲙⲉⲥⲟⲣⲏ	Μεσορή	Naḥassē
(13)	(Ḫams) an-Nasī'	(ⲉⲡⲁⲅⲟⲙⲉⲛⲏ)	αἱ ἐπαγόμεναι (ἡμέραι)	Pāg^u^ĕmēn

N.B.: Im Sinne der Einheitlichkeit der Nomenklatur werden in dieser Arbeit für die Monate des ägyptisch-christlichen Kalenders nur die Bezeichnungen der ersten Kolumne benutzt, deren Formen die geringsten Schwankungen aufweisen und mit denen der sa^c^idischen Kolumne eng verwandt sind.

§1 Schenutes Haltung zur Märtyrerverehrung

Daß Schenute dezidierte Positionen zu den in seiner Zeit in Ägypten praktizierten Formen von Märtyrerfrömmigkeit bezogen hat, ist seit dem Erscheinen von Zoegas Katalog der koptischen Handschriften der Sammlung Borgia[1] in Ansätzen nachvollziehbar. Zoega stellt unter der Nr.CLXXXIIX[2] eine fragmentarische Handschrift vor, die auch zwei (unvollständige) Abhandlungen[3] enthält, die sich mit der Märtyrerverehrung in Ägypten befassen. Die Titel der Abhandlungen sind erhalten und werden von Zoega vollständig dargeboten.[4] Im übrigen bietet er charakteristische Passagen in Auswahl.[5] Der vollständige Text - soweit erhalten - wurde 1907 von Emile Amélineau publiziert.[6] Johannes Leipoldt hat in seiner klassischen

1 GEORGIUS ZOEGA, Catalogus codicum copticorum manu scriptorum qui in museo Borgiano Velitris adservantur (Opus posthumum), Romae 1810 (anastat. Neudr. Leipzig 1903; im folgenden als ZOEGA, Catalogus zitiert). Die latinisierte Form des Vornamens "Georgius" wird in der koptologischen Literatur durchweg zu "Georg" verkürzt, s. etwa Winifred Kammerer (und Mitarbeiter), A Coptic Bibliography, University of Michigan General Library Publications. 7, Ann Arbour 1950. Nr.753. Zu Zoegas ursprünglichem (dänischen/deutschen) Vornamen werde ich mich an anderer Stelle äußern.

2 Heute in der Biblioteca Nazionale, Neapel; heutige Signatur: Cassetta I. B. 3, fascicolo 362, s. JOSEPH-MARIE SAUGET, Introduction historique et notes bibliographiques au Catalogue de Zoega, Muséon 85 (1972), 25 - 63 (53). Bei Sauget auch Angaben über die Editionen der Texte - leider mit der Möglichkeit des Mißverständnisses belastet: Die von Leipoldt zuverlässiger edierten Partien wurden *auch* von Amélineau publiziert.

3 Die erste Abhandlung, in der Überschrift als Brief (ⲉⲡⲓⲥⲧⲟⲗⲏ) bezeichnet, beginnt auf fol.14r = p.201 der fragmentarischen Handschrift; die zweite Abhandlung beginnt auf fol.20r = p.239 und wird als "Erklärung, Auslegung" (ⲉⲝⲏⲅⲏⲥⲓⲥ) bezeichnet.

4 ZOEGA, Catalogus S.421, 15 - 20 bzw. 424, 21 - 23.

5 ZOEGA, Catalogus S.421 - 424 (mit lat. Übersetzung) bzw. 424 - 427 (ohne Übersetzung; dafür auf S.424 eine lat. Zusammenfassung des Fragmentes).

6 Amélineau hat Zoegas Nr.CLXXXIIX als Stück V des ersten Bandes seiner Ausgabe der Werke des Schenute mit französischer Übersetzung publiziert: EMILE AMÉLINEAU, Oeuvres de Schenoudi. Texte copte et traduction française, T.I Fasc.2, Paris 1907, 159 - 224 (im folgenden als AMÉLINEAU, Schenoudi I zitiert). Die uns hier interessierenden Abhandlungen finden sich ebd. 197,12 - 221,2 (bzw. 212,3) und 212,4 - 220,12.
Über die Mängel der Amélineauschen Edition braucht hier nicht weiter berichtet zu werden - sie sind nur zu bekannt. Zur Illustration sei nur auf die Identifikation dreier von Amélineau benutzter Fragmente verwiesen, die (direkte oder indirekte) Paralleltexte zu Zoegas Nr.CLXXXIIX enthalten:
a) Der von Amélineau aaO 167 Anm.2 bis 172 Anm.10 als Variante, und von dort bis einschl. S.173 als Haupttext gebotene Text entstammt nicht Zoegas Nr.CXC, wie Amélineau angibt, sondern vielmehr dessen Nr.CXCV; vgl. ZOEGA, Catalogus S.470.
b) Das von AMÉLINEAU aaO 180,4 bis 182 Anm.11 als Variante dargebotene Fragment stellt in der für den Herausgeber typischen Präzision "un fragment de la Bibliothèque Nationale" dar. Hier handelt es sich um Paris, Bibliothèque Nationale Copte 130[5] fol.79; zur Identifikation s. nunmehr ENZO LUCCHESI, Répertoire des manuscrits coptes (sahidiques) publiés de la Bibliothèque Nationale de Paris, Cahiers d'Orientalisme 1, Genève 1981, 67.
c) Ohne Erwähnung in der Einleitung tritt plötzlich ein weiteres Fragment mit Paralleltext auf, das Amélineau von S.200 Anm.2 bis 203 Anm.15 als Variante publiziert: das Fragment der Sammlung Borgia, das Zoega als Nr.CCIIX* katalogisiert hat; s. ZOEGA, Catalogus S.518 (heute Neapel, Biblioteca Nazionale Cassetta I. B. 7, fascicolo 382, s. SAUGET, op.cit. 55).

Schenute-Monographie von 1903 die beiden Texte herangezogen.[7] Sie gelten ihm als beredte Zeugen für die Auswüchse des Märtyrerkultes in Ägypten - Auswüchse, die auf das heidnische Erbe Ägyptens zurückzuführen sind[8] und die Schenute auf das heftigste bekämpft. Der zweite Text wurde 1954 von L.Th.Lefort in Form einer Übersetzung neu bearbeitet, allerdings ohne ausführliche Kommentierung.[9] Leforts Publikation ist von dem Interesse getragen, nachzuweisen, daß die von Athanasius in seinen Osterfestbriefen gegeißelten Praktiken des meletianischen Märtyrerkultes - darunter Invention von Märtyrern und Inkubation an den Märtyrergräbern -[10] nicht etwa auf die Meletianer in Ägypten beschränkt sind, sondern auch bei den "normalen" orthodoxen Christen des Landes anzutreffen sind. Der Schenute-Text legt nahe, daß wir es hier mit einer weitverbreiteten Frömmigkeitshaltung zu tun haben - und nicht etwa mit einer Randerscheinung christlich-ägyptischer Frömmigkeit. Die Ansätze von Leipoldt und Lefort zur Interpretation der beiden Abhandlungen hat Baumeister in seiner Darstellung des Märtyrerkultes in Ägypten aufgegriffen[11] - allerdings mit größerer Vorsicht bei der Gleichsetzung des von Schenute in der ersten Abhandlung geschilderten Märtyrerfestes mit einem heidnisch-ägyptischen Fest.[12]

Die bisherige Auswertung der Texte legt den Nachdruck auf die von Schenute bekämpften Formen des Märtyrerkultes - also etwa kirmesartige Feste

7 JOHANNES LEIPOLDT, Schenute von Atripe und die Entstehung des national ägyptischen Christentums, TU N.F. 10 Heft 1, Leipzig 1903; dort S.7 im Werkeverzeichnis als e (Predigten) Nr.3 und 4, weiter S.30 - 32 zum Inhalt: Leipoldts Ausführungen liegen die Textauszüge bei ZOEGA, Catalogus zugrunde. Ebenfalls auf die Textfassung bei Zoega greift HIPPOLYTE DELEHAYE in seiner klassischen Monographie über die ägyptischen Märtyrer zurück: Les Martyrs d'Egypte, AnBoll 40 (1922), 5 - 154. 299 - 364 (37 - 39; auf der Basis von Übersetzungen einiger Passagen des koptischen Textes).

8 LEIPOLDT, op.cit. 30f; dort S.30 zur ersten Abhandlung: "Würde in dieser Schilderung nicht von Märtyrern die Rede sein, ein altägyptisches Fest fände man hier dargestellt, aber keinen christlichen Feiertag." Zur in der zweiten Abhandlung angesprochenen ständigen Neuauffindung von Märtyrergebeinen bemerkt LEIPOLDT aaO 31: "Auch der Polytheismus der alten Religion saß vielen noch tief im Herzen."

9 L.TH.LEFORT, La Chasse aux reliques des martyrs en Égypte au IVe siècle, Nouvelle Clio 6 (1954), 225 - 230. Diese Textbearbeitung fehlt bei PAUL JOHN FRANDSEN und EVA RICHTER-AERØE, Shenoute: A Bibliography, in: Studies presented to Hans Jakob Polotsky, ed. by Dwight W.Young, East Gloucester (Mass.) 1981, 147 - 176. Leforts Textbasis ist die Ausgabe von AMÉLINEAU (unter Heranziehung von ZOEGA, Catalogus), vgl. op.cit. 226 Anm.1

10 Die beiden von LEFORT, op.cit. 225f herangezogenen Stellen aus den Festbriefen des Athanasius von 369 und 370, die er damals noch nicht edierten Hss.-Fragmenten entnahm, liegen jetzt in der Edition von L.TH.LEFORT vor: S. Athanase. Lettres festales et pastorales en copte, CSCO 150 (Script.Copt.19), Louvrain 1955, 62,23 - 63,5 und 65,3 - 66,17 (bzw. in französischer Übersetzung: CSCO 151 (Script.Copt.20), Louvain 1955, 42,13 - 27 und 46,14 - 47,25).

11 THEOFRIED BAUMEISTER, Martyr Invictus. Der Martyrer als Sinnbild der Erlösung in der Legende und im Kult der frühen koptischen Kirche. Zur Kontinuität des ägyptischen Denkens, Forschungen zur Volkskunde. 46, Münster 1972, 67f. 69.72 (im folgenden als BAUMEISTER, Martyr Invictus zitiert).

12 BAUMEISTER, Martyr Invictus 68 Anm.75.

am Märtyrertag, ständige neue Inventionen von Märtyrern und Inkubation an den Märtyrergräbern -, registriert sie als gängigen ägyptischen Brauch und versucht, ihre Hintergründe zu deuten. Dabei scheint mir zu wenig danach gefragt zu werden, welche Form von Märtyrerverehrung für Schenute als "normal" galt - was für ihn heißt: welche Form theologisch zu rechtfertigen ist - und welche Bräuche er durchaus akzeptieren konnte.[13] Bezeichnend dafür ist, daß Leipoldt bei der Behandlung von Schenutes Haltung zu den Heiligen[14] die beiden Abhandlungen zur Märtyrerverehrung nicht heranzieht, obwohl diese doch explizierte Auskünfte nicht nur negativer Art über Schenutes Haltung zu den (Märtyrer-) Heiligen geben. So kommt Leipoldt zu der Fehleinschätzung, daß die Fürbitte der Heiligen für Schenute praktisch keine Rolle spielt[15] - obwohl Schenute in der ersten Abhandlung diese Fürbitte als zentrales Argument benutzt, um seine Zuhörer/Leser von ihren (Miß-) Bräuchen abzubringen: "Denn das ist es, was sich ziemt; das ist es, was den heiligen Märtyrern gefällt, auf daß sie *Fürbitte für uns einlegen* und für uns bitten, da sie doch beim Herrn im Himmel sind."[16]

Auf einige Punkte, die im positiven Sinne für Schenutes Haltung zur Märtyrerverehrung charakteristisch sind, soll im folgenden aufmerksam gemacht werden. Zuvor aber noch zwei Bemerkungen formaler Art zu den beiden Abhandlungen.

(1) Nach Zoegas Meinung gehören von seiner Hs. Nr.CLXXXIIX zur ersten Abhandlung die foll.14r (ab der Überschrift) /v (=pp.201 / 202), 15 - 19 (=pp.205 - 214) und 20r (bis zur Überschrift (=p.239)[17], zur zweiten Abhandlung die foll.20r (ab der Überschrift) - 23v (=pp. 239 - 246). Zoega setzt damit für die erste Abhandlung einen recht großen Umfang an, nämlich fast 39 Handschriftseiten. Der fragmentarische Schluß (p.239)[18] will thematisch nicht so recht zur Überschrift der Abhandlung passen - zumal wenn man berücksichtigt, daß es einen umfangreicheren Paralleltext zu diesem Fragment gibt.[19]

13 Vgl. immerhin BAUMEISTER, Martyr Invictus 68: "Die kirchlich-liturgische Feier, nicht dagegen die gleichzeitige Kirmes, findet die Billigung des sittenstrengen Klosterabtes." Die kirchlich-liturgische Feier wird allerdings von Schenute nicht nur gebilligt, sondern für *geboten* gehalten; s. weiter unten.

14 LEIPOLDT, op.cit. 83 (im Kapitel über Schenutes Frömmigkeit, op.cit. 74 - 85).

15 LEIPOLDT aaO.

16 AMÉLINEAU, Schenoudi I 207, 10 - 12 (bei ZOEGA, Catalogus nicht exzerpiert).

17 ZOEGA, Catalogus S.424: "Quintum fragmentum (d.h. foll.20 - 23) paginarum octo sistit ultima verba ejusdem, ni fallor, sermonis ..."; beachte die Einschränkung "wenn ich mich nicht täusche".

18 AMÉLINEAU, Schenoudi I 211,3 - 212,3; kein Exzerpt bei Zoega.

19 Diese Parallele wurde von Zoega, insbesondere aber von Amélineau, der beide Texte edierte, nicht erkannt.

Die von Zoega als Nr.CXCIV katalogisierte Hs. der Borgia-Sammlung[20] enthält nämlich im fünften Fragment (foll. 13 - 15 = pp.97 - 102)[21] den Schluß derselben Abhandlung in vollständigerer Form.[22] Berücksichtigt man den Inhalt der umfangreicheren Parallele[23], will dieser Schluß erst recht nicht zu der in der Überschrift auf p.201 angegebenen Thematik passen.[24] Wir dürfen also annehmen, daß der Schluß der ersten Abhandlung über die Märtyrerverehrung in der Lücke zwischen p.214 und p.239 gelegen hat und daß ihr eine Abhandlung mit anderer Thematik folgte.

(2) Anhaltspunkte für die Datierung ergeben sich für die zweite Abhandlung.[25] Darauf hat bereits Leipoldt hingewiesen.[26] Schenute benutzt nämlich seinen Besuch in Ephesus 431[27] als Argument gegen die von ihm bekämpften Praktiken: Solche Formen der Märtyrerverehrung, wie er sie voller Grimm in Oberägypten beobachtet, hat er in der Residenz (Konstantinopel) und Ephesus nicht gesehen.[28] Die Entstehung

20 ZOEGA, Catalogus S.455 - 470; heute Neapel, Biblioteca Nazionale Cassetta I. B. 4, fascicolo 368, vgl. SAUGET, op.cit. (s. Anm.2) 53. Publiziert von AMÉLINEAU, Schenoudi I 365 - 441 (als Stück XI des ersten Bandes seiner Schenute-Ausgabe).

21 ZOEGA, Catalogus S.459f (Exzerpte); AMÉLINEAU, Schenoudi I 387,7 - 393,12 (p.99 der Hs. ist auf Tafel XIV abgebildet).

22 foll.13,14 = pp.97 - 100; auf fol.14v = p.100 beginnt eine neue Abhandlung, die nicht mit der in Zoega Nr.CLXXXIIX folgenden zweiten Abhandlung über die Märtyrerverehrung identisch ist, vgl. ZOEGA, Catalogus S.460. Die genaue Parallele verläuft so:
Zoega Nr.CLXXXIIX p.239 ≙ Nr.CXCIV pp.99/100
Amélineau, Schenoudi I 211,3 - 212,3 ≙ Schenoudi I 389,13 - 390.

23 Vgl. die Exzerpte bei ZOEGA, Catalogus S.459.

24 So schön es natürlich wäre, eine exakte Datierung der Abhandlung über die Märtyrerverehrung zu haben. Denn die in Zoega Nr.CXCIV foll.13, 14 enthaltenen Angaben datieren die Entstehung der Abhandlung, zu der sie gehören, auf das Jahr 432 - das Jahr nach dem Konzil von Ephesus (vgl. ZOEGA, Catalogus S.459).

25 Die Datierung der ersten Abhandlung in das Jahr 432 käme dann in Frage, wenn der Abhandlungsschluß auf p.239 (samt seiner Parallele) zu dieser Abhandlung gehören würde, s. Anm.24. Nach den oben angestellten Erwägungen ist das aber nicht der Fall.

26 LEIPOLDT, op.cit. 7 (Werkeverzeichnis e 4).

27 Zu diesem Besuch s. LEIPOLDT, op.cit. 41f (dort weitere Belegstellen) und 90. Zweifel an der Anwesenheit des Schenute in Ephesus äußert GUSTAVE BARDY in seiner Darstellung des Konzils (in: Histoire de l'Eglise depuis les origines jusqu'à nos jours, hrsg. v. Augustin Fliche und Victor Martin, Bd.4: De la mort de Théodose à l'élection de Grégoire le Grand, Paris 1948, 177 - 186; vgl. besonders 178 Anm.1).

28 AMÉLINEAU, Schenoudi I 215,1 - 6; Übersetzung bei LEFORT, op.cit. 228. Zum Problem des Besuches / der Besuche in Konstantinopel s. LEIPOLDT, op.cit. 42. Der von Leipoldt dort genannte Beleg Sz 425 ist unsere Stelle; er könnte durch den Hinweis auf die Predigt des Kyrill "De hora mortis" ergänzt werden (ed. E.AMÉLINEAU, MMAF IV (1), Paris 1888, 165 - 195). Diese Predigt enthält "autobiographische" Passagen, die auch von Kyrills und Schenutes Aufenthalt in Konstantinopel und Ephesus berichten (AMÉLINEAU, op.cit. 173,7 - 186,8; ein Exzerpt aus diesem Abschnitt - ohne die wunderhaften Ereignisse in Konstantinopel - bei ALEXIS MALLON, Grammaire Copte. Bibliographie, Chrestomathie et Vocabulaire, 4.Aufl. durchges. von Michel Malinine, Beyrouth 1956, Chrestomathie S.60 - 62).

der Abhandlung fällt also in die letzte Lebensphase des großen Abtes, zwischen 431 und 451.[29] Eventuell dürfen wir damit rechnen, daß es sich auf Grund der Datierung der Abhandlung, die der zweiten Abhandlung über die Märtyrerverehrung in der Hs. vorausgeht[30], hier um einen Codex handelt, der Schriften des Schenute aus der Zeit kurz nach 431 sammelt.[31] Dann wäre ein terminus post quem auch für die erste Abhandlung gewonnen. Das ließe sich aber erst auf Grund einer genauen Analyse ermitteln, die eine Neuausgabe der Hs. Zoega Nr.CLXXXIIX einschließlich aller zugehörigen Blätter und Paralleltexte voraussetzt.[32]

Schenutes Grundhaltung zur Märtyrerverehrung ist positiv; sie kommt sehr klar in folgender Aussage zum Ausdruck: "Zu den Topoi der Märtyrer zu gehen[33], zu beten, zu lesen, zu psallieren, dich zu heiligen, das

29 Das Jahr 451 als Todesjahr des Schenute erscheint mir auf Grund der Darstellung in der koptischen Literatur (vgl. LEIPOLDT, op.cit. 42 Anm.3 und 4) bei weitem wahrscheinlicher als das Jahr 466; in diesem Sinne, allerdings mit einem anderen Argument, auch MARTIN KRAUSE, Art. Koptische Literatur, LÄ III, 1980, 694 - 728 (724 Anm.208).

30 Der Paralleltext zum Schluß dieser Abhandlung (auf p.239) ergibt die Datierung in das Jahr 432, vgl. o. Anm.24.

31 Ein Indiz dafür könnte die Bezugnahme Schenutes auf Ephesus in dem Fragment Oxford, Bodleian Library Clarendon Press Mss. Fragm.21 foll. 4 - 7 sein (ed. JOHANNES LEIPOLDT, Sinuthii Archimandritae vita et opera omnia III, CSCO 42 (Script.Copt.2), Paris 1908 (Nachdr. Louvain 1955), 218 - 224 - unter Einschluß des Paralleltextes Paris, Bibliothèque Nationale Copte 130[5] fol.79 -; die Bezugnahme ebd. 219, 4f). Das Handschriftenfragment aus Oxford bietet nämlich in den foll.1 - 3 Paralleltext zur Hs. Zoega Nr.CLXXXIIX, und zwar zu dessen fol.7 = pp.171 / 172; schon Amélineau hatte das Oxforder Fragment aus Anlaß der Edition der Borgia-Hs. als Variante herangezogen bzw. als Haupttext publiziert (foll. 1 - 3 : AMÉLINEAU, Schenoudi I 174 Anm.1 - 180,3; foll.4 - 7: ebd. 180,4 - 188,2). Leipoldt legte dann eine Reedition der in dem Fragment enthaltenen Texte vor (foll.1 - 3: ed. JOHANNES LEIPOLDT, Sinuthii Archimandritae vita et opera omnia IV, CSCO 73 (Script.Copt.5), Paris 1913 (Nachdr. Louvain 1954), 22 - 26; zu foll.4 - 7 s. den Beginn dieser Anm.). Das Indiz für die Datierung einer weiteren Abhandlung in Hs. Zoega Nr.CLXXXIIX auf die Jahre nach 431 wäre durch das Oxforder Fragment aber nur dann gewonnen, wenn in der Borgia-Hs. *dieselbe* Abhandlung wie in der Oxforder Hs. foll.4 - 7 folgte. Das läßt sich allerdings im Augenblick nicht zwingend nachweisen.

32 Ein Ansatz dazu in der Schenute-Ausgabe von Leipoldt; Leipoldt hat folgende Blätter der Borgia-Hs. in kritischer Edition vorgelegt:
a) foll.1 - 6 (= pp.97 - 108): LEIPOLDT, Sinuthius IV (s. Anm.31) 1 - 10 (Nr.48 / Cod.A)
b) fol.7 (= pp.171 / 172): ebd. 22 - 24 (Nr.50 / Cod.A)
c) fol.24 (= pp.301 / 302): LEIPOLDT, Sinuthius III (s. Anm.31) 13f (Nr.1 - 3)
d) fol.25 (= pp.311 / 312): ebd. 14 - 16 (Nr.4,5).
Merkwürdig ist nur, daß an keiner Stelle zugehörige Blätter aus anderen Sammlungen auftreten; hier wäre das "Corpus dei manoscritti copti letterari" in Rom zu befragen.

33 Schenute setzt noch voraus, daß die Märtyrertopoi von den Kirchengebäuden getrennt sind. Das ergibt sich einerseits aus der Richtung seiner Kritik: Weil außerhalb der Kirche, vergißt die christliche Menge, daß sie sich auch im Märtyrertopos im Hause Gottes befindet; s.u. Anm.38 und 39. Andererseits kritisiert er auf das Schärfste die Sitte, die Topoi in die Kirchengebäude zu verlegen; das ist einer der Kernpunkte der zweiten Abhandlung (AMÉLINEAU, Schenoudi I 212,12 - 216,1; 217,10

Opfer darzubringen in der Furcht Christi - das ist gut; das ist die vorgeschriebene Form (тγпос)[34] der Kirche, der Kanon (канωн)[35] für das Haus Gottes."[36] Mit den Worten тγпос und канωн gibt Schenute zu erkennen, daß es sich bei den angesprochenen Praktiken nicht etwa nur um religiöse Bräuche handelt, die geduldet werden können, sondern um Formen mit kirchlicher Verbindlichkeit; er ermuntert geradezu zu ihrer Einhaltung. Das wird auch aus dem folgenden Passus ganz deutlich: "Legt ab alle diese eitlen Begierden verschiedenster Art und geht zu ihnen (scil. den Märtyrern) zu zehntausenden, so wie ihr zur Kirche geht."[37] Hier begrüßt Schenute explizit das Märtyrerfest als ein Fest der christlichen Volksmassen - aber unter einer Voraussetzung: Die so Ermunterten sollen zu den Topoi der Märtyrer gehen, wie sie auch (zum normalen Gottesdienst) in die Kirche gehen. Das ist nun für Schenute ein zentraler theologischer Gedanke für die Bestimmung der Regeln, die für den Märtyrerkult gelten: Gottesdienst an den Topoi der Märtyrer ist nichts anderes als Gottesdienst in der Kirche; er muß nach den gleichen Regeln gehalten werden.[38] Der Topos des Märtyrers ist kein hervorgehobener Ort, für den Sonderregeln gelten, sondern er ist Haus Gottes bzw. Christi - genauso wie die Kirche.[39] Werden die für den Topos des Märtyrers gebotenen

- 218,3; Übersetzung bei LEFORT, op.cit. 227f; 229) - vielleicht etwas undeutlich durch die Vermischung mit der Kritik an ständigen Inventionen von bisher unbekannten Märtyrern. Daß sich Schenutes Kritik nicht nur gegen die Bestattung der Gebeine von "Lügenmärtyrern" im Kirchengebäude richtet, ist ganz deutlich; ihr grundsätzlicher Charakter kommt in einer polemischen Frage zum Ausdruck: "Wo steht in der Schrift geschrieben: ... Baut in der Kirche einen Topos für einen Märtyrer, für den bezeugt ist, daß er wahrhaftig einer ist?" (AMÉLINEAU, aaO 214,10 - 12). Aus der Schilderung von Praktiken der Märtyrerverehrung in der ersten Abhandlung ergibt sich, daß zu Schenutes Zeit die Märtyrertopoi auf den Friedhöfen liegen, s. AMÉLINEAU, Schenoudi I 205,6 - 9; 207,12f. Schenutes geradezu verzweifelter Versuch, die Verlegung der Topoi in das Kirchengebäude zu verhindern, hat sich historisch gesehen als erfolglos erwiesen: Die ägyptischen Gemeindekirchen werden zu einem großen Teil Märtyrerkirchen, deren Ruhm es gerade ist, daß der Leib des Märtyrers in ihnen verwahrt wird.

34 Zu тγпос < ὁ τύπος "vorgeschriebene Form" s. G.W.H.LAMPE, A Patristic Greek Lexicon, Oxford 1961, 1418 b - 1420 a (Bedeutung L). Eventuell käme hier noch die engere Bedeutung "Ritus" des christlichen Griechisch in Betracht (LAMPE aaO Bedeutung L 4).

35 Zu канωн im Sprachgebrauch der monastischen Schriftsteller s. DWIGHT W.YOUNG, "Precept": A Study in Coptic Terminology, Orientalia N.S. 38 (1969), 505 - 519 (506f). Allerdings interessiert Young in erster Linie der monastische Verwendungsbereich des Wortes ("Regel, Vorschrift"); hier geht es dagegen um eine allgemeinkirchliche "Regulierung", für die mir "Kanon" eine treffende Wiedergabe erscheint.

36 AMÉLINEAU, Schenoudi I 199,8 - 10; unvollständiges Exzerpt (aus p.205) bei ZOEGA, Catalogus S.241.

37 AMÉLINEAU I 207,6f; kein Exzerpt bei ZOEGA, Catalogus.

38 "Die vorgeschriebene Form (тγпос), die wir in der Kirche einhalten - die ist es auch, die im Topos des Märtyrers stattfinden sollte, ohne Sünde." (AMÉLINEAU, Schenoudi I 207,1f; kein Exzerpt bei ZOEGA, Catalogus).

39 "(Wir sollten am Märtyrerfest teilnehmen) wobei wir uns daran erinnern, daß der Topos des Märtyrers das Haus Christi ist." (AMÉLINEAU, Schenoudi I 200,8 mit Paralleltext in Anm.9; nur der Schluß bei ZOEGA, Catalogus S.422,1; vgl. auch u. Anm.46).

Formen eingehalten, dann wird klar, daß die Festteilnehmer feiern "um Gottes und seines Christus willen", nicht aber wegen des Märtyrers als einer religiösen Größe mit eigenständigem Wert.[40] Schenute kritisiert damit deutlich die von ihm beobachtete *Verselbständigung der Märtyrerfrömmigkeit*; er bindet die Märtyrerverehrung ganz eng an die Gottes- und Christusverehrung. Unter solchen Voraussetzungen und keinen anderen darf die Festgemeinde mit der Fürbitte der Märtyrer rechnen.[41] Unter solchen Voraussetzungen können dann auch praktische Fragen der Organisation des Märtyrerfestes erörtert werden: Schenute schließt beispielsweise den Verzehr von Lebensmitteln und Getränken während des Festes nicht grundsätzlich aus; Kranke und von weither Gekommene dürfen sich ihren Mundvorrat mitbringen[42]; Schenute kann sich auch sonst die Bereithaltung von Lebensmitteln / Getränken aus besonderen Gründen (Hitze!) vorstellen.[43]

Das Märtyrerfest findet für Schenute an einem ganz genau bestimmten Tag des Jahreslaufes statt[44]; dabei ist augenscheinlich eine Art Festkalender vorausgesetzt.[45] Den Inhalt der Feier für den Märtyrer durch die Gläubigen bestimmt Schenute als (zeitweilige) Teilnahme an den Leiden des Märtyrers - wobei er die Gefahr sieht, daß dieser Inhalt von den Gläubigen immer wieder vergessen wird.[46] Ein Märtyrerfest darf nur für

40 Nachdem Schenute dazu aufgefordert hat, "zu zehntausenden" zu den Märtyrern zu gehen (s. das oben in Anm.37 belegte Zitat), fährt er fort: "- aber zu den wahrhaftigen Märtyrern, deren Leiden Zeugnis für sie ablegen, nicht zu den Lügenmärtyrern. Dann werdet ihr wahrhaftig an den Tag legen, daß ihr um Gottes und seines Christus willen zu ihnen geht." (AMÉLINEAU, Schenoudi I 207,7 - 10; kein Exzerpt bei ZOEGA, Catalogus).

41 Der in Anm.40 zitierte Text fährt fort:"Denn das ist es, was sich ziemt; das ist es, was den heiligen Märtyrern gefällt, auf daß sie Fürbitte für uns einlegen und für uns bitten, da sie doch beim Herrn im Himmel sind." (schon oben in anderem Zusammenhang zitiert und in Anm.16 belegt).

42 AMÉLINEAU, Schenoudi I 205,6 - 9; vgl. das Exzerpt (aus p.209) bei ZOEGA, Catalogus S.422.

43 AMÉLINEAU, Schenoudi I 205,9f; kein Exzerpt bei ZOEGA, Catalogus. Die Stelle ist leider stark beschädigt, so daß sich nur noch der Tenor, aber nicht der genaue Inhalt der Aussage erheben läßt.

44 "Sich zu versammeln und zu ihnen (scil. den Märtyrern) zu gehen *an ihrem festgesetzten Tag* (ϩⲙ̄ ⲡⲉⲩϩⲟⲟⲩ ⲉⲧⲧⲏϣ) ...", AMÉLINEAU, Schenoudi I 205,11f (kein Exzerpt bei ZOEGA, Catalogus).

45 Beachte die pluralische Referenz in der in Anm.44 zitierten Stelle; man könnte dort noch präzisieren: "...an ihrem *jeweiligen* festgesetzten Tag ...". Leider ist Schenute sehr schweigsam hinsichtlich der Namen der Märtyrer, deren Fest legitim gefeiert werden kann; vgl. dazu die Bemerkungen von LEIPOLDT, op.cit.83. Das dürfte mit seiner Reserve gegenüber den in Ägypten praktizierten Formen von Märtyrerkult zusammenhängen.

46 "Wir aber sind zu seinem Topos gegangen uns haben unseren verruchten Leidenschaften gefrönt, anstatt daß wir dort an seinen Leiden teilnehmen für einen Tag oder wenigstens für eine kurze Weile, wobei wir uns daran erinnern, daß der Topos des Märtyrers das Haus Christi ist." (AMÉLINEAU, Schenoudi I 200,8 mit Paralleltext in Anm.9; nur der Schluß dieser Stelle bei ZOEGA, Catalogus S.422,1).

die wahrhaftigen Märtyrer (ⲙⲁⲣⲧⲩⲣⲟⲥ ⲛⲁⲙⲉ)[47] gefeiert werden, nicht aber für die Lügenmärtyrer (ⲙⲁⲣⲧⲩⲣⲟⲥ ⲛ̄ⲛⲟⲩϫ).[48] Auf die Frage, wie denn die wahrhaftigen Märtyrer zu erkennen seien, hat Schenute eine verblüffend einfache Antwort: "Die wahrhaftigen Märtyrer nun liegen klar zu Tage."[49] Worauf basiert die Sicherheit des oberägyptischen Abtes in dieser Frage? Ich glaube, es lassen sich zwei Indizien angeben, nach denen Schenute den wahrhaftigen Märtyrer bestimmt:

a) Er besitzt einen genau festgelegten Festtag, der allgemein bekannt ist.[50]
b) Er ist an den Leiden erkennbar, die er durchlitten hat.[51] Diese Leiden werden von Schenute expliziert[52] und für seine Kritik an den Mißbräuchen des Märtyrerfestes nutzbar gemacht.[53] Das heißt aber nichts anderes als: Es gibt eine Möglichkeit, sich über die Leiden des Märtyrers zu informieren - denn der wahrhaftige Märtyrer besitzt einen Text, der ihm und seinem Fest gewidmet ist; er besitzt *ein Martyrium*, aus dem der Christ seine Leiden ersehen kann. So wird auch der oben angesprochene Gedanke des Schenute, der Inhalt des Märtyrerfestes für den Gläubigen sei zeitweilige Teilnahme an den Leiden des Märtyrers, noch verständlicher: Sein Leiden wird während der Feier *durch die Verlesung seines Martyriums aktualisiert*; die Teilnahme an seinen Leiden wird zu einem wichtigen Teil durch das andächtige Zuhören der Festteilnehmer bei der Verlesung praktiziert.[54]

47 AMÉLINEAU, Schenoudi I 207,8; 208,12f; vgl. auch ebd. 213,2.

48 AMÉLINEAU, Schenoudi I 207,7 - 9; bereits oben Anm.40 zitiert. Lügenmärtyrer sind für Schenute ganz sicher die Personen, deren Gebeine irgendwo aufgefunden werden und von denen die Finder behaupten, es handele sich um Märtyrer. Hier insbesondere setzt die polemische Kritik der zweiten Abhandlung an.

49 AMÉLINEAU, Schenoudi I 208,12f (kein Exzerpt bei ZOEGA, Catalogus); vgl. auch ebd. 213,2: "diejenigen, von denen wahrhaftig klar zu Tage liegt, daß sie Märtyrer sind" (auch bei ZOEGA, Catalogus S.425,2f).

50 ⲡⲉϥϩⲟⲟⲩ ⲉⲧⲧⲏϣ ; vgl. o. Anm.44 und 45.

51 "... die wahrhaftigen Märtyrer, *deren Leiden Zeugnis für sie ablegen*"; vgl. o. Anm.40.

52 "Aber der Märtyrer ist unter großen Qualen gestorben: Seine Augen wurden herausgerissen; er wurde ...; er wurde Glied für Glied zerstückelt; er wurde enthauptet - bei alledem litt er Hunger und Durst -; Feuer wurde unter seinen Flanken entzündet; er wurde mit Steinen beschwert und in das Meer und die Flüsse geworfen." (AMÉLINEAU, Schenoudi I 200,5 - 8 und Paralleltext (aus ZOEGA, Catalogus Nr. CCVIII*) in Anm.2 bis 9; kein Exzerpt bei ZOEGA, Catalogus).

53 Durch den Gedanken, daß der Christ eigentlich am Märtyrerfest an den Leiden des Märtyrers teilnehmen soll; vgl. o. Anm.46.

54 Zur Bezogenheit des Martyriums (der Märtyrerlegende) auf Märtyrerfest und Märtyrertopos s. BAUMEISTER, Martyr Invictus (s.o. Anm.11) 172f; vgl. insbesondere ebd. 173 Anm.99: "Der erste Sitz im Leben der Märtyrerlegende war das Martyrerfest am Topos des Martyrers."

Damit haben wir Schenutes Unterscheidung von wahrhaftigem Märtyrer und Lügenmärtyrer nachvollziehbar gemacht: (Wahrhaftiger) Märtyrer ist nur der, der einen Festtag und ein Martyrium (eine Märtyrerlegende)[55] besitzt. Das aber besitzen die durch Invention aufgefundenen "Märtyrer" nicht - daher die Schärfe der Polemik in der zweiten Abhandlung zur Märtyrerverehrung, ohne daß die Stichworte "Festtag" und "Martyrium" (bzw. "Leiden des Märtyrers") dort auftreten.

55 Hier geht es nur um die formale Zuordnung Märtyrer : Martyrium (Märtyrerlegende). Schenutes Schweigsamkeit über konkrete Märtyrergestalten (vgl. o. Anm.45) macht es schwer zu bestimmen, welche Märtyrerlegenden ihm bekannt waren und wie sie aussahen. Zu diesen Fragen s. die Ausführungen in §2 dieser Studien.

§2 Bemerkungen zu Form und Inhalt der Schenute bekannten Märtyrerlegenden

Wäre es möglich, anhand der Werke des Schenute zu bestimmen, welche Märtyrerlegenden er gekannt hat bzw. wie die ihm bekannten Märtyrerlegenden gestaltet waren, dann wären wir einen großen Schritt in der Frage weitergekommen, wie die Entwicklung der ägyptischen Märtyrerhagiographie hin zum koptischen Konsens[56] verlaufen ist.[57] Wir würden dann nämlich historische Anhaltspunkte für die Wende vom 4. zum 5. Jahrhundert bzw. für die erste Hälfte des 5. Jahrhunderts (je nach Datierung der Werke) gewinnen, die eine Phase in ein helleres Licht tauchen würden, die bisher sehr schlecht durch direkte Zeugnisse dokumentiert ist.[58] Schenute ist aber sehr schweigsam, was die Nennung von Namen konkreter Märtyrer[59] und die Bezugnahme auf konkrete Martyriumstexte betrifft. Das ist wohl eindeutig durch seine Reserve gegenüber den ausufernden Formen der Märtyrerverehrung in (Ober-) Ägypten bedingt, die er in vielen Punkten auf das heftigste bekämpft[60]: Er will dem sowieso blühenden Märtyrerkult nicht noch durch Verherrlichung von Märtyrern weitere Nahrung geben, da die Verwendung solcher Nahrung im vorgefundenen Rahmen höchst problematischer Formen dieses Kultes für ihn fast unkontrollierbar ist.

56 Charakterisierung der Gruppe von Märtyrerlegenden, die dem koptischen Konsens zuzurechnen sind bei BAUMEISTER, Martyr Invictus 95; Vorstellung der Legenden des koptischen Konsenses ebd. 96 - 138; Schema (Topik) der Legenden des koptischen Konsenses ebd. 145 - 148. "Der überwiegende Teil (scil. der koptischen Martyrien) gehört zum sog. koptischen Konsens." (ebd. 145).

57 Überblick über markante Stationen der Entwicklung der ägyptisch-koptischen Märtyrerhagiographie bei BAUMEISTER, Martyr Invictus 160 - 172 (anhand von drei Märtyrertexten: Georg-Legende / Paphnutius-Martyrium / Anub-Martyrium).

58 In der Liste der frühen koptischen Manuskripte, die Paul E.Kahle aufgestellt hat, (Bala'izah. Coptic Texts from Deir el-Bala'izah in Upper Egypt Vol.I, Oxford 1954, 269 - 278) und die 163 Hss. (-Fragmente) des 3. bis 5.Jahrhunderts umfaßt, taucht nur ein Fragment auf, das sich eindeutig als Martyrium bestimmen läßt (London, BM 1002; KAHLE, aaO 272). Ein Überblick über die Inhalte der von Kahle zusammengestellten Hss. findet sich aaO 278. Überprüft man die Überlieferungsverhältnisse in den griechischen Papyri Ägyptens aus dieser Zeit, so ergibt sich ein ganz ähnlicher Befund. JOSEPH VAN HAELST führt in seinem Katalog der jüdischen und christlichen literarischen Papyri 14 hagiographische Texte durchweg martyrologischen Charakters auf, nämlich Nr.702 - 715 unter 1201 Nummern griechischer Papyri (Catalogue des papyrus littéraires juifs et chrêtiens, Université de Paris IV (Paris-Sourbonne). Série "Papyrologie".1, Paris 1976, 255 - 260). Nur vier der Texte entstammen dem 4. und 5.Jahrhundert (Nr.703, 709 (die beiden bilden ein Stück), 710, 715; die Zahl erhöht sich auf sechs, wenn man die Wende vom 5. zum 6.Jahrhundert einbezieht (Nr.707, 708). Die den Katalog van Haelsts ergänzenden Referate über christliche Papyri von KURT TREU (Christliche Papyri VI, APF 26 (1978), 149 - 158; dass. VII, APF 27 (1980), 251 - 258; dass. VIII, APF 28 (1982), 91 - 98) bringen nur ein neues Stück, das aber dem 6.Jahrhundert entstammt (Nr.715a, APF 26 (1978), 256).

59 Vgl. o. Anm.45.

60 Vgl. die Ausführungen in §1 und die dort in Anm.7, 9 und 11 genannte Lit.

Und doch lassen sich einige (wenige) Stellen in seinen Werken angeben, die Rückschlüsse zu den hier gestellten Fragen ermöglichen. Solche Stellen sollen im folgenden besprochen werden. Beginnen wir mit einer Stelle aus der ersten Abhandlung über die Märtyrerverehrung, die wir schon in §1 dieser Studien angeführt haben.[61] Sie steht im Kontext von Schenutes Gedanken, Teilnahme des Gläubigen am Märtyrerfest bedeute zeitweilige Teilnahme am Leiden des Märtyrers.[62] Die Stelle war von uns dahingehend ausgewertet worden, daß Schenute hier Bezug auf die Verlesung des Martyriums während des Festes nimmt. Was aber noch nicht ausgewertet wurde, sind die inhaltlichen Anspielungen auf Martyrien bzw. Martyriumstexte, die dort gemacht werden. Hier noch einmal die Stelle im Kontext:

> "Aber der Märtyrer ist unter großen Qualen gestorben: Seine Augen wurden herausgerissen ...[63]; er wurde Glied für Glied zerstückelt; er wurde enthauptet - bei alledem litt er Hunger und Durst -; Feuer wurde unter seinen Flanken entzündet; er wurde mit Steinen beschwert und in das Meer bzw. in die Flüsse geworfen. Wir aber sind zu seinem Topos gegangen und haben unseren verruchten Leidenschaften gefrönt, anstatt daß wir dort an seinen Leiden teilnehmen für einen Tag oder wenigstens für eine kurze Weile, wobei wir uns daran erinnern, daß der Topos des Märtyrers das Haus Christi ist."[64]

Schenute beläßt es hier nicht bei einem allgemeinen Hinweis auf die großen Qualen, die der Märtyrer erlitten hat, sondern illustriert diese durch Heranziehung konkreter Folterungs- und Tötungsarten. Wir dürfen annehmen, daß Schenute hier nicht unter Abstraktion von den ihm und seinen Hörern / Lesern bekannten Martyrien spricht. Er greift im Gegenteil auf Motive der Märtyrerliteratur seiner Zeit zurück, von denen er annehmen kann, daß sie seinen Hörern / Lesern geläufig sind: Nur so bekommt seine auf der Kontrastierung "große Qualen des Märtyrers" / "verruchte Leidenschaften unsererseits" beruhende Argumentation ihre Durchschlagskraft. Die rhetorisch durch Kontrastierung hergestellte Stringenz der Argumentation kann das Publikum dann überzeugen, wenn die kontrastierten Positionen unmittelbar einsehbar sind. Einsehbarkeit setzt aber Kenntnis derjenigen Motive beim Publikum voraus, die zur Illustration der Kontrastposition "Qualen des Märtyrers" verwendet werden.

61 S.o. Anm.52.

62 Vgl. o. Anm.46.

63 Einige Buchstaben sind wegen einer Beschädigung der Hs. nicht lesbar; Ergänzung fraglich.

64 AMÉLINEAU, Schenoudi I 200,5 - 8 und Paralleltext (aus der Borgia-Hs. ZOEGA, Catalogus Nr.CCVIII*) in Anm.2 bis 9; nur die allerletzten Worte dieses Passus bei ZOEGA, Catalogus S.422,1.

In sieben Hauptsätzen und einem Nebensatz werden sechs[65] Folterungs- bzw. Todesarten nebst einem "begleitenden Nebenumstand"[66] genannt. Im folgenden gebe ich für jede dieser Arten mindestens einen markanten Beleg aus der koptischen Märtyrerliteratur[67], um die Bezüge des Schenute auf in Texten vorhandene Motive zu verdeutlichen.[68]

(1) Herausreißen der Augen: Mart. Viktor (Londoner Fassung) 40,13 - 18[69]
(2) - zerstört - (s.o. Anm.63)
(3) Zerstückelung: Mart. Jacobus Intercisus passim[70]
(4) Enthauptung[71]: Mart. Psote (Kurzfassung) 40,17f[72]; Mart. Viktor (Londoner Fassung) 44,33 - 45,3[73]

65 Die Hauptsätze 6 und 7 ("Er wurde mit einem Stein beschwert. Dann wurde er ins Meer ... geworfen") bilden zusammen die Aussage über die sechste Folterungs- bzw. Todesart.

66 Der Umstandssatz "wobei er sich in einem Zustand befand, daß er Hunger und Durst litt" bezeichnet einen Begleitumstand, der zusätzlich zu den Qualen tritt, die in den vorhergehenden Hauptsätzen geschildert werden. Also nicht etwa "hungrig und durstig wurde er enthauptet", sondern vielmehr "zusätzlich (zu den vorher geschilderten Qualen) litt er Hunger und Durst". Die Unterbrechung der Reihe der Hauptsätze durch einen Umstandssatz ist unter diesem Aspekt ein von Schenute bewußt gewähltes Mittel.

67 Zusätzlich werden in den Anmerkungen weitere Texte genannt, deren Editionen nicht im einzelnen nachgewiesen werden. Diese sind unter Heranziehung der Zusammenfassungen von BAUMEISTER, Martyr Invictus 96 - 137 (alphabetisch geordnete Übersicht über die Martyriumstexte des koptischen Konsenses) leicht aufzufinden. Im folgenden verwendete Abkürzungen sind:
Mart. = "Martyrium (Märtyrerlegende) des ..."
Enk. = "Enkomion (Lobrede) auf ..."

68 Wegen des oberägyptischen Hintergrundes der Abhandlung des Schenute zur Märtyrerverehrung wurden in erster Linie Beispiele aus Texten zu *oberägyptischen Märtyrern* ausgewählt. Die Funktion der Belege ist nicht etwa nachzuweisen, daß Schenute genau die genannten Texte im Blick hatte, sondern vielmehr, daß die von Schenute genannten Motive *genau in dieser Form* in der koptischen Märtyrerliteratur vorkommen.

69 Ed. E.A.WALLIS BUDGE, Coptic Maryrdoms etc. in the Dialect of Upper Egypt (Coptic Texts IV), London 1914, 1 - 45. Vgl. auch Mart. Theodor Stratelates (ed. F.ROSSI, s. BAUMEISTER, Martyr Invictus 135; wahrscheinlich vom Mart. Viktor abhängig).

70 Edd. I.BALESTRI et H.HYVERNAT, Acta Martyrum II, CSCO 86 (Script.Copt.6), Louvain 1924 (Nachdr. ebd. 1955), 24 - 61. Bei diesem "klassischen Fall" von Zerstückelung findet man die einschlägigen Stellen innerhalb des Martyriums am besten mit Hilfe des Index der griechischen Lehnwörter: H.HYVERNAT (Übers.), Acta Martyrum II (Versio, additis indicibus totius operis), CSCO 125 (Script.Copt.15), Lovanii 1950, 276 s.v. μέλος/ⲙⲉⲗⲟⲥ. Weitere Fälle von Zerstückelung: Mart.Georg / Mart. Anub / Mart. Lakaron / Mart. Theodor Stratelates (ed. F.ROSSI, s. BAUMEISTER, Martyr Invictus 135).

71 Die Enthauptung durch das Schwert ist die am häufigsten vorkommende Todesart in den koptischen Martyrien. Das liegt daran, daß sie in den Legenden des koptischen Konsenses die *abschließende Todesart* des Märtyrers darstellt. Das Schema des Konsenses sieht nach einer Reihe grausamer Tötungen und Wiedererweckungen den Tod des Märtyrers durch Enthauptung vor, s. BAUMEISTER, Martyr Invictus 95. Die beiden hier ausgewählten Beispiele entstammen Martyrien, die nicht zum koptischen Konsens gehören (Psote) bzw. ganz am Beginn seiner Ausbildung stehen (Viktor).
Die Enthauptung von Märtyrern während der diokletianischen Verfolgung in Ägypten wird auch in Eusebs Kirchengeschichte berichtet: H.E. VIII 8 und 9,4; die zweite Stelle ist für unseren Zusammenhang besonders interessant, da sie sich auf Ober-

(5) Feuer unter den Flanken: Mart. Klaudios 52,3f[74]; Mart. Viktor (Londoner Fassung) 23,10f[73]; Mart. Epima (sa^{c}id. Fassung) 10,18[75]

(6) Wassertod (nach Beschwerung mit einem Stein)[76]

  a) im Meer: Mart. Arianus 86 (p.108)[77]

  b) im Fluß: Mart. Asklas 68f (pp.64 / 65)[78]

(7) Erleiden von Hunger und Durst: Mart. Psote (Kurzfassung) 34 - 36 (§§12f)[79]; Mart. Viktor (Londoner Fassung) 26,16f[80]

Wir dürfen also einerseits annehmen, daß Schenute (und sein Publikum) Martyriumstexte kannte, in denen die oben genannten Motive vorkamen; andererseits können wir zweifelsfrei folgern, daß Schenute das Schema der Martyrien des koptischen Konsenses noch nicht als maßgebliches kannte: Das zeigt die Nennung verschiedener Todesarten und ihre Anordnung.[81]

ägypten bezieht ("... Das Richtschwert wurde stumpf und als verbraucht zerbrochen, und die Henkersknechte mußten sich vor Ermüdung gegenseitig ablösen.").

72 Ed. TITO ORLANDI, Il *Dossier* copto del martire Psote. Testi copti con introduzione e traduzione, Testi e Documenti per lo Studio dell' Antichità. 61, Milano 1978, 21 - 43 (unter Einbeziehung der lat. Fassung).

73 Ed. Budge, s.o. Anm.69.

74 Ed. GÉRARD GODRON, Textes coptes relatifs à Saint Claude d'Antioche, PO XXXV (4) (= No.166), Turnhout 1970, 2 - 85.

75 Ed. TOGO MINA, Le Martyre d'Apa Epima, Le Caire 1937; die entsprechende Stelle in der bohairischen Fassung des Mart. Epima bei I. BALESTRI et H.HYVERNAT (edd.), Acta Martyrum I, CSCO 43 (Script.Copt.3), Paris 1907 (Nachdr. Louvain 1955), 131, 14f.
Dieses Motiv ist (als ⲛ̄ⲗⲁⲙⲡⲁⲥ ⲛ̄ⲕⲱϩⲧ ϩⲁ ⲛⲉϥⲥⲡⲓⲣⲟⲟⲩⲉ, häufig mit Angabe der Zahl der Fackeln) in der koptischen Märtyrerliteratur weit verbreitet. Weitere Beispiele: Mart. Paese und Thekla (edd. E.A.E.REYMOND und J.W.B.BARNS, Four Martyrdoms from the Pierpont Morgan Coptic Codices, Oxford 1973, 31 - 79) fol.57v II 30 - 58r I 4; 75r I 33 - r II 4. r II 33 - v I 2; Mart. Schenufe und Brüder (edd. REYMOND - BARNS, op.cit. 81 - 127) fol. 121v I 19 - 21; 124v II 32 - 125r I 2; 135r I 13 - 16; Mart. Heraklides (ed. WALTER TILL, Koptische Heiligen- und Martyrerlegenden I, OrChrA 102, Roma 1935, 33 - 39) 36,6 - 8; Mart. Kyriakos (edd. BALESTRI-HYVERNAT, s.o. Anm.70, 9 - 23) 14,8f; Enk. Georg (edd. BALESTRI-HYVERNAT, op.cit. 183 - 269) 232,2f.

76 Tod ägyptischer Märtyrer durch Ertränken im Meer schon in Eusebs Kirchengeschichte: H.E. VIII 8. Wegen des in Anm.71 geschilderten Befundes kommt der Tod durch Ertränken als endgültiger Tod des Märtyrers nur selten vor. Als "Zwischenspiel" in den Martyrien des koptischen Konsenses ist er aber mehrfach belegt: Mart. Apatil / Mart. Nahrow / Mart. Papnute / Mart. Isidor.

77 Ed. FRANCESCO ROSSI, Un nuovo codice copto del Museo Egizio di Torino contenente la vita di s. Epifanio ed i martiri di s. Pantoleone, di Ascla, di Apollonio, di Filemone, di Ariano e di Dios ..., AAL.M Ser.5 Vol.1, Roma 1893, 77 - 86.

78 Ed. ROSSI, op.cit.65 - 69.

79 Ed. ORLANDI, s.o. Anm.72.

80 Ed. BUDGE, s.o. Anm.69.

81 Das Schema des koptischen Konsenses fordert zwingend die Stellung der Enthauptung des Märtyrers an den Schluß des Martyriums, s.o. Anm.71. Dementsprechend müßte auch Schenute, falls er die Legende des koptischen Konsenses voraussetzt, die Enthauptung an den Schluß stellen - was er nicht tut.

Diese verschiedenen Todesarten sind verschiedenen Märtyrern und ihren Legenden zuzuordnen; die Folterungsarten können dagegen mit den verschiedenen Todesarten kombiniert gedacht werden.

Damit haben wir einige Indizien zur ägyptischen Märtyrerlegende zur Zeit des Schenute gefunden. Weitere Auskünfte gibt uns der Abt an einer ganz anderen Stelle - in einer Abhandlung, die als solche gar nicht die Märtyrerverehrung thematisiert, die aber Märtyrertexte als Argumentationsmaterial benutzt. Schenute redet dort über die Striktheit, mit der kaiserliche Erlasse durchgeführt werden - eine Striktheit, die durch die Todesstrafe für Nichtbefolgung der kaiserlichen Gebote gekennzeichnet wird. Diese Striktheit erfahren wir, so Schenute, am eindringlichsten aus den Märtyrerlegenden: Wer sich dem kaiserlichen Gebot widersetzt, den Göttern Verehrung zu erweisen, ist dem Tode verfallen. Die Machtfülle des Kaisers, die sich in der strikten Durchführung seiner Edikte und Erlasse äußert, wird dann im Sinne eines "um wieviel mehr ..."-Argumentes mit der Machtfülle Gottes kontrastiert: "Wenn schon der Kaiser (ⲡ̄ⲣⲣⲟ) solche Machtfülle besitzt - um wieviel mehr dann der König (ⲡ̄ⲣⲣⲟ) des Himmels ..." Diese Argumentation des Schenute ist in einer fragmentarischen Abhandlung enthalten, die uns die Hs. Oxford, Bodleian Library Clarendon Press Mss. Fragm.44 überliefert[82]; dieses Fragment wurde von Amélineau publiziert.[83] Bei den notorischen Mängeln von Amélineaus Editionen ist eine Kontrollmöglichkeit sehr erwünscht. Diese ergibt sich, zumindest partiell, glücklicherweise aus einem Paralleltext, den ich feststellen konnte: Ein Hs.-Fragment der Wiener Papyrussammlung läuft den pp.25 - 29 des Oxforder Fragmentes parallel.[84] Dabei handelt es sich um die Blätter Wien, Papyrussammlung der Österreichischen Nationalbibliothek K9299 - 9301[85], die von Wessely ediert wurden.[86] Die Zu-

82 Das Fragment hat 6 Folien, pp.19 - 30. Nach den im "Corpus dei manoscritti copti letterari" in Rom gesammelten Materialien sind bisher (Juni 1983) keine zugehörigen Blätter der Hs., der das Fragment entstammt, identifiziert; es fehlen ebenfalls Hinweise auf Parallelmaterial. Ich danke Prof. Tito Orlandi für die Großzügigkeit, mit der er mir die Benutzung der Materialien des "Corpus" ermöglicht hat, und für die Gastfreundschaft in seinem Forschungsunternehmen.

83 ÉMILE AMÉLINEAU, Oeuvres de Schenoudi. Texte copte et traduction française, T.II Fasc.3, Paris 1914, 536 - 550 (im folgenden als AMELINEAU, Schenoudi II zitiert). Einleitende Bemerkungen von Amélineau zu diesem Fragment, dem Stück XXXI des zweiten Bandes seiner Schenute-Ausgabe, gibt es nicht, da der Autor während der Arbeit an diesem Faszikel verstorben ist, s. den Vermerk auf S.CXLVII der "Introduction" zum Band II der Ausgabe; der letzte vorhandene Einleitungstext ist der zu Stück XXVI des Bandes. Der Text des Stückes XXXI wird nur vom Oxforder Fragment liefert; keine Parallelen oder ergänzende Blätter.

84 Bzw., auf die Ausgabe von Amélineau bezogen, parallel zu AMÉLINEAU, Schenoudi II 543,9 - 548,2.

85 3 Folien, pp.(37) - 42.

86 CARL WESSELY (Hrsg.), Griechische und koptische Texte theologischen Inhalts I,

weisung des Textes an Schenute als Autor ist zweifelsfrei.[87] Der für unsere Zwecke wichtige Passus[88] sei hier im Zusammenhang in deutscher Übersetzung wiedergegeben und kommentiert:

"Denn wenn der König[89] ein Edikt[90] ausfertigt oder Erlasse[91] publiziert[92], dahingehend, daß jedermann, der sich in seinem Königreich befindet, sie beachte, um sie zu befolgen, dann geschieht das mit großer Befehlsgewalt von Seiten des Königs und mit großer Machtbefugnis bis hin in alle Länder seines Königreiches, seien es die Städte, die in der Ferne liegen[93], seien es die Dörfer, die nicht in der Nachbarschaft[94] liegen. Und es pflegt eine große Furcht in seinem ganzen Königreich zu herrschen, daß sie dasjenige, was er ihnen geboten hat,

Studien zur Palaeographie und Papyruskunde.9, Leipzig 1909 (Nachdr. Amsterdam 1966), 159 - 161 (= Nr.48a - c; auf jeder Seite ist der Text eines Blattes kolumnen- und zeilengerecht wiedergegeben); im folgenden als WESSELY, GKT I zitiert. Das Fragment wurde von Wessely in der Textgruppe "Schenute-Literatur, bezeugt oder vermutet" publiziert (Nr.29 - 54 von GKT I , s. Inhaltsverzeichnis des Bandes).

87 Für die Zuweisung konnte ich das Manuskript des Corpus der (echten) Schenute-Texte benutzen, das ARIEL-SHISHA-HALEVY seinen Untersuchungen zur Syntax des Schenute zugrundegelegt hat ("Appendix: Textual sources constituting the Corpus"; Roma, Pontificio Istituto Biblico - im Druck). Mein Dank gilt dem Autor für die Überlassung einer Kopie des Manuskriptes.

88 AMÉLINEAU, Schenoudi II 542,7 - 544,4; Paralleltext dazu (ab op.cit.II 543,9) bei WESSELY, GKT I 159 (= Nr.48a; p.(37) Kol.I Z.1 - Kol.II Z.23). Den Seitenbeginn in der Ausgabe von Amélineau bzw. den Beginn einer neuen Seite (Kolumne) in den Hss. habe ich in der Übersetzung der Orientierung halber markiert.

89 ⲡ̄ⲣ̄ⲣⲟ meint eindeutig den römischen Kaiser, der aber aus ägyptischer Sicht König (Pharao) ist. Im Sinne der bewußten Gegenübersetzung "(irdischer) König" (= römischer Kaiser, gleichzeitig König von Ägypten) versus "himmlischer König" (= Gott) in unserem Text wurde hier die Übersetzung "König" gewählt - trotz der Anspielungen auf die reale Verwaltung des römischen Reiches im Fortgang des Textes.

90 Zu ⲇⲓⲁⲧⲁⲅⲙⲁ "Edikt / *edictum*", vgl. HUGH J.MASON, Greek Terms for Roman Institutions. A Lexicon and Analysis, ASP 13, Toronto 1974, 36b und 127f (im folgenden wird das Werk als MASON, GTRI zitiert).

91 Zu ⲡⲣⲟⲥⲧⲁⲅⲙⲁ "Anordnung, Erlaß / *iussus, edictum*" vgl. MASON GTRI 81a und 131. Ebd. 128 weist Mason daraufhin, daß πρόσταγμα zwar auch lat. *edictum* bezeichnen kann, aber nicht der terminus technicus dafür ist; im Gegensatz dazu ist διά-ταγμα der terminus technicus des Griech. für *edictum* (ebd. 127).

92 Zu ⲕⲱ ⲉϩⲣⲁⲓ "(Gesetze, Urkunden) niederlegen, publizieren" s. CRUM, Dict. 98a.

93 Hier liegt ein Textfehler vor: ⲉⲓⲧⲉ ⲙ̄ⲡⲟⲩⲉ läßt sich nicht in den grammatischen Duktus einordnen, da ⲙ̄ⲡⲟⲩⲉ ein präpositionaler Ausdruck ist (CRUM, Dict. 471b), der nicht auf gleicher Ebene wie die durch ⲉⲓⲧⲉ verknüpften Substantive stehen kann. Die Korrektur ist einfach: lies ⲉⲧⲙ̄ⲡⲟⲩⲉ, oder - dann wäre der Fehler noch einfacher zu erklären - ⲉⲧⲉⲙⲡⲟⲩⲉ (ohne Silbenstrich). Zur Gegenüberstellung ⲙ̄ⲡⲟⲩⲉ "weit entfernt" und ϩⲏⲛ "nahe (sein)" vgl. die bei CRUM, Dict. 471b am Ende des Lemmas ⲙ̄ⲡⲟⲩⲉ aufgeführten Beispiele.

94 Zur relativischen Bildung ⲉⲧϩⲏⲛ ⲉⲣⲟϥ "der benachbart ist, der in der Nachbarschaft liegt" vgl. die Bildung ⲡⲉⲧϩⲏⲛ ⲉⲣⲟϥ "Nachbar" (auch im Sprachgebrauch des Schenute) bei CRUM, Dict. 687b (s.v. ϩⲱⲛ ⲉ- qual., Belegstelle ShC 73,123).

mit großer Furcht ausführen - von den Präfekten[95] und Generälen, von den Comites[96] und Provinzstatthaltern[97] bis hin zu den Tribunen und Protoi[98] und (*Amélineau, Schenoudi II 543*) den Soldaten, daß sie achtgeben und bereitstehen bei ihren Truppenkörpern[99], die Duces[100] und Provinzstatthalter aber, daß sie tätig werden entsprechend ihren Verwaltungssprengeln[101], damit sie das ausführen, was der König

95 Zu ⲉⲡⲁⲣⲭⲟⲥ "Präfekt / *praefectus*" vgl. MASON, GTRI 138 - 140 und die Ausführungen in meinem Kommentar zum Mart. Viktor (ed. Budge) 2,6 (JÜRGEN HORN, Untersuchungen zu Frömmigkeit und Literatur des christlichen Ägypten: Das Martyrium des Viktor, Sohnes des Romanos (Einleitung und Kommentar zur ersten Hälfte), Diss.phil. Göttingen 1981; erscheint in GOF Reihe IV: Ägypten).

96 Zur Bedeutung von ⲕⲟⲙⲏⲥ "Komes / *comes*" vgl. meine Ausführungen in op.cit. zu Mart. Viktor (ed. Budge) 2,6.

97 Zur Bedeutung "Provinzstatthalter" von ϩⲏⲅⲉⲙⲱⲛ, das dem lat. *praeses* und anderen lat. Bezeichnungen für den Chef von Provinzverwaltungen entspricht, s. meinen Kommentar in op.cit. zu Mart. Viktor (ed. BUDGE) 2,6 (Parallelstelle).

98 Zur militärischen Amtsbezeichnung ⲡⲣⲱⲧⲟⲥ, die hier unübersetzt gelassen wurde, vgl. MASON GTRI 82 (Bed.5): πρῶτος ≙ (*centurio*) *prior*.

99 Zu den verschiedenen Truppenkörpern, die (ⲧⲁⲝⲓⲥ <) τάξις bezeichnen kann, vgl. MASON, GTRI 91f (*legio, cohors, centuria*). Bei den Truppenkörpern ist insbesondere an die militärischen Begleitmannschaften von römischen Amtsträgern (in Ägypten) zu denken.

100 Zu ⲇⲟⲩⲝ "Dux / *dux*" vgl. MASON, GTRI 39b. Zum Verschwimmen der Grenzen zwischen ⲇⲟⲩⲝ / ⲕⲱⲙⲉⲥ / ϩⲏⲅⲉⲙⲱⲛ in der koptischen hagiographischen Literatur s. meine Erläuterungen zu ϩⲏⲅⲉⲙⲱⲛ in op.cit. zu Mart. Viktor (ed. BUDGE) 2,6 (Parallelstelle).

Schenute scheint hier auf Grund seiner eigenen Erfahrungen in der Gegenüberstellung von ⲇⲟⲩⲝ und ϩⲏⲅⲉⲙⲱⲛ noch recht genau zu unterscheiden.
a) ⲇⲟⲩⲝ ≙ *dux* (Amtsträger mit militärischen Kompetenzen bzw. mit militärischen *und* zivilen Kompetenzen)
b) ϩⲏⲅⲉⲙⲱⲛ ≙ *praeses* (Amtsträger mit zivilen Kompetenzen)
Zu Lebzeiten des Schenute kommt es (ca. 385) zur Schaffung des Amtes eines Oberbefehlshabers der Truppen in der Thebais, des *dux Thebaidos*. In der Regierungszeit des Kaisers Theodosius II. (zwischen 425 und 450) wird dann der diokletianische Grundsatz der Trennung von Zivil- und Militärgewalt in Oberägypten durchbrochen: Die Thebais wird in zwei Provinzen geteilt (Thebais superior und inferior). An die Spitze der gesamten Thebais tritt, mit zivilen *und* militärischen Kompetenzen ausgestattet, der *comes et dux limitis Thebaici*; er ist gleichzeitig Chef der Verwaltung der Provinz Thebais superior. Unter ihm steht ein - rein ziviler - *praeses* als Spitze der Provinz Thebais inferior. Zur verwaltungsmäßigen Gliederung der Thebais in dieser Zeit s. ULRICH WILCKEN, in: L.MITTEIS und U.WILCKEN, Grundzüge und Chrestomathie der Papyruskunde Bd.I (1), Leipzig - Berlin 1912, 71 - 75; vgl. auch die Übersicht bei A.H.M.JONES, The Later Roman Empire 284 - 602. A Social, Economic and Administrative Survey, Oxford 1964 (Repr. 1973), 1459 (weitere Einzelheiten ebd., s. den Index s.v. Thebaid).

101 ⲉⲡⲁⲣⲭⲉⲓⲁ bezeichnet eigentlich den römischen Verwaltungssprengel "Provinz / *provincia*", vgl. MASON, GTRI 45a und 135f. Wegen des in Anm.100 vorgestellten Befundes - der *dux* der Thebais hat einen Amtsbereich, der größer als eine Provinz ist - empfiehlt sich hier aber die neutralere Wiedergabe "Verwaltungssprengel" für ⲉⲡⲁⲣⲭⲉⲓⲁ. Sollte Schenute wirklich tieferen Einblick in die römischen Verwaltungsstrukturen Ägyptens haben, ergäbe sich ein Datierungskriterium für den Text: Er müßte dann *nach* ca. 425 entstanden sein, weil der Dux vorher keinen "Verwaltungssprengel" hat, sondern nur militärische Kompetenzen. Das bleibt aber angesichts der Vermischung römischer Amtsbezeichnungen in der (späteren) koptischen hagiographischen Literatur zweifelhaft.

ihnen geboten hat, und sie daher nun[102] denjenigen, der (*Oxford p.25*) sich dem Edikt des Königs widersetzen wird, zum Tode verurteilen mit der Machtbefugnis und dem Schwert des Königs, ohne Schonung. Denn er (scil. der König) schont weder Präfekt noch General noch Dux noch Provinzstatthalter, auch nicht die Tribunen und die Protoi und auch nicht die Soldaten, (weder Soldat)[103] noch Zivilist[104], jegliche Art von Volk nicht, sei es Bischof oder Priester oder Mönch.[105] Vielmehr pfle-

102 Beachte, daß dem Teilsatz mit Konjunktiv (ⲛ̄ⲥⲉⲕⲁⲧⲁⲫⲣⲟⲛⲉⲓ ⲙ̄ⲙⲟⲟⲩ usw.) ,der den ersten Teil des ϫⲉⲕⲁⲥ-Satzes (ϫⲉⲕⲁⲥ ⲉⲩⲛⲁϫⲱⲕ ⲉⲃⲟⲗ usw.) fortsetzt, drei Elemente vorangestellt (extraponiert) sind:
a) teilsatzeinleitendes ϩⲱⲥⲧⲉ (+ enklitisches ⲟⲩⲛ)
b) ein substantivierter Relativsatz (ⲡⲉⲧⲛⲁⲥⲧⲟ ⲉⲃⲟⲗ usw.; "Prolepse des Objektes")
c) phraseneinleitendes ⲁⲩⲱ.
Durch diese extraponierten Elemente wird der Konjunktiv nicht etwa selbständig; vgl. HANS JAKOB POLOTSKY, OLZ 57 (1962), 479 (Rez. zu WALTER C.TILL, Koptische Grammatik, 2. verb. Aufl., Leipzig 1961; zu TILL, Grammatik §325. Wieder abgedruckt in POLOTSKY, Collected Papers, Jerusalem 1971, 270).

103 Zur Verdeutlichung des hier angesprochenen Gegensatzes "Soldat / Zivilist" habe ich "Soldat" ergänzt. An dieser Stelle ist die Aufzählung von (zivilen und militärischen) Amtsträgern beendet; sie reicht von "Präfekt" bis "... die Soldaten" und war in ganz ähnlicher Form schon oben aufgetreten (AMÉLINEAU, Schenoudi II 542,14 - 543,1). Die listenförmige Aufzählung wird ab hier um weitere Gruppen der Bevölkerung ergänzt. Zur Bedeutung dieser Ergänzung der Liste s.u. Anm.105.

104 Zu ⲡⲁⲅⲁⲛⲟⲥ "Zivilist" und zu weiteren Beispielen für die Gegenüberstellung "Soldat / Zivilist" in solchen Listen vgl. meine Erläuterungen in op.cit. zu Mart. Viktor (ed. JELANSKAJA) p.79 I 26.

105 Mit diesem Satz ist Schenute, bevor er die Märtyrerakten ausdrücklich nennt, in die *Topik der koptischen Märtyrerlegenden* verfallen. Eine solche listenmäßige Aufzählung, wie sie Schenute in diesem Satz verwendet, ist nämlich Bestandteil der koptischen Legenden, die eine Fassung des Verfolgungsediktes des Diokletian bieten. Als Beispiel sei hier diese Liste im Mart. Kosmas und Damian in Übersetzung zitiert: "Zu dem Zeitpunkt, in dem euch dieser Erlaß erreicht, sei es Klein oder Groß, sei es Provinzstatthalter oder Dux, sei es General oder Präfekt oder Komes, sei es Tribun oder Soldat oder Zivilist, sei es Priester oder Diakon oder Lektor oder Mönch, sei es Sklave oder Freier - (dann sollen sie allesamt meinen Göttern gottesdienstliche Verehrung erweisen ...)" (ed. TILL, KHML I , s.o. Anm.75, 159.8 - 15). Die Beispiele ließen sich leicht vermehren; REYMOND-BARNS, Martyrdoms (s.o. Anm.75) 223 Anm.8: "Diese Aufzählung ist ein Gemeinplatz in den Martyrien." Gesichtspunkte zur Analyse der Liste von Adressaten des Ediktes habe ich in meinem Kommentar zum Mart. Viktor entwickelt, s. op.cit. zu Mart. Viktor (ed. Budge) 2,9. Hier sei darauf hingewiesen, daß sich in diesen Listen drei Gruppen unterscheiden lassen:
a) Amtsträger (zivile und militärische) des römischen Reiches
b) Amtsträger der Kirche
c) polare Paare (wie Offizier / Soldat, Soldat / Zivilist, Klein / Groß u.a.) zur Kennzeichnung der Gesamtheit der Gesellschaft.
Beim Übergang von Elementen der Gruppe a zum Element "Soldat / Zivilist" der Gruppe c kommt es häufig zu einer Zusammenziehung wie im Beispiel aus dem Mart. Kosmas und Damian ("Tribun (Offizier) oder Soldat oder Zivilist"): Die letzten Elemente der Reihe der römischen Amtsträger sind gleichzeitig Element der Gruppe c ("Offizier / Soldat") und attrahieren den polaren Gegensatz "Zivilist". Aus: "Offizier : Soldat, Soldat : Zivilist" wird "(Offizier : Soldat) : Zivilist". Beispiele dafür s. in meiner Erläuterung zu Mart. Viktor (ed. Jelanskaja) p.79 I 26. Eine Zusammenziehung dieser Art - hier "(Tribun (Offizier) : Protos : Soldat) : Zivilist" - finden wir nun auch bei Schenute, eben an der Stelle, wo er über die Adressaten kaiserlicher Edikte spricht. Das heißt aber nichts anderes, als daß *diese Ausge-*

gen sie[106] das Geheiß des Königs an einem jeden auszuführen, den betreffend er in seinen Erlassen geschrieben hat - (*Wien p.(37) Kol.I*) *wie wir solches auch aus den Akten*[107] *der heiligen Märtyrer*[108] *er-*

staltung der Topik der ägyptischen (koptischen) Märtyrerlegenden schon zur Zeit des Schenute geläufig war.
Nun könnte man einwenden, daß die Erweiterung der ursprünglichen Liste (vgl. o. Anm.103) auf das Konto eines späteren Abschreibers geht, der die Formulare koptischer Legenden gut kennt und an dieser Stelle auf Grund seiner Kenntnis Schenute "verbessert". Solche Eingriffe in den Text sind insbesondere bei Schreibern koptischer hagiographischer Literatur überaus häufig (vgl. dazu meine Ausführungen in op.cit. zu Mart. Viktor (ed. Budge) 4,29f); auch gibt es ein gewisses Indiz für eine sekundäre Erweiterung, s.u. Anm.106. Und doch glaube ich, daß die erweiterte Fassung der Liste Schenute zuzurechnen ist. Im Unterschied zur ersten Aufzählung von Amtsträgern - dort ging es um die Adressaten von kaiserlichen Anordnungen im Blick auf deren administrative Durchführung - geht es hier ja um die Adressaten der Strafdrohung, die mit solchen Anordnungen verknüpft ist. Der Kreis dieser Strafordnung ist aber weiter als der Kreis derer, die mit der administrativen Durchführung der Anordnung (des Ediktes, des Erlasses) befaßt sind. Da Schenute an dieser Stelle außerdem schon die Märtyrerakten im Blick hat, um seine Aussagen bildkräftig zu belegen - ein für sein Publikum sicher durchschlagender Beweis -, verfällt er rhetorisch schon an dieser Stelle in die seinem Publikum geläufige Topik der ägyptischen Legenden: Er setzt ein (indirektes) Signal, wohin sich die Argumentation nunmehr wendet.

106 Mit "sie" sind wiederum diejenigen gemeint, die für die Durchführung der kaiserlichen Anordnung zuständig sind, also die römischen Amtsträger von "Präfekt" bis "die Soldaten". Das könnte als ein Indiz gewertet werden, daß die Erweiterung der Aufzählung über "die Soldaten" hinaus im vorhergehenden Satz sekundär ist. Daß es sich nicht um eine sekundäre Erweiterung handelt, ergibt sich einerseits aus der rhetorischen Absicht des Schenute, s. Anm.105 am Ende, andererseits aus einer Aussage dieses Satzes: Er (der Kaiser) schont niemanden von denen, die Schenute schon genannt hat - und das sind eben nicht nur die römischen Amtsträger (vgl. AMÉLINEAU, Schenoudi II 543,10f).

107 Zu ⲛ̄ϩⲩⲡⲟⲙⲛⲏⲙⲁ < τὰ ὑπομνήματα "Akten (der Verhandlung einer öffentlichen Körperschaft), öffentliche Aufzeichnungen" s. LIDDELL - SCOTT, Greek-English Lexicon 1889b Bed. II (besonders II 4) und LAMPE, Patristic Greek Lexicon 1451b Bed.2; τὰ ὑπομνήματα ≙ lat. *acta*, s. MASON, GTRI 96a. Schenute sagt hier ganz eindeutig "Märtyrerakten" - ein bemerkenswerter Befund angesichts des Fehlens eines entsprechenden Beleges für das christliche Griechisch bei LAMPE aaO. Zu bedenken ist, daß der heutige Begriff "Märtyrerakten" eine Schöpfung der hagiographischen bzw. historischen Forschung ist (HANS VON CAMPENHAUSEN, Art. Märtyrerakten, RGG 4 (1960), 592f; GIUSEPPE LAZZATI, Gli sviluppi della letteratura sui martiri nei primi quattro secoli. Con appendice di testi (Studi Superiori), Torino u.a. 1956, 9 Anm.8). Lazzati weist aaO darauf hin, daß solche Texte, die wir "Märtyrerakten / Atti dei martiri / Acta Martyrum u.ä." nennen, in den ersten Jahrhunderten "μαρτύριον / *passio*" genannt werden. Aber eben diese Bezeichnung (ⲙⲁⲣⲧⲩⲣⲓⲟⲛ, ⲙⲁⲣⲧⲩⲣⲟⲗⲟⲅⲓⲟⲛ o.ä.) benutzt Schenute hier nicht - vielmehr "die *Akten* der heiligen Märtyrer". ⲛ̄ϩⲩⲡⲟⲙⲛⲏⲙⲁ "die Akten (besonders mit Beziehung auf Märtyrer)" ist in der koptischen Literatur gut belegt; vgl. etwa GODRON, St. Claude (s.o. Anm.74) 174, 11.31; MINA, Apa Epima (s.o. Anm.75) 6,4; 17,2; 35,14; 37,1; REYNOLD-BARNS, Martyrdoms (s.o. Anm.75): Mart. Paese und Thekla fol.87v I 4f und Mart. Schenufe und Brüder (viermal, s. Index); TILL, KHML I (s.o. Anm.75) 48,18; ders., KHML II , OrChrA 108, Roma 1936, 134,3f. Vgl. auch den Kolophontext bei ARNOLD VAN LANTSCHOOT, Recueil des colophons des manuscrits chrétiens d'Egypte T.I (Bibliothèque du "Muséon".1), Louvain 1929, Nr.XCV Z.20 - 22 ("Buch der Akten des hl. Georg"). Angesichts dieser Belege aus der koptischen Literatur kommt unserer Schenute-Stelle deshalb besondere Bedeutung zu, weil diese Belege größtenteils im Kontext der Tätigkeit des notorischen Märtyrerchronisten Julius von Kbahs (Aqfahs) oder einer vergleichbaren Figur stehen, die dort genannten "Akten" also eine gewisse Bedenk-

fahren haben, nämlich daß er niemanden von denjenigen verschont, von denen wir gesprochen haben; wie wir es (auf dem gleichen Wege) gefunden haben, daß er Rache nimmt an ihnen allen und sie zum Tode verurteilt auf Grund des Exemplars[109] seiner Erlasse - diejenigen, *die schriftlich in den Akten der Märtyrer*[110] *festgehalten sind*[111]; so wie es geschrieben steht auf Grund seiner Schreiben[112]: 'Die und die[113],

lichkeit besitzen (vgl. BAUMEISTER, Martyr Invictus 94f). Hier dagegen scheint der Ausdruck "Akten der heiligen Märtyrer", der gleich noch einmal auftritt, der koptische terminus technicus par excellence für die auf Märtyrer bezüglichen Texte zu sein, jedenfalls was die erste Hälfte des fünften Jahrhunderts betrifft. Unter den hier angesprochenen Gesichtspunkten würde die Verwendung des kopt. (-griech.) Wortes ϩⲨⲠⲞⲘⲚⲎⲘⲀ in der koptischen Literatur eine nähere Untersuchung verdienen. Verwiesen sei hier nur auf den Terminologiewechsel für das Mart. Viktor: ϩⲨⲠⲞⲘⲚⲎⲘⲀ bei TILL, KHML I 48,18 (s.o.); ⲘⲀⲢⲦⲨⲢⲒⲀ Mart. Viktor (ed. BUDGE, s.o. Anm.69) 1,1 und bei W.E.CRUM (ed.), Short Texts from Coptic Ostraca and Papyri, London u.a. 1921, Nr.281,9.

108 Oxforder Text liest "heilige Märtyrerakten"; hier mit dem Wiener Text zu "Akten der heiligen Märtyrer" korrigiert.

109 Übersetzung nach CRUM, Dict. 80b (Belegstelle ShWess 9,159 unter ⲈⲒⲚⲈ Subst.); Crum hat dort das ⲈⲒⲚⲈ unserer Stelle unter ⲈⲒⲚⲈ "Gleichheit, Aussehen" subsumiert und setzt es fragend mit ἴσον gleich (zu ἴσον "Exemplar" s. L.TH.LEFORT, τὸ ἴσον = exemplum, exemplar, Muséon 47 (1934), 57 - 60). Denkbar wäre auch folgende Lösung: ⲠⲈⲒⲚⲈ ist der substantivierte Infinitiv zu ⲈⲒⲚⲈ "bringen" im Sinne von "das Bringen" = "die Überbringung"; Übersetzung dann: "auf Grund der Überbringung seiner Erlasse".

110 Oxforder Text liest wieder "Märtyrerakten", vgl. o. Anm.108; lies mit dem Wiener Text "Akten der Märtyrer".

111 Schenute kennt also Märtyrerlegenden, in denen kaiserliche Erlasse schriftlich festgehalten sind. Auf solche Legenden, die zur Zeit der diokletianischen Verfolgung spielen, war schon oben Anm.105 hingewiesen worden. Eine Zusammenstellung von Martyrien, in denen kaiserliche Edikte oder offizielle Briefe eine Rolle spielen, bei DELEHAYE, Martyrs d'Egypte (s.o. Anm.7) 139 Anm.1; ergänze (aus den damals publizierten Texten) Mart. Viktor (ed. BUDGE, s.o. Anm.69) 2,4 - 9. Aus der Kenntnis dieser Art von Legenden heraus erklärt sich ja auch die Form von Schenutes Aufzählung der Adressaten kaiserlicher Erlasse, die deren Strafdrohung unterliegen, s.o. Anm.105. Wir dürfen also zumindest folgern: Um das Jahr 400 lag bereits eine Mehrzahl von Märtyrertexten vor, in denen eine Fassung des kaiserlichen Verfolgungsediktes eine Rolle spielte. Diese Texte lagen damals auch in koptischer Sprache vor, da andernfalls Schenutes Argumentation gegenüber einem koptischsprachigen Publikum von diesem nicht nachvollziehbar gewesen wäre. Die Bezugnahmen und Anspielungen Schenutes auf die Märtyrerliteratur leben ja gerade davon, daß er die Kenntnis dieser Literatur und ihrer Topik bei seinem Publikum voraussetzen kann; vgl. etwa die geprägte Phrase "Feuer (-Fackeln) unter den Flanken des Märtyrers", die trotz ihrer Kürze ohne weiteres vom Publikum wiedererkannt werden kann (Besprechung der Phrase o. Anm.75).

112 Schenute setzt also voraus, daß die Fassungen kaiserlicher Erlasse, wie sie in den Märtyrerlegenden vorkommen, tatsächlich auf offiziellen Schriftstücken beruhen; die Märtyrerlegende seiner Zeit ist ihm wahrhaftiger Bericht über die Ereignisse der Verfolgung - ein weiterer wichtiger Zug der (positiven) Haltung des Abtes zur Märtyrerverehrung.

113 Zu ⲚⲒⲘ ⲘⲚ̄ ⲚⲒⲘ "der und der" bzw. "die und die" s. CRUM, Dict. 225b (nur Beispiele aus dem Sprachgebrauch des Schenute). Möglich ist auch die Übersetzung "N.N. und N.N., die Bischöfe"; vgl. ⲚⲒⲘ "eine gewisse Person, der und der" ≙ δεῖνα, CRUM, Dict. 225a. Bezeichnend ist auch wiederum die Vermeidung eines Märtyrernamens, s.o. Anm.45. Schenute hat die Namen der wohlbekannten Märtyrer (s.u. Anm.115) bewußt weggelassen und durch ⲚⲒⲘ ⲘⲚ̄ ⲚⲒⲘ ersetzt.

die großen Bischöfe der Chora, werden, wenn sie meinem Edikt Gehorsam leisten wollen[114], (*Wien p.(37) Kol.II*) das ich veröffentlicht habe, und den Göttern Verehrung erweisen, (*Amêlineau, Schenoudi II 544*) große Macht erlangen - nicht nur in ihrer Stadt, sondern im ganzen Lande. Wenn sie aber meinem Edikt nicht gehorchen - sagte er - und den Göttern keine Verehrung erweisen, werden sie zum Tode verurteilt werden.'[115] Und auf solche Art und Weise nun harrten die heiligen Märtyrer standhaft aus, bis sie die Krone des Lebens[116]

114 Oxforder Text liest "Gehorsam leisten". Übersetzung hier nach dem Wiener Text ("Gehorsam leisten wollen"); zu den Gründen, warum der Wiener Text die bessere Lesung hat, s. Anm.115 (Paralleltext aus dem Mart. Psote).

115 Hier handelt es sich nicht etwa um eine (unbestimmt bleibende) Bezugnahme auf die Topik ägyptischer Märtyrerlegenden der bereits angesprochenen Art, sondern um ein echtes Zitat aus einer bestimmten Legende: *Schenute zitiert aus dem Martyrium des Bischofs (der Bischöfe) Psote (und Kallinikos)*. Der Text des kaiserlichen Schreibens lautet dort (ORLANDI, Psote (s.o. Anm.72) 24,18 - 23):
"Psote und Kallinikos, die großen Bischöfe des Landes: Wenn sie dem Gebot von uns königlichen Herren Gehorsam leisten wollen dahingehend, daß sie den rechtmäßigen Göttern dienen, dann werden sie große Macht erlangen - nicht nur in ihrer Stadt, sondern im ganzen Lande. Wenn sie mir nun gehorchen, werden sie große Ehrengeschenke empfangen; wenn sie aber nicht gehorchen, wirst du (scil. der römische Statthalter) sie zum Tode verurteilen."
Der Text Schenutes weist gegenüber dem von Orlandi edierten Text gewisse Abweichungen auf - und doch ist die Übereinstimmung schlagend. Schenutes Text wird in manchen Passagen durch die lateinische Überlieferung gestützt; dazu und zur Bedeutung des Zitates für die Entwicklung der ägyptischen Märtyrerlegende s. §3 dieser Studien.
Schenute rechnete sicher damit, daß sein Publikum erkannte, auf welches Martyrium er Bezug nahm (zu den Gründen, warum er damit rechnen konnte, s. auch §3). Und doch hat er die Namen der bekannten Märtyrer weggelassen - im Interesse der rhetorischen Abzweckung des Zitates. Dieses soll nur als konkretes Beispiel eine allgemeinere Tatsache illustrieren, nämlich kaiserliche Erlasse, deren Nichtbefolgung mit der Todesstrafe besroht wird; es soll nicht etwa den Kult bestimmter Märtyrer verherrlichen. Insofern wird auch hier deutlich, wie stark Schenute bei
folgung mit der Todesstrafe bedroht wird; es soll nicht etwa den Kult bestimmter Märtyrer verherrlichen. Insofern wird auch hier deutlich, wie stark Schenute bei
prinzipieller Akzeptierung des Märtyrerkultes dessen ägyptische Auswüchse ablehnt.

116 Zur Krone (dem Kranz) des Märtyrers vgl. den Abschnitt "Corona martyrii" bei KARL BAUS, Der Kranz in Antike und Christentum. Eine religionsgeschichtliche Untersuchung mit besonderer Berücksichtigung Tertullians, Theophaneia.2, Bonn 1940, 180 - 190. Baus stellt verschiedene Bezeichnungen für den Märtyrerkranz zusammen (ebd. 180 - 183); "Kranz des Lebens" kommt dort nicht vor. Zur Symbolik des Märtyrerkranzes s. auch ANTONIUS J.BREKELMANS, Martyrerkranz. Eine symbolgeschichtliche Untersuchung im frühchristlichen Schrifttum, Analecta Gregoriana 150, Roma 1965, bes. 110 - 127 (Martyrerakten und Passiones, Eusebius von Caesarea).
Der Ausdruck "Kranz des Lebens" geht in christlicher Tradition sicher auf das Neue Testament zurück, s. Apk 2,10 und Iak 1,12 (für den koptischen Ausdruck vgl. Horner); die Stelle aus der Johannes-Apokalypse besprochen bei BREKELMANS, op. cit. 21 - 27; die Stelle aus dem Jacobus-Brief wird ebd. 17f behandelt. SIEGFRIED MORENZ möchte den neutestamentlichen Ausdruck aus ägyptischer Tradition ableiten, wofür er (neben griechischem Material) auf den gerade in den letzten Jahrhunderten des ägyptischen Heidentums so gut belegten "Kranz der Rechtfertigung" verweist (Ägyptische Religion, RM 8, Stuttgart 1960, 270 Anm.115; das ägyptische Material zum "Kranz der Rechtfertigung" wurde aufbereitet von PHILIPPE DERCHAIN, La couronne de la justification. Essai d'analyse d'un rite ptolémaique, CdE 30 (1955), 225 - 287; ebd. 252 Morenz' damals brieflich mitgeteilter Deutungsvorschlag, dem Derchain insoweit zu-

empfingen."[117]

Auf der Grundlage der Kommentierung zu diesem Textabschnitt (Anm.89 bis 116, insbesondere Anm.105, 107, 111, 115, 116) können wir nunmehr eine Reihe von Feststellungen treffen, die uns Aufschluß über den Stand der Entwicklung der ägyptischen (-koptischen) Märtyrerlegende in der ersten Hälfte des 5. Jahrhunderts (spätestens) geben:

(1) Schenutes terminus technicus für die Texte, die über Martyrien berichten, ist "Märtyrerakten" / ⲛ̄ϩⲩⲡⲟⲙⲛⲏⲙⲁ ⲛ̄ⲙ̄ⲙⲁⲣⲧⲩⲣⲟⲥ, s. Anm.107. Diesen Ausdruck setzt er auch als bei seinem Publikum geläufig voraus ("Wie *wir* ... aus den Akten der heiligen Märtyrer erfahren haben"). Diese Bezeichnung ist aus den Titeln koptischer Martyriumstexte bisher nicht bekannt; dort heißt es meist "das Martyrium" / ⲧⲙⲁⲣⲧⲩⲣⲓⲁ, daneben auch ⲙⲁⲣⲧⲩⲣⲟⲗⲟⲅⲓⲟⲛ. Der Ausdruck "(Märtyrer-)Akten" lebt in der koptischen hagiographischen Literatur besonders dort weiter, wo es Traditionen über den Märtyrerchronisten Julius von Kbahs (Aqfahs)[118] (oder eine vergleichbare Figur) gibt. Eine

stimmt, als er den "Kranz des Lebens" betrifft).
"Ägyptisch" ist Schenutes Ausdruck insofern, als es um die Märtyrer Psote und Kallinikos geht. Am Schluß des koptischen Mart. Psote nämlich ist die Rede davon, daß Psote die Krone empfängt: "Und so vollendete sich das Martyrium des edlen Märtyrers, des heiligen Apa Psote, am 27. Choiahk, und er empfing die unvergängliche Krone." (ORLANDI, op.cit. 40,23 - 25). Das Empfangen der Krone ist nur in der ägyptisch-koptischen Fassung des Martyriums enthalten, nicht aber in der lateinischen. Es ist dort in eine erweiterte Fassung des Martyriumsschlusses eingebettet, die in der lateinischen Version fehlt und typisch ägyptischen Interessen entgegenkommt (Auffangen des Blutes, das dann Wunder wirkt; Bergung des Leichnams und Bestattung an genau bestimmtem Ort). Die Krönung gehört also zum "ägyptischen Schluß" des Martyriums.

117 Hier ist Schenutes Argumentation mit der Märtyrerlegende beendet. Er kommt auch nicht mehr - jedenfalls im erhaltenen Teil der Abhandlung - auf sie zurück. Nunmehr geht er in die schon oben skizzierte Argumentationsrichtung zurück: "Wir haben nun folgendes gesagt: Wenn der König, dem Gott Macht verliehen hat, daß er als König auf Erden regiert, einen derartigen Schrecken besitzt und Zorn, der sich in gewaltigen Drohungen gegen diejenigen äußert, die sich seinen Anordnungen widersetzen und die gegen sein Edikt Widerstand leisten, und zwar dergestalt, daß er an ihnen Vergeltung übt durch das Schwert und andere vielfältige Bestrafung ... - wenn er nun eine derartige Drohbefugnis besitzt und Zornesmacht, die nicht durch Geld zu beschwichtigen ist: Um wieviel mehr wird dann der König des Himmels und der Erde, der Schöpfer des Alls ... nicht zürnen, oder warum sollte jemand unter diesen Umständen in der Lage sein, den Grimm seines Zornes auszuhalten ...?" (AMÉLINEAU, Schenoudi II 544,5 - 545,3; Paralleltext bei WESSELY, GKT I 159 (Nr.48a): pp.(37) II 23 - 38 II 21).

118 Über die Tätigkeit des Julius von Kbahs (Aqfahs) in den koptischen Märtyrerlegenden s. BAUMEISTER, Martyr Invictus 94f; ein Überblick über die ihm zugeschriebenen Legenden bei TOGO MINA, Jules d'Aqfahs et ses oeuvres, à propos d'une icone conservée dans l'église d'Abou's-Seifein, BSAC 3 (1937), 41 - 47, besonders 45f. Mina konstatiert, daß die Werkeliste auf der von ihm besprochenen Ikone (aaO 42 - 44) völlig von der von ihm selbst zusammengestellten Übersicht abweicht, aaO 46. Zu beachten ist dabei, daß *keine* der auf der Ikone verzeichneten Legenden in den entsprechenden Texten selbst dem Julius zugeschrieben wird, Wir haben es vielmehr mit einem Zeugnis der koptischen Frömmigkeit des 18.Jahrhunderts (MINA aaO 41) zu tun, das uns einerseits das Fortleben der Julius-Tradition bezeugt, das andererseits interessante Rückschlüsse auf die im 18.Jahrhundert noch bekannten bzw. gelesenen Märtyrerlegenden erlaubt.

solche feste Verbindung liegt zur Zeit des Schenute noch nicht vor; vielmehr wird jeder Text, der die Leiden von Märtyrern zum Inhalt hat, als "Märtyrerakten" bezeichnet.

(2) Schenute kennt eine Mehrzahl von Martyriumsberichten, in denen das Verfolgungsedikt des Kaisers vorkommt - und zwar wird es dort nicht nur erwähnt, sondern tritt seinem Inhalte nach schriftlich auf, s. Anm.111. Koptische Märtyrerlegenden, die das Edikt des Diokletian[119] enthalten, sind überaus häufig - wenn auch die Form, die das Edikt erhält, stark variiert. Häufig bildet das Edikt den markanten Einleitungspunkt der Legende; hier möchte ich von "Edikt-Exordium" der Legende sprechen.[120] Aus den Äußerungen des Schenute ist nun zu entnehmen, daß Vorformen der späteren Entwicklung bereits um 400[121] vorliegen.

119 Es erscheint mir ganz eindeutig, daß das Schlagwort "Edikt" für koptische Märtyrerlegenden mit dem Namen des Diokletian verknüpft ist. Der größte Teil der koptischen Legenden spielt während der diokletianischen Verfolgung; überall dort, wo von einem kaiserlichen Edikt die Rede ist, das die Christenverfolgung einleitet, steht auch der Name Diokletians, wobei der Name seiner Amtsgenossen nur selten erwähnt wird. Diese Bezogenheit des Ediktes (einschl. seiner Adressatenliste) auf den Kaiser Diokletian scheint nun auch schon bei Schenute vorzuliegen: Das "Paradebeispiel", das Schenute als Beleg für die Strenge kaiserlicher Edikte zitiert, wird innerhalb des zitierten Mart. Psote (und Kallinikos) als Edikt des Diokletian aufgefaßt, s. ORLANDI, Psote (s.o. Anm.72) 24,17f. In diesem Kontext schwingt auch schon bei Schenute die Gleichsetzung "kaiserliches Edikt gegen die Christen" = "Verfolgungsedikt des Diokletian" mit. Weiteres Material dazu s. §4 dieser Studien.

120 Als Beispiel für solche Legenden mit "Edikt-Exordium" seien hier genannt (Einzelnachweise der Editionen bei BAUMEISTER, Martyr Invictus):
(1) Mart. Anub (BAUMEISTER, op.cit. 98 Anm.67)
(2) Mart. Apajule und Pteleme (edd. REYMOND-BARNS, Martyrdoms (s.o. Anm.75) 131 - 137)
(3) Mart. Apatil (BAUMEISTER, op.cit. 103 Anm.79)
(4) Mart. Ari (BAUMEISTER, op.cit. 104 Anm.83)
(5) Mart. Isaak von Tiphre (BAUMEISTER, op.cit. 115 Anm.126)
(6) Mart. Leontios von Tripolis (BAUMEISTER, op.cit. 90 Anm.21)
(7) Mart. Sarapion (BAUMEISTER, op.cit. 129 Anm.192)
(8) Mart. Viktor (BAUMEISTER, op.cit. 131 Anm.203)
(9) Mart. Theodor Stratelates (BAUMEISTER, op.cit. 136 Anm.229)
Neben solchen Legenden mit Edikt-Exordium gibt es noch eine ganze Reihe von Texten, in denen das Edikt des Diokletian in anderer Weise eine Rolle spielt, vgl. etwa die oben in Anm.111 erwähnte Zusammenstellung von Delehaye.

121 Ich gehe dabei von einer relativen Spätdatierung des Schenute-Textes aus. Angesichts des Fehlens von Datierungskriterien im Text selbst setze ich ihn vorläufig in dieselbe Zeit, die sich für die in §1 besprochenen Abhandlungen zur Märtyrerverehrung nahelegt, d.h. in die Jahre kurz nach 431 (Konzil von Ephesus), vgl. o. §1 bei Anm.24 - 31. Geht man von diesem Ansatz aus, so ist es kaum wahrscheinlich, daß Schenute auf Texte Bezug nimmt, die erst "frisch" entstanden sind, d.h. den Jahrzehnten nach 400 angehören. Vielmehr setzen seine Bezugnahmen ein häufiges Hören der entsprechenden Texte, ja geradezu ein Eingeübtsein, bei seinem Publikum voraus. Wir dürfen daher annehmen, daß die Texte, auf die Schenute anspielt, (spätestens) um 400 mit den besprochenen Formungen bzw. Topoi vorlagen. Gelänge es, eine frühere Entstehung der Abhandlung, der unser Fragment entstammt, nachzuweisen, wäre der hier angegebene Zeitpunkt "ca. 400" entsprechend nach früher zu verschieben.

(3) Ebenfalls bereits um 400 ist ein Teil der Topik solcher "Edikt"-Martyrien fest geprägt. Wir sahen, daß die Liste der Adressaten des Ediktes zur Zeit des Schenute schon so elaboriert war, wie wir sie durch aus späterer Zeit überlieferte Texte kennen, s. Anm.105. Der selbstverständliche Rückgriff des Schenute auf den Topos der Adressatenliste - er verfällt ganz von selbst (in Wirklichkeit: rhetorisch ganz bewußt, s. Anm.105 am Ende) in die Phraseologie dieses Topos - macht klar, daß entsprechende Werke der hagiographischen Literatur nicht nur Schenute, sondern auch seinem Publikum geläufig waren. Der Autor rechnet rhetorisch geradezu damit, daß sein Publikum wiedererkennt, was nur indirekt eingeführt wird. Eine Ausarbeitung dieses Topos durch fabuliersüchtige koptische Legendenschreiber des 5. Jahrhunderts (oder später) scheidet damit aus.

(4) Schenute greift aber nicht nur auf für uns bestimmbare Topik von ägyptischen Märtyrerlegenden zurück - vgl. schon Anm.75 -, er macht durch ein Zitat klar, in welchem Martyrium (beispielsweise) er den Edikttopos vorfand. Aus bestimmten Gründen - dazu s. Anm.115 am Ende - läßt er zwar die Namen der Märtyrer weg, aber die Textfassung ist so eindeutig, daß wir die Legende bestimmen können: *Schenute zitiert aus dem Martyrium des Psote (und Kallinikos)*, s. Anm.115. Dieses Martyrium hat um 400 also bereits in koptischer Sprache vorgelegen - andernfalls wäre das Zitat für die koptischsprachige Zuhörer/Leserschaft unverständlich bzw. rhetorisch gesehen kein nachvollziehbares Argument. Zu den Indizien, die das Schenute-Zitat für die Entwicklung des Psote-Martyriums liefert, s. §3 dieser Studien. Die Adressatenliste des Ediktes ist übrigens nicht in diesem Martyrium zu finden; Schenute hat sie also anderen Texten entnommen.

(5) Schenute faßt das Ergebnis des Martyriumsgeschehens als Empfangen der Krone des Lebens durch den Märtyrer zusammen ("... bis sie die Krone des Lebens empfingen"). Sehen wir von der Frage des ägyptischen Hintergrundes der "Krone des Lebens" ab - vgl. Anm.116 -, so bewegt er sich mit dem Gedanken des Empfangens der Krone auf dem Boden altchristlicher Martyriumssymbolik.[122] ϫⲓ ⲙ̅ⲡⲉⲕⲗⲟⲙ ließe sich auch als "gekrönt werden" übersetzen. Das könnte dann gut mit lateinischem *coronari* "gekrönt werden" = "Märtyrer werden" verglichen werden.[123] Der Empfang der Krone hat hier aber deshalb ein beson-

122 Zu dieser altchristlichen Kronen- bzw. Kranz-Symbolik im Hinblick auf das Martyrium s. die oben in Anm.116 zitierten Arbeiten von BAUS und BREKELMANS.

123 Zu *coronari* "Märtyrer werden" bzw. *coronatus* "Märtyrer" s. BAUS, op.cit. 183f und BREKELMANS, op.cit. 117f.

deres Interesse, weil er in der ältesten bisher faßbaren Textgestalt des Martyriums, aus dem gerade zitiert worden war, nicht vorkommt.[124] Dagegen finden wir den Empfang der Krone in der koptischen Fassung des Mart. Psote, s. Anm.116 (dritter Absatz). Schenute scheint hier bereits die erweiterte (koptische) Fassung des Martyriumsschlusses vorauszusetzen, die stark durch typisch ägyptische Interessen bestimmt ist (Bergung und Bestattung des Märtyrerleichnams, Fixierung des Begräbnisortes).[125] Damit hätten wir wiederum ein Indiz für die bereits im vierten Jahrhundert einsetzende Bearbeitungstätigkeit ägyptischer Redaktoren von Märtyrerlegenden, die (mindestens) einzelne Topoi und Formulare hervorbringt, die wir dann aus den Legenden so gut kennen, die uns erst aus späterer Zeit überliefert sind.

Zum Schluß noch eine Bemerkung zu Schenutes Ersetzung der Märtyrernamen durch "die und die" im Zitat aus der Märtyrerlegende. Sie trägt einerseits spielerische Züge, im Sinne eines augenzwinkernden rhetorischen Kunstgriffes mit dem (unausgesprochenen) Hintergrund: "Ihr wißt ja sowieso, wen ich meine." Andererseits hat sie im Lichte der in §1 skizzierten Haltung des Schenute zur Märtyrerverehrung einen sehr ernsten Hintergrund: Schenute vermeidet die Namen bewußt, vgl. Anm.45, weil er für seine Person dem Kult bestimmter Märtyrer nicht etwa unkontrollierbaren Vorschub leisten will. Er möchte gar nicht erst die Argumentation aufkommen lassen, daß er als Gewährsmann für die Verherrlichung des Kultes des Psote und des Kallinikos benannt werden kann. Insofern bietet die Namensweglassung eine konsequente Ergänzung des in §1 gewonnen Bildes.

124 Zeuge für eine ältere Textgestalt, als sie uns im koptischen Mart. Psote (Kurzfassung, ed. Orlandi) vorliegt, ist die lateinische Version des Martyriums - obwohl auch diese als solche nicht einen Repräsentanten der älteren (griechischen) Fassung darstellt, s. DELEHAYE, Martyrs d'Egypte (s.o. Anm.7) 324. Diese lateinische Version ermöglicht teilweise die Rekonstruktion einer ursprünglicheren Fassung des Mart. Psote; zu den Problemen einer solchen Rekonstruktion s. DELEHAYE, op.cit. 316 - 324 und ORLANDI, Psote (s.o. Anm.72) 15 - 17. Das lateinische Mart. Psote (dort: Psotius) wurde von Delehaye in kritischer Edition vorgelegt (op. cit. 343 - 352; dort auch Angaben über die Erstausgabe); der lateinische Haupttext Delehayes abgedruckt bei ORLANDI, Psote 25 - 41 (parallel zum koptischen Text angeordnet). Der Schluß des lat. Martyriums bietet eine einfachere Gestalt als die des koptischen Martyriumsschlusses (vgl. ORLANDI, Psote 40f). Der koptische Schluß stellt eine eindeutige Erweiterung der einfacheren Gestalt um folgende Elemente dar: Auffangen des Blutes des Märtyrers / Abtransport des Märtyrerleichnams in die Heimat / Begräbnis an bestimmter Stelle. Daran angeschlossen wird die Schlußformel, in der die Märtyrerkrone vorkommt und die in Anm.116 (dritter Absatz) besprochen wurde.

125 Zu diesen Eigenarten ägyptisch(-koptischer) Legenden, die man durch das Stichwort "topographisches Interesse" charakterisieren kann, s. BAUMEISTER, Martyr Invictus 164f und 172 - 174 (vgl. auch den Index s.v. Koptische Martyrerlegenden / Topographisches Interesse).

§3 SCHENUTE ZITIERT AUS DEM MARTYRIUM DES PSOTE (UND KALLINIKOS): KULTTOPOGRAPHISCHER HINTERGRUND UND TEXTGESCHICHTLICHE BEDEUTUNG

In §2 haben wir in einer Passage aus einer Schenute-Abhandlung ein Zitat aus dem Mart. Psote (und Kallinikos)[126] identifiziert, s. Anm.115. Obwohl Schenute die Namen der Märtyrer weggelassen hat, sind wir davon ausgegangen, daß sein Publikum sofort bemerkt haben dürfte, aus welchem Martyrium der zitierte Passus stammte. Das ergibt sich schon aus Gründen der Rhetorik: Schenutes Argumentation lebt davon, daß seine Hörer/Leserschaft seine Bezugnahmen auf die Märtyrerlegenden unmittelbar nachvollziehen kann. Daß das Publikum diese bestimmte Märtyrerlegende kannte, erscheint klar; warum es sie kannte, haben wir bisher noch nicht gefragt.

Gehen wir davon aus, daß die Märtyrerlegende ursprünglich und in erster Linie zum Festtag und zum Begräbnisort (Topos) des Märtyrers gehörte, also eine feste zeitliche und örtliche Bindung besaß[127], so kämen wir weiter, wenn wir den Begräbnisort des Psote feststellen könnten. Den Festtag des Märtyrers[128] lasse ich hier außer Betracht, da wir für die Zeit des Schenute noch nicht mit einem voll durchorganisierten (oberägyptischen) Festkalender und den jeweils zugehörigen Lesungen des

126 In der Benennung des Martyriums, aus dem Schenute zitiert, ist ein Problem angedeutet: Handelte es sich bei Schenutes Vorlage um das Martyrium der *beiden* Bischöfe Psote und Kallinikos, oder lag ihm bereits eine Fassung wie die koptische oder lateinische Version vor, die nach Titel und Inhalt praktisch nur vom Martyrium des Psote berichtet? Das Problem der koptischen Kurz- und Langfassung (bzw. passio antiqua versus passio recentior sive longa) kann hier ganz außer Betracht bleiben, da für unsere Zwecke nur die Kurzfassung (passio antiqua) relevant ist; zur Langfassung s. ORLANDI, Psote (s.o. Anm.72; ab hier ständig als ORLANDI, Psote abgekürzt) 17f und 21.
Es gibt Anzeichen dafür, daß es ursprünglich ein Mart. Psote *und* Kallinikos gab, in dem auch über Leiden und Tod des Kallinikos berichtet wurde. Die heute erschließbare Textgestalt dagegen konzentriert sich im Grunde ganz auf Psote; Kallinikos bleibt eine unscharfe Randgestalt. Ein Martyrium, in dem Kallinikos eine größere Rolle spielt, wird von DELEHAYE mit einleuchtenden Gründen postuliert (Martyrs d'Egypte (s.o. Anm.7; ab hier ständig als DELEHAYE, Martyrs d'Egypte abgekürzt) 319). Vorbehalte gegenüber dieser Position hat ORLANDI, Psote 21 geäußert (Konfrontation der Positionen in PAUL DEVOS' Rezension zu Orlandis Ausgabe des Psote-Dossiers, AnBoll 97 (1979), 191). Als sicher läßt sich sagen, daß Kallinikos sich zu einer selbständigen Figur des ägyptischen Heiligenkalenders entwickelt hat - entweder durch "Aufspaltung" des ursprünglich mit Psote gemeinsamen Martyriums (Delehaye) oder durch Verselbständigung einer Nebenfigur des Psote-Martyriums (Orlandi). Weitere Angaben zum Märtyrerbischof Kallinikos s.u. im Exkurs zu §3 dieser Studien.

127 S. BAUMEISTER, Martyr Invictus 172f, bes. Anm.99.

128 Der Festtag des Psote ist der 27.Kīhak (23.Dez. jul.; ich benutze für die Festtage der Heiligen durchgängig die Monatsbezeichnungen des koptisch-arabischen Kalenders), vgl. DELEHAYE, Martyrs d'Egypte 98.

Martyriums rechnen dürfen[129] - obwohl es Indizien für die Begehung des Tages des Psote im Weißen Kloster gibt.[130] Nun nennt uns schon das koptische Martyrium am Schluß den Begräbnisort des Märtyrers Psote: "Als sie nun gen Süden nach Psoi[131] kamen, da setzten sie mit ihm nach Osten

129 Die ältesten uns erhaltenen Kalendarien zeigen einen Zustand, der - wohl stark durch örtliche Traditionen geprägt - noch weit von der späteren Standardisierung des ägyptischen Heiligenkalenders abweicht. Vgl. dazu HIPPOLYTE DELEHAYE, Le Calendrier d'Oxyrhynque pour l'année 535 - 536, AnBoll 42 (1924), 83 - 99 und W.E.CRUM, Fragments of a Church Calendar, ZNW 37 (1938), 23 - 32. Die Kalenderfragmente entstammen dem 5. / 6. Jahrhundert (Crum) bzw. dem 6. Jahrhundert (Delehaye), bezeugen also die Situation der fehlenden Standardisierung für das Jahrhundert nach Schenutes Tod. Erst recht dürfen wir für die Zeit des Schenute noch keine durchorganisierte Sammlung von Lesungen für die Märtyrertage nach der Art des koptisch-arabischen Synaxars ansetzen.

130 Angaben über die Märtyrer und Heiligen, deren Gedenktage im Kloster Schenutes, dem Weißen Kloster, in späterer Zeit begangen wurden, lassen sich den liturgischen Verzeichnissen entnehmen, die ich nach dem Vorgange von Hans Quecke *Typika* nenne (HANS QUECKE, Zukunftschancen bei der Erforschung der koptischen Liturgie, in: The Future of Coptic Studies, ed. by R.MCLACHLAN WILSON (Coptic Studies.1), Leiden 1978, 164 - 196; ebd. 190f Bestimmung des Begriffes "Typikon", ebd. 194f zu den in den Typika verzeichneten liturgischen Lesungen). Ein Fragment eines solchen Typikons verzeichnet nun Lesungen für Gedenktage des Monats Kīhak: Wien, Papyrussammlung der Österreichischen Nationalbibliothek K 9732, ed. CARL WESSELY, Griechische und koptische Texte theologischen Inhalts V (= Studien zur Palaeographie und Papyruskunde. 18), 11f (No.265). Leider bricht dieses Fragment gerade an der für uns wichtigen Stelle ab. Am Schluß läßt sich noch lesen: "27.Kīhak - das Fest der heiligen Apa"; der Name ist leider weggebrochen (WESSELY, op.cit. 12 (No.265b), 40). Daß hier unzweifelhaft der Name des Psote zu ergänzen ist, ergibt sich aus einem anderen Typikon-Fragment des Weißen Klosters, nämlich Leiden, Ms.Insinger No.38 (edd. W.PLEYTE und P.A.A.BOESER, Manuscrits coptes du Musée d'Antiquités des Pays-Bas à Leide, Leiden 1897, 182 - 188). Im fol.2 (pp.33 / 34) des Fragmentes werden Texte für die Tage 30.Kīhak und 1.Tūba verzeichnet; dort heißt es für den 30.Kīhak u.a.: "An der Stelle, an der du am Festtag des Apa Psate (mit dem genannten Text) aufgehört hast, setzt du wieder ein." (p.33,6f, s. PLEYTE - BOESER, op.cit. 185). Der letzte Märtyrerfesttag, der dem 30.Kīhak vorausgeht, ist aber der 27.Kīhak - eben der Tag des Apa Psote; zwischen den beiden Tagen wird nach dem koptischen Festkalender das Weihnachtsfest gefeiert (28. und 29.Kīhak).
Zusätzlich sei darauf hingewiesen, daß Psote nach Verfestigung des Heiligenkalenders der einzige Tagesheilige ist, s. die Übersicht von OTTO F.A.MEINARDUS, Christian Egypt. Ancient and Modern, 2.rev.ed., Cairo 1977, 93; zum anderen genießt er in Oberägypten besondere Verehrung, wie die (oberägyptische) Langfassung der Synaxarnotiz zum 27.Kīhak zeigt, vgl. DELEHAYE, Martyrs d'Egypte 314f zu den beiden Fassungen der Synaxarnotiz. Außerdem ist der Apa-Titel ständiger Begleiter seines Namens, vgl. etwa ⲁⲡⲁ ⲯⲟⲧⲉ im Titel des koptischen Martyriums (ORLANDI, Psote 24,1) und ⲁⲡⲁ ⲯⲟⲧⲉ als Beischrift zu einem Wandgemälde im Dêr al-Faḫūrī bei Esna (JULES LEROY, Les Peintures des couvents du désert d'Esna (= La Peinture murale chez les Coptes. I), MIFAO 94, Le Caire 1975, Pl.64 und 65; Text (nicht ganz fehlerfrei) ebd. S.25).

131 ⲡⲥⲟⲓ (ⲯⲟⲓ) ist der sa^{c}idische Name der Stadt Ptolemais in Oberägypten (Ptolemais Hermiu), deren arabische Namensform *Abṣāy* ist, s. WESTENDORF, Koptisches Handwörterbuch 478 und EMILE AMÉLINEAU, La Géographie de l'Egypte à l'époque copte, Paris 1893, 381 - 383. Der heutige Name der Ortslage, die die Nachfolge der alten Siedlung angetreten hat, ist *al-Manšīya* bzw. *al-Minšā(h)*, s. AMÉLINEAU aaO 382.

über den Fluß und begruben ihn auf 'dem Berge'[132] seiner Stadt."[133] Also: Begräbnis auf dem Ostufer des Nil gegenüber von Psoi in der Niederwüste. Diese Stelle wurde später von einem Kloster besetzt, das den Namen des Märtyrerbischofs trägt (Kloster des Apa Psote, arab. Dêr Anbā Bisāda) und in der Literatur gut belegt ist[134]; ein Nachfahre des alten Klosters besteht heute noch und erhebt den Anspruch, die Reliquien des

132 Die Ortsangabe "auf dem Berge (seiner Stadt)" bezeichnet eine Gegebenheit, die eng mit den geographischen Bedingungen des Niltales zusammenhängt. ⲠⲦⲞⲞⲨ bezeichnet nämlich im Kontext monastischer Ansiedlungen bzw. der Anlegung von Gräbern nicht "die Wüste (allgemein)" - so etwa WESTENDORF, op.cit. 253; etwas differenzierter CRUM, Dict. 441a - , sondern einen besonderen Bereich der wüstenhaften Gebiete des Landes. Gemeint ist nämlich der Streifen Wüste, der zwischen Kulturland und Steilabfall des eigentlichen Wüstengebirges liegt, einschließlich dieses Steilabfalles selbst. Der Bereich zwischen Kulturland und Steilabfall liegt durchweg etwas höher als das bebaute und bewässerte Land und wird von der Überschwemmung nicht erreicht; er wird terminologisch als "*Niederwüste*" bezeichnet. Dieses Gebiet nun - Niederwüste und Steilabfall des Wüstengebirges - ist der klassische Bereich der ägyptischen Nekropolen, aber auch der christlichen Klosteranlagen.
Der geschilderte Befund wird sehr schön durch die Wiedergabe des koptischen Ausdruckes "auf dem Berge von ..." in arabischen Texten beleuchtet. Der entsprechende arabische Ausdruck lautet *bi ḥāǧir NN* "auf dem *Damme* von ...". Die Wahl des Wortes *ḥāǧir* "Damm", die bei vielen Textbearbeitern zu Mißverständnissen geführt hat, ist eindeutig durch das oben genannte Faktum der Nichtüberschwemmung des Gebietes bedingt. Vgl. dazu die Einleitung zu meiner Dissertation (s.o. Anm.95) S.XIV Anm.2. So können wir dann in der "Geschichte der Kopten" des al-Maqrīzī lesen, daß das Kloster, das über dem Grabe des Psote errichtet wurde, "auf dem Damme" liege (FERDINAND WÜSTENFELD, Macrizi's Geschichte der Copten, Göttingen 1845 (Nachdr. Hildesheim 1979), 96 - deutsche Übers. - bzw. arab. 39 - arab. Text -). Vgl. zur Lage des Klosters auch Anm. 134 und 135.

133 ORLANDI, Psote 40,22f.

134 Vgl. das Synaxar der koptischen Kirche, Notiz zum 27.Kīhak in der oberägyptischen Rezension: "Und sie brachten ihn zum Ufer der Stadt Psoi und begruben ihn dort bis zum Aufhören der Verfolgung; dann erbauten sie über ihm eine Kirche *und ein schönes Kloster*." (J.FORGET (ed.), Synaxarium Alexandrinum I , CSCO 47 - 49 (Script. Arab. 3 - 5), Beirut und Paris 1905 (unv. Nachdr. Louvain 1963), 361,10f; lat. Übers.: dass., CSCO 78 (Script.Arab. 12), Roma 1921, 285,32 - 34). Vgl. weiter die in Anm. 132 am Ende herangezogene Stelle bei al-Maqrīzī: "Das Kloster des Abū Bišāda des Bischofs ...; dabei liegt es 'auf dem Damme' (= in der Niederwüste) und ihm gegenüber liegt im Westen Minšāt Iḫmīm (= Psoi / Absāy)." (WÜSTENFELD aaO; zu den Ortsnamen Abū Bišāda und Minšāt Iḫmīm s. HEINZ HALM, Ägypten nach den mamlukischen Lehensregistern. I: Oberägypten und das Fayyūm, Beihefte TAVO Reihe B 38 (1) , Wiesbaden 1979, 79 bzw. 84f). Entsprechende Angaben finden wir auch in der Liste der Kirchen und Klöster Ägyptens, die Wansleben im Bericht von seiner ersten Ägyptenreise bietet: "In Minšīya, das Kloster des Amba Besade, auf dem Ostufer" (GIO. MICHELE VANSLEBIO (d.i. JOHANN MICHAEL WANSLEBEN), Relazione dello stato presente dell'Egitto, Parigi 1671, 215; Lesung des italienischen Textes nach der deutschen Vorlage von mir korrigiert). Endlich wird die Lage des Klosters in der "offiziellen" Liste der koptischen Kirche vom Anfang dieses Jahrhunderts, die Clarke veröffentlicht hat, so angegeben: "*bi'l-ḥāǧir šarq al-Minša(h)* / auf dem Damm des Ostufers von al-Minša(h)" (SOMERS CLARKE, Christian Antiquities in the Nile Valley (Appendix), Oxford 1912, 213 Nr.L 23). Vgl. weiterhin CLAUDE SICARD, Oeuvres III : Parallèle géographique de l'ancienne Egypte et de l'Egypte moderne (hrsg. v. SERGE SAUNERON und MAURICE MARTIN), BdE 85, 1982, 194 (Nr.57).

Märtyrers zu bergen.[135] Der Standort des Klosters ist auf Karten des christlichen Ägypten leicht zu finden.[136] Blickt man in diese Karten, so fällt die geringe Entfernung des Märtyrertopos zum Kloster des Schenute auf: Etwa 17,5 km, in Luftlinie gemessen, liegen die beiden Orte voneinander entfernt.[137]

Vergegenwärtigen wir uns dieses topographische Faktum, so wird der Rückgriff des Schenute gerade auf das Mart. Psote um so verständlicher. Der Text, aus dem er zitiert, gehört zum Topos und Festtag des Psote - und der Topos kann aus dem Raum um das Weiße Kloster leicht erreicht werden: Ein Tagesmarsch (höchstens) genügt, um am Fest des Märtyrers teilzunehmen; das gilt auch für die Stadt Achmim und ihre Umgebung. Wir befinden uns also im Raum des Weißen Klosters im näheren "Einzugsbereich" des Märtyrerheiligtumes und können uns nunmehr auf der Basis der in §1 besprochenen ersten Abhandlung zur Märtyrerverehrung vorstellen, in welchen Mengen Schenutes Zuhörer zum Fest des Märtyrers Psote geströmt sind - und bei diesem Fest hörten sie auch jedes Jahr das Martyrium des Psote. Diese kulttopographische Nachbarschaft zwischen dem Raum des Weißen Klosters und dem Märtyrertopos des Psote ist die Basis dafür, daß Schenute gerade dieses Zitat wählte und daß dieses Zitat für Schenutes

135 S. OTTO MEINARDUS, Christian Egypt. Ancient and Modern, 2. rev.ed., Cairo 1977, 411f; vgl. auch STEFAN TIMM, Christliche Stätten in Ägypten, Beihefte TAVO Reihe B 36, Wiesbaden 1979, 73 s.v. Dēr Anbā Bisāda (mit falscher Deutung der Lageangabe bei Somers Clarke in Anm.2; s. dazu Anm.134). Die kurze Beschreibung der Klosteranlage durch Pater Michel Jullien, auf die Meinardus nur indirekt Bezug nimmt (in der Lit.-Angabe aaO 412), findet sich in Les Missions Catholiques 35 (1903), 276 (Quelques anciens couvents de l'Egypte (7.Folge), ebd. 274 - 276); in diesem Artikel auf S.275 auch ein Photo der Klosteranlage von Pater Jullien.
Ergänzende Informationen auf Grund der Aufzeichnungen des Pater Jullien gibt MAURICE MARTIN, Notes inédites du P.Jullien sur trois monastères chrétiens d'Egypte: Dêr Abou Fâna - le Couvent des "Sept-Montagnes" - Dêr Amba Bisâda, BIFAO 71 (1972), 119 - 128 (127f). Die koptische Textstelle, auf die Sauneron für unser Kloster verweist (s. MARTIN aaO 127 Anm.1), liegt nunmehr in neuer Edition vor: BSAC 10 (1944, ersch. 1946), 52,29 - 32 (kopt. Text) bzw. 64f (Übers.) ≙ GODRON, St. Claude (s.o. Anm.74) 78,23 - 26 bzw. 79.

136 S. Map III bei MEINARDUS, op.cit. ("D. Bisada" dort im oberen linken Feld der Karte); nunmehr aber vor allen Dingen die von STEFAN TIMM bearbeiteten Karten des TAVO:
a) Blatt B VI 15: Ägypten - Das Christentum bis zur Araberzeit (bis zum 7.Jahrhundert), Wiesbaden 1983 (Ptopos m-Psate, gegenüber Ptolemais).
b) Blatt B VIII 5: Ägypten Das Christentum in Mittelalter und Neuzeit, Wiesbaden 1983 (Dēr Anbā Bisāda, gegenüber Ibṣāy).

137 Vgl. die Entfernung zwischen den beiden Eintragungen "Pmonastērion n-Apa Šenoute" und "Ptopos m-Psate" auf der in Anm.136 unter a genannten Karte von Stefan Timm. Die Länge der Entfernung wurde auf der Basis der Karte 1:100.000 des Survey of Egypt, Blatt 40 - 66 (Sohâg) gemessen. In dieser Karte ist die Lage des Schenute-Klosters leider nicht eingetragen; sie wurde auf Grund der Angaben bei MEINARDUS, op.cit. 401 rekonstruiert. Die Situation des Psote-Klosters ist dort dagegen genau verzeichnet: "Amba Bisâda Monastery" direkt gegenüber von El-Manshâh (Ptolemais).

Publikum unmittelbar verständlich war.[138] Ergänzend sei darauf hingewiesen, daß sich Schenute mehrmals in seinen Schriften nach Psoi / Ptolemais gewandt hat, also an Bewohner der Stadt, deren Bischof der Märtyrer Psote gewesen war und in deren unmittelbarer Nachbarschaft er bestattet ist.[139] Das beweist zwar in unserem Zusammenhang nichts weiter, beleuchtet aber, inwieweit Psoi im "Einzugsbereich" des Schenute-Klosters lag.[140]

Wie sah nun der Text des Martyriums im einzelnen aus, den Schenute vor Augen hatte, als er sich des Zitates bediente? Wie ist sein Verhältnis zur von Orlandi edierten Kurzfassung des Martyriums und zur lateinischen Version? Um uns das klar zu verdeutlichen, sollen hier die Texte in paralleler Anordnung und mit Kommentar zur Textgestalt vorgeführt werden. Zuvor aber noch zwei Bemerkungen zur Überlieferung dieser Textpassage:

a) Das Textstück aus dem Mart. Psote ist bei Schenute insofern in sich vollständig, als es den gesamten Text eines Briefes bietet, den Diokletian an den oberägyptischen Statthalter Arianus [141] schickt.[142]

138 Hinzuweisen ist noch darauf, daß auch im Weißen Kloster die Literatur zum Märtyrer Psote tradiert wurde, darunter auch die koptische Kurzfassung des Martyriums. Orlandis fragmentarischer Textzeuge B stammt nämlich aus der Bibliothek dieses Klosters. Er ist im 9.Jahrhundert entstanden und enthält eine Sammlung von verschiedenen Texten über Psote (Martyrium (Langfassung), Enkomium, Martyrium (andere Fassung), Miracula; s. ORLANDI, Psote 11 - 13). Weiter gehörte Orlandis Textzeuge C - nur durch ein Blatt belegt; Kurzfassung des Martyriums - ehemals dem Weißen Kloster (ORLANDI, Psote 13). Ich glaube aber nicht, daß Schenute an unserer Stelle auf ein in der Bibliothek seines Klosters vorhandenes Exemplar des Martyriums Bezug nimmt, sondern vielmehr auf den Brauch, das Martyrium während des Märtyrerfestes am Märtyrertopos zu verlesen - obwohl es nicht auszuschließen ist, daß die Klosterbibliothek schon damals ein Exemplar der Märtyrerlegende des Psote zu ihren Schätzen zählte. Das wäre aber dem von Schenute angesprochenen Publikum kaum zugänglich gewesen.

139 Vgl. LEIPOLDT, Sinuthius III (s.o. Anm.31) 15f (Nr.5): Fragment eines Schreibens an die Kleriker von Psoi; Schenute betont, bereits das zweite Mal zu schreiben (aaO 15,15f bzw. 17f).

140 Hierfür können auch einige Stellen aus der (bohairischen) Schenute-Vita des Besa genannt werden; s. JOHANNES LEIPOLDT (ed.), Sinuthii vita Bohairice, CSCO 41 (Script.Copt.1), (Paris 1906) unv. Nachdr. Louvain 1951, 14,9 - 11; 20,5 - 7; 43,24 - 26.

141 Zum historischen Arianus - Satrius Arrianus, *praeses* der Thebais - s. CLAUDE VANDERSLEYEN, Chronologie des préfets d'Egypte de 284 à 395, Collection Lamotus.55, Bruxelles 1962, 86 - 90 (unter Auswertung auch der hagiographischen Texte). Unser Text bezeichnet Arianus einfach als ϩⲏⲅⲉⲙⲱⲛ "Statthalter", s. etwa ORLANDI, Psote 24,10 und 30,14f; zu diesem Amtstitel s.o. Anm.97. Der Wirkungsbereich des Amtes wird nicht weiter spezifiziert; daher ist wohl die unscharfe Übersetzung *iudex loci* in der lateinischen Version zu erklären, die ägyptische Verhältnisse überhaupt nicht trifft (vgl. dazu DELEHAYE, Martyrs d'Egypte 320). Wir dürfen aber Arianus auch trotz der fehlenden Nennung seines Amtsbereiches als *praeses* der Thebais ansehen, s. VANDERSLEYEN, op.cit. 104f.

142 Das Textstück ORLANDI, Psote 24,18 - 23 wird in der Rahmenerzählung ausdrücklich als ⲉⲡⲓⲥⲧⲟⲗⲏ "Brief" bezeichnet: "Er schrieb einen Brief, der folgendermaßen lautete: ..." (ebd. 24,18).

Dieser Brief antwortet auf einen Bericht des Arianus an Diokletian[143], in dem mitgeteilt wird, daß Psote und Kallinikos die Christen dazu ermutigen, sich dem Opfergebot des Kaisers zu widersetzen. Um den Kontext des Diokletian-Briefes klarzustellen und um die Anknüpfungen dieses Briefes an die Terminologie des Arianus-Berichtes besser zu verstehen, hier der Text dieses Berichtes in deutscher Übersetzung[144]: "Psote und Kallinikos, die großen Bischöfe der Chora, beliebten, deinem Befehl nicht Gehorsam zu leisten; vielmehr bestärken sie auch die anderen, dir im Punkte des Götteropfers nicht Gehorsam zu leisten. Eine Menge Leute wollte auf sie hören und hat sich der Lehre der Christen auf Grund der Unterrichtung durch diese zugewandt."

Bericht des Arianus und Brief des Diokletian setzen also das allgemeine Opferedikt voraus; dieses wird einfach als "Befehl, Gebot (des Kaisers)"[145] bezeichnet. Vom Opferedikt selbst bzw. seinem Erlaß durch den Kaiser wird im Mart. Psote nicht erzählt. Dementsprechend kommen die Stichworte ⲇⲓⲁⲧⲁⲅⲙⲁ "Edikt"[146] und ⲡⲣⲟⲥⲧⲁⲅⲙⲁ "Anordnung, Erlaß"[147], die in allen koptischen Martyrien eine Rolle spielen, in denen über das Edikt des Diokletian berichtet wird, im Mart. Psote (Kurzfassung) nicht vor.[148] Trotz dieses Befundes benutzt Schenute aber gerade dieses Martyrium, um einen Beleg für die in Martyrien schriftlich festgehaltenen kaiserlichen Anordnungen (ⲡⲣⲟⲥⲧⲁⲅⲙⲁ) zu geben. Er behauptet allerdings nicht, daß das von ihm zitierte Mart. Psote die kaiserliche Willensäußerung direkt als "Edikt" oder "Anordnung" bezeichnet, sondern führt sein Zitat in geschickter Wahl der Terminologie so ein:

143 Den Bericht des Arianus s. ORLANDI, Psote 24,12 - 16. Der Bericht wird in der Rahmenerzählung ebenfalls als ⲉⲡⲓⲥⲧⲟⲗⲏ qualifiziert: "Er schrieb einen Brief folgender Art an den Kaiser Diokletian, der so lautete: ..." (ebd. 24,11f).

144 ORLANDI, Psote 24,12 - 16.

145 ⲟⲩⲉϩⲥⲁϩⲛⲉ im Bericht des Arianus (ORLANDI, Psote 24,14), ⲕⲉⲗⲉⲩⲥⲓⲥ im Brief des Diokletian (ebd. 24,19). Ich bleibe mit "das Opferedikt" bzw. "das Verfolgungsedikt" auf der Linie der Terminologie der koptischen hagiographischen Literatur. Diese kennt nur *ein* kaiserliches Edikt, das die diokletianische Verfolgung einleitet - im Gegensatz zum historischen Ablauf der Verfolgungen, in dem vier Edikte ergehen (vgl. etwa HANS LIETZMANN, Geschichte der alten Kirche III, Berlin 1938 (=4./5. Aufl., ebd. 1975), 45 - 53). Zur Zusammenziehung der vier Edikte zu einem in der koptischen Literatur s. meinen Kommentar zum Mart. Viktor, op.cit. (s. Anm. 95) zu Mart. Viktor (ed. Budge) 2,9.

146 S.o. Anm.90 und 91.

147 Auch (untechnisch) für "Edikt"; s.o. Anm.91.

148 Die bei ORLANDI, Psote im Index s.v. ⲇⲓⲁⲧⲁⲅⲙⲁ und ⲡⲣⲟⲥⲧⲁⲅⲙⲁ verzeichneten Stellen entstammen allesamt anderen Textfassungen des Mart. Psote bzw. anderen Texten des Psote-Dossiers. Dieses Eindringen von Termini in die Überlieferung eines Textes, in dem sie ursprünglich nicht vorkommen, legt Zeugnis für die Bedeutung der entsprechenden Phraseologie ab, die schon bei ägyptischen Hagiographen der Zeit des Schenute ganz lebendig war. Dazu s.u. §4.

"... auf Grund des Exemplars seiner Erlasse (ⲡⲣⲟⲥⲧⲁⲅⲙⲁ) - diejenigen, die schriftlich in den Akten der Märtyrer festgehalten sind, wie es zum Beispiel[149] geschrieben steht auf Grund seiner Schreiben (ⲥϩⲁⲓ) ... (folgt Zitat)."[150]

Beachtenswert ist für unseren Zusammenhang der Übergang Schenutes von ⲡⲣⲟⲥⲧⲁⲅⲙⲁ "Erlaß, Anordnung" zu ⲥϩⲁⲓ "Schreiben, Schriftstück"; damit stellt Schenute in Rechnung, daß die kaiserliche Willensäußerung im Mart. Psote als ⲉⲡⲓⲥⲧⲟⲗⲏ "Brief" und nicht als "Edikt" oder "Anordnung" bezeichnet wird. Zur Bedeutung von Schenutes Bezugnahme auf die Märtyrerlegenden für die Verwendung von ⲇⲓⲁⲧⲁⲅⲙⲁ und ⲡⲣⲟⲥⲧⲁⲅⲙⲁ in der koptischen Literatur s. §4 dieser Studien.

b) Der von Schenute zitierte Brief des Diokletian kommt nun nicht nur in der Einleitung des Martyriums vor, sondern wird im Mart. Psote (Kurzfassung) noch einmal wiedergegeben: Arianus liest nämlich Psote beim ersten Verhör den Wortlaut des Briefes vor.[151] Dadurch gewinnen wir eine weitere Bezeugung der Textgestalt des Briefes. Aber nicht genug damit: In einem weiteren Psote-Text tritt der Text des Briefes ebenfalls auf, und zwar an der Stelle, wo Psote vom Kurier zum Statthalter geholt werden soll; dort wird ihm der Brief des Kaisers verlesen.[152] In der Kurzfassung ist zwar die Rede davon, daß der Brief dem Psote in Psoi[153] verlesen wird, der Wortlaut des Briefes wird aber *nicht* wiederholt.[154] Diese Wiederholung im genannten Text ist eindeutig eine sekundäre Erweiterung; dafür sprechen auch Umformungen der Textgestalt. Damit wird auch klar, daß dieser Text *kein Repräsentant* der

149 ⲛ̄ⲑⲉ ⲉⲧⲥⲏϩ dürfen wir ohne weiteres dort mit "wie es zum Beispiel geschrieben steht" übersetzen, wo es um die Einführung eines Beispieles oder Beleges für eine Behauptung geht. Genau das aber hat Schenute an unserer Stelle im Sinn.

150 AMÉLINEAU, Schenoudi II 543,12 - 14 bzw. WESSELY, GKT I 159 (Nr.48a), p.(37) Kol. I 14 - 22.

151 ORLANDI, Psote 30,23 - 32,3; fehlt in der lateinischen Version von Mart. Psote §9.

152 ORLANDI, Psote 72, Kol. I 7 - II 1 ; in der lateinischen Version von Mart. Psote §5 nicht vorhanden.

153 Daß sich dieser Teil der Handlung in der Bischofsstadt des Psote abspielt, ist eindeutig. Ihr Name allerdings wird nicht genannt. Er fehlt überhaupt in der lateinischen Version des Martyriums; im koptischen Mart. Psote (Kurzfassung) tritt er nur in der Überschrift und im (ägyptischen) Schluß bei der Angabe des Begräbnisortes auf (ORLANDI, Psote 24,2 und 40,22f) - ein Zeugnis für das "topographische Interesse" ägyptischer Legenden, das der lateinischen Version abgeht. Zu diesem Interesse s.o. Anm.125; zum "ägyptischen Schluß" des Martyriums vgl. Anm.116 am Ende und Anm.124.

154 Mart. Psote §5: "Man verlas ihm den Brief des Kaisers." (ORLANDI, Psote 26,13f). Vgl. auch die lateinische Version zu Beginn von §6: "Und als ihm der Kurier den Brief vorgelesen hatte, da ..." (ORLANDI, Psote 27).

Textform "Kurzfassung / passio antiqua" des Mart. Psote ist - entgegen der Meinung des Herausgebers Orlandi.[155] Dieser Text scheint vielmehr eine Bearbeitung des Martyriums zu bieten, die nicht so durchgreifend ist wie die der "Langfassung" und die dem Mart. Psote in äthiopischer Version[156] nahesteht.

Im folgenden gebe ich einen Überblick über die Bezeugungen des Wortlautes des Brieftextes, geordnet nach dem Ablauf der Kurzfassung des Mart. Psote. Dabei steht *Kopt.(K)* für die koptische Version der Kurzfassung, *Lat.* für die lateinische Version derselben, *Kopt.(L)* für die koptische Version der Langfassung[157], *Kopt.(Bearb.)* für die eben erwähnte bearbeitete Form der Kurzfassung und *Aeth.* für die äthiopische Form des Mart. Psote.[158]

155 ORLANDI, Psote 12 zu Fragm.7 des Textzeugen B: "Testo esattamente uguale alla redazione breve della *Passio*, par.4"; vgl. auch ebd. 15 zur Kurzfassung der Passio. Der Text von B Fragm.7 entspricht ORLANDI, PSOTE 24,23 bis 26,20, also den §§3 (letzte Worte) bis 6 (Mitte) der Kurzfassung des Mart. Psote. Er ist aber keineswegs dem Text der Kurzfassung "exakt gleich". Denn wenn wir von einer ganzen Reihe kleineren Abweichungen absehen, gibt es die umfangreiche Erweiterung um den Text des Briefes, die ein Viertel der Textmenge dieses Blattes ausmacht. Dieselbe Erweiterung auch in der äthiopischen Version des Martyriums (s. Anm.156); das aber trennt diese Version in gleicher Weise wie Textzeuge B Fragm.7 von der Überlieferung der Kurzfassung. Diese wichtigen Differenzen werden von Orlandi in seiner Gesamtbeurteilung der Überlieferung der Kurzfassung ungenügend berücksichtigt. Sein Urteil "Questa redazione breve (d.h. der Textzeugen A, B und C) corrisponde molto bene a quella tramandata in due codici latini ed in etiopico" ist in dieser Form unzutreffend (ORLANDI, Psote 15). Vgl. zur verschiedenen Wertigkeit der Differenzen der Textzeugen und deren Bedeutung für die Textgeschichte den Kommentar zur Textgestalt des Briefes im Anschluß an die Textsynopse; im Gesamtbefund zum Kommentar der Versuch eines textgeschichtlichen Stemmas.

156 Ed. E.A.WALLIS BUDGE, Miscellaneous Coptic Texts in the Dialect of Upper Egypt (Coptic Texts. Vol. V), London 1915, 1141 - 1157 (als "Appendix" zu Budges Ausgabe der Abschiedsrede des Apa Psote, ebd. 147 - 155; Reedition dieser Rede bei ORLANDI, Psote 77 - 92. Die Ausgabe von Budge im folgenden als BUDGE, Misc. abgekürzt.) Die äthiopische Version des Martyriums wurde schon von DELEHAYE zum Vergleich herangezogen, s. Martyrs d'Egypte 318f. Leider hat Delehaye dort die Publikationsstelle nicht angegeben (vgl. aber ebd. 129 Anm.9). Daher ist es Orlandi nicht gelungen, den äthiopischen Text ausfindig zu machen: ORLANDI, Psote 15 Anm.32 (vgl. dazu die Rezension von PAUL DEVOS, AnBoll 97 (1979), 191; das äthiopische Mart. Psote wäre auch mit Hilfe von BAUMEISTER, Martyr Invictus 144f (Anm.276) auffindbar gewesen).
BUDGE bezeichnet übrigens in der Überschrift zu seiner Edition das äthiopische Martyrium als Martyrium des Absādī (= Psote) *und* Alānīqōs (= Kallinikos; Budge fehlerhaft: Hellanicus), op.cit. 1141. Das widerspricht klar dem äthiopischen Titel aaO: "Kampf und Martyrium des heiligen Abā Absādī", aber auch dem Inhalt des Martyriums selbst, das praktisch nur von Psote berichtet. Wir haben hier also nicht etwa die o. Anm.126 postulierte Form eines gemeinsamen Martyriums des Psote und Kallinikos vor uns.

157 Zu dieser s. ORLANDI, Psote 17f. Sie ist nur fragmentarisch und durch einen Textzeugen überliefert: Textzeuge B Fragm.1 und 2 (insgesamt vier Blätter), vgl. ORLANDI, Psote 11.

158 Es lassen sich noch weitere sekundäre Bezeugungen des Brieftextes benennen:
a) eine fragmentarische Wiedergabe des Brieftextes (stark abweichend!) in der en-

I. Mart. Psote § 3

(1) Kopt.(K)

(2) Lat.

(3) Zitat bei Schenute (im folgenden als *Zit.* abgekürzt)

(4) Kopt.(L)

(5) Aeth. (Budge, Misc. 1142,10 - 1143,2)

II. Mart. Psote § 5

(1) Kopt.(Bearb.)

(2) Aeth. (Budge, Misc. 1143,14 - 1144,3)

Kopt.(K) und Lat. omm.; Kopt.(L) hat Lücke

III. Mart. Psote § 9

(1) Kopt.(K)

(2) Aeth. (Budge, Misc. 1148,3 - 5)

Lat. und Kopt.(L) omm.; Kopt.(Bearb.) nicht erhalten.

Wegen der Unvollständigkeit der Überlieferung von Kopt.(L) und Kopt.(Bearb.) läßt sich ein Gesamtbefund nur für Kopt.(K), Lat. und Aeth. geben. Dieser scheint mir aber für die Tendenzen der Bearbeitung des ursprünglichen Martyriums bezeichnend zu sein:

(1) Lat.: Briefinhalt einmal

(2) Kopt.(K): Briefinhalt zweimal

(3) Aeth.: Briefinhalt dreimal

Der Ausgangspunkt der Entwicklung ist das Auftreten des Brieftextes in der Einleitung des Mart. Psote (§3), was sich aus der Komposition des Martyriums, speziell seiner Einleitung, als ganz sicher ergibt. Den weiteren Stellen des Auftretens - Mart. Psote §§5 und 9 - kommt literargeschichtlich nur sekundärer Wert zu. Die folgende Textsynopse beschränkt sich hauptsächlich auf die Gruppe I des Auftretens (= Mart. Psote §3); aus Gruppe II (= Mart. Psote §5) und Gruppe III (= Mart. Psote §9) wird jeweils der Text des vorhandenen koptischen Zeugen geboten. Innerhalb der Gruppe I wird der Text der Zeugen (1) bis (4) gegeben; Textzeuge (5) - die äthiopische Version - wird nur für den Kommentar herangezogen, da ihm aus verschiedenen Gründen ein geringerer Wert zukommt. Dasselbe Ver-

komiastischen Nacherzählung des Martyriums im Enk. Psote: Textzeuge B fol.7r Kol. I 1 - 5, ed. ORLANDI, Psote 62 (vgl. auch noch ebd. 65: Bezugnahme auf den Brief in Textzeuge B fol.8r Kol. I 4 - 17).

b) die arabische Wiedergabe des Briefes in der Zusammenfassung des Martyriums im koptischen Synaxar zum 27.Kīhak (oberägyptische Rezension), ed. FORGET, Synaxarium Alexandrinum I (s.o. Anm.134), Textus 360,16 - 18 (arab. Text); Versio 284,32 - 35 (lat. Übers.).

Doch kommt diesen Bezeugungen wegen der Menge von Textzeugen, die einer ursprünglicheren Fassung des Briefes im Mart. Psote näher stehen, nur eine relativ geringe Bedeutung zu. Sie werden daher im folgenden vernachlässigt.

fahren gilt für Aeth., soweit sein Text im Hinblick auf die Gruppen II und III relevant wird. Die Anordnung der Textzeugen in Kolumnen und Textabschnitten richtet sich nach praktischen Gesichtspunkten. Die Setzung des übergesetzten Striches und der Interpunktionszeichen (Hochpunkte) folgt ebenfalls praktischen Gesichtspunkten, nämlich Textlesbarkei und Textgliederung. Ein konsequenter Rückgriff auf den Usus der Hand - schriften war hier nicht möglich, da der Herausgeber Orlandi den übergesetzten Strich (Silbenstrich) überhaupt nicht verwendet und die Interpunktionszeichen (Hochpunkte) bei ihm nur partiell erschließbar sind.

TEXTSYNOPSE ZUR BEZEUGUNG DES BRIEFES DES DIOKLETIAN AN ARIANUS:

S. Falttafel am Schluß des Bandes (dazu Anm. 159 - 164).

KOMMENTAR ZUR TEXTGESTALT

(1) - (4) Lat. stilisiert die einleitende Phrase zu einer echten Briefeinleitung; dabei werden Psote und Kallinikos zu *Adressaten des Briefes*; dieselbe Stilisierung bietet Kopt.(Bearb.) in Mart. Psote §5. Die koptische Überlieferung zu §3 ist einhellig - Kopt.(K) wird durch Zit. und Kopt.(L) gestützt - und bietet faktisch einen Brief ohne Briefformular (es fehlen Briefeinleitung und Briefschluß). Diese Überlieferung muß als ursprünglicher gewertet werden: Lat. läßt sich aus Kopt.

159 Der koptische Wortlaut von Zit. folgt dem Wiener Fragment bei WESSELY, GKT I 159 (Nr,48a), p.(37) Kol. I 22 - II 16 . Der Wiener Text weicht in Kleinigkeiten vom Oxforder Text ab, den AMÉLINEAU, Schenoudi II 543,14 - 544,3 bietet; die Varianten des Oxforder Textes sind folgende:
(2) ⲛⲓⲙ ⲙⲛⲓⲙ (Haplographie)
(3) om. ⲛ̄ⲛⲟϭ
(5) om. ⲟⲩⲱϣ ⲉ-
Die Überlegenheit des Wiener Textes über die Lesungen des Oxforder Textes zeigt sich bei einem Blick in die Synopse ganz von selbst. Auf eine Diskussion der Abweichungen wurde daher verzichtet.

160 Text nach ORLANDI, Psote 24,18 - 23.

161 Text nach DELEHAYE, Martyrs d'Egypte 344,11 - 17; vgl. auch den Abdruck des Textes bei ORLANDI, Psote 25.

162 Text nach ORLANDI, Psote 48, Kol. I 2 - 15 (Orlandis Zeilenzählung ist zu korrigieren).

163 Text nach ORLANDI, Psote 72, Kol. I 7 - II 1 . Bei zwei Ergänzungen weiche ich von Orlandi ab:
(7) ⲛ̄ⲧⲁⲓⲧ[ⲟϭϥ]· statt ⲛ̄ⲧⲁⲓⲧ[ⲁⲩⲟϥ]
(25) [ⲉⲩ]ⲛⲁⲕⲁⲧⲁⲕⲣⲓⲛⲉ statt [ⲉⲕ]ⲛⲁⲕⲁⲧⲁⲣⲓⲛⲉ
Zur Begründung s. den Kommentar zu diesen Abschnitten. Nur an diesen Stellen habe ich die eckigen Klammern für Textrestituierungen verwendet.

164 Text nach ORLANDI, Psote 30,23 - 32,3.

als Bearbeitung erklären, aber nicht umgekehrt. Außerdem widerspricht die Stilisierung von Lat. der Erzählung der Martyriumseinleitung: Auch in Lat. schreibt Diokletian an Arianus, nicht aber an Psote und Kallinikos. Die Stilisierung mit Psote und Kallinikos als Adressaten des Briefes wird aber von Lat. konsequent durchgehalten.

(2) Zur Ersetzung der Namen der Bischöfe durch ⲛⲓⲙ ⲙⲛ̄ ⲛⲓⲙ in Zit. s. Anm.113 und 115.

(3) Lat. "den großen Bischöfen in der Provinz"; zu solchen Unschärfen der lateinischen Übersetzung s. Delehaye, Martyrs d'Egypte, 320.

(5) - (10) Die Protasis des ersten Konditionalgefüges enthält - je nach Text - ein, zwei oder drei Glieder, die hier nach ihrem verbalen Nukleus benannt seien:

a) "gehorchen wollen"
b) "opfern"
c) "Verehrung erweisen"

Die Textzeugen bieten die Protasis nun so:

1) eingliedrig (nur a): Kopt.(L)
2) zweigliedrig (a und c): Kopt.(K), Zit.; vgl. auch Kopt.(K) in Mart. Psote § 9 - dort wird aber c durch b ersetzt.
3) dreigliedrig (a, b und c): Lat., Aeth.; vgl. auch Kopt. (Bearb.) in Mart. Psote § 5 .

Die Zweigliedrigkeit der Protasis scheint mir den ursprünglichsten Zustand darzustellen: Das zweite Glied "Verehrung erweisen" spezifiziert, worin der vom Kaiser verlangte Gehorsam besteht. Demgegenüber spezifiziert die dreigliedrige Protasis gleich doppelt: "opfern" / "Verehrung erweisen". Dabei stellt die Spezifikation b eine Konkretisierung der allgemeineren Spezifikation c dar, bringt also im Grunde keine neue Information; sie stellt sich als variierende Erweiterung der einfacheren Textform 2 dar. Textform 1 dagegen ist als recht summarische Verkürzung der Textform 2 zu erklären. Zusätzlich sei darauf hingewiesen, daß es schwer vorstellbar ist, daß ein ägyptischer Bearbeiter ein "hagiographisches Reizwort" wie ⲑⲩⲥⲓⲁⲍⲉ "opfern" aus seiner Vorlage gestrichen hätte; das Umgekehrte - Erweiterung um ⲑⲩⲥⲓⲁⲍⲉ - ist dagegen sehr gut denkbar. In diesem Sinne ist auch die Ersetzung von ⲟⲩⲱϣⲧ (oder ϣⲙ̄ϣⲉ) "Verehrung erweisen" durch ⲑⲩⲥⲓⲁⲍⲉ "opfern" beim zweiten Auftreten des Brieftextes in Kopt.(K) zu erklären.

(6) Die kaiserliche Anordnung wird verschieden bezeichnet:

a) Zit. hat den terminus technicus ⲇⲓⲁⲧⲁⲅⲙⲁ "Edikt"

b) Kopt.(K) und Lat. benutzen untechnische Begriffe: ⲕⲉⲗⲉⲩⲥⲓⲥ "Befehl, Anordnung"; *praeceptum et ordinatio* "Vorschrift und Anordnung"

Lat. hat augenscheinlich keinen Begriff wie "Edikt" in seiner Vorlage gelesen, sondern etwas ähnliches wie in Kopt.(K). Die Lesung von Kopt.(K) wird durch ⲕⲉⲗⲉⲩⲥⲓⲥ in Kopt.(L) gestützt. Die Doppelung der Begrifflichkeit in Lat. findet sich auch bei Kopt.(Bearb.) in Mart. Psote § 5 : ⲡⲁⲡⲣⲟⲥⲧⲁⲅⲙⲁ ⲙⲛ̄ ⲡⲁⲟⲩⲉϩⲥⲁϩⲛⲉ "meine Anordnung und mein Befehl".[165] Die Doppelung ist ausschmückende Erweiterung und angesichts des Befundes in Kopt.(K), Zit. und Kopt.(L) sekundär. Die Begrifflichkeit von Kopt.(K) verdient gegenüber Zit. den Vorzug - einmal im Blick auf die lateinische Überlieferung, zum anderen im Blick auf die *Tendenz* von Zit.: Schenute führt ja das Zitat deshalb ein, um ein Beispiel für ⲇⲓⲁⲧⲁⲅⲙⲁ (bzw. ⲡⲣⲟⲥⲧⲁⲅⲙⲁ) und seine strikte Durchführung aus den Märtyrerakten zu geben. Im Sinne der Stringenz seiner Argumentation ersetzt er den - technisch ungenauen - Begriff "Befehl, Anordnung" durch den - technisch zutreffenden - "Edikt". Damit greift er zwar in den Wortlaut des Martyriums ein, verfehlt aber keineswegs den Sinn der Stelle.

(6) - (7) "Mein Edikt" (Zit.) bzw. "meine Vorschrift und meine Anordnung" (Lat.; vgl. auch Kopt.(Bearb.)) steht "die Anordnung unserer kaiserlichen Herren" (Kopt.(K)) gegenüber; zum letzteren vgl. Kopt.(L) "die Anordnung der Kaiser", zum ersteren auch Aeth. "Meine Anordnung" ist im Blick auf die Überlieferungslage und die Komposition der Martyriumseinleitung die als ursprünglich anzusetzende Ausdrucksweise: Zit. wird hier durch Lat. (nebst Kopt.(Bearb.))und Aeth. gestützt; außerdem ist im Mart. Psote nur von Diokletian, nicht aber von seinen Mitherrschern die Rede.

Die Ausdrucksweise von Kopt.(K) liegt aber durchaus auf der Linie der Phraseologie ägyptischer Märtyrerliteratur, das sei mit einigen Beispielen illustriert:

165 Ich folge hier der Ergänzung von ORLANDI, Psote 72, Kol. I 15: [ⲡⲁⲡⲣⲟⲥ]ⲧⲁⲅⲙⲁ. Hier erscheint mir auch [ⲡⲁⲇⲓⲁ]ⲧⲁⲅⲙⲁ denkbar, doch hat die erstere Lösung die inhaltliche Wahrscheinlichkeit auf ihrer Seite, vgl. Lat. Übrigens scheint Orlandi bei der Ergänzung geschwankt zu haben: Die Stelle ist im Index der Lehnworte nur s.v. ⲇⲓⲁⲧⲁⲅⲙⲁ (!) verzeichnet (ORLANDI, Psote 121).

a) Mart. Leontios von Tripolis (ed. GÉRARD GARITTE, Muséon 78 (1965), 313 - 348) IV §5: ⲡⲉⲡⲣⲟⲥⲧⲁⲅⲙⲁ ⲛ̄ⲛⲉⲛϫⲓⲥⲟⲟⲩⲉ ⲛ̄ⲣ̄ⲣⲱⲟⲩ "der Erlaß unserer kaiserlichen Herren"; vgl. auch ebd. IV § 2 : ⲡⲉⲡⲣⲟⲥⲧⲁⲅⲙⲁ ⲛ̄ⲛ̄ⲣ̄ⲣⲱⲟⲩ "der Erlaß der Kaiser" (s. Kopt.(L)!).

b) Mart. Epima (ed. T.MINA, s. Anm.75) 8,15: ⲡⲟⲩⲉϩⲥⲁϩⲛⲉ ⲛ̄ⲛⲉⲛ-ϫⲓⲥⲟⲟⲩⲉ ⲛ̄ⲉⲣⲱⲟⲩ "der Befehl unserer kaiserlichen Herren".

c) Mart. Pisura (ed. HENRI HYVERNAT, Les Actes des Martyrs de l'Égypte, Paris 1886 - 1887, 114 - 134) 122,18f: ⲡⲓⲡⲣⲟⲥⲧⲁⲅⲙⲁ ⲛ̄ⲧⲉ ⲛⲉⲛϭⲓⲥⲉⲩ ⲛ̄ⲟⲩⲣⲱⲟⲩ, vgl. o. unter a.

Dem Bearbeiter von Kopt.(K) floß an dieser Stelle also eine gebräuchliche - wenn hier auch sinnwidrige - Phrase in die Feder; sinnwidrig ist sie deshalb, weil sie zum Redeinventar von Untergebenen des Kaisers, insbesondere seiner Statthalter gehört, s. den Kontext der angeführten Beispiele.

(7) "... (die Anordnung), die ich veröffentlicht habe" in Zit. kann Anspruch auf Ursprünglichkeit erheben; dafür spricht Lat. - wenn auch mit einer ungeschickten Wiedergabe der griechischen Vorlage (*quam per epistulam designavi*) - und Kopt.(Bearb.) in Mart. Psote § 5, wo ebenfalls eindeutig ⲛ̄ⲧⲁⲓⲧⲟϭϥ ⲉⲃⲟⲗ zu lesen ist.[166] In Kopt.(K) fehlt der Relativsatz wegen der Umformulierung zu "die Anordnung unserer kaiserlichen Herren", die von uns als sekundär erkannt wurde, s. Kommentar zu (6) - (7).

(8) Welches der beiden koptischen Verben - ⲟⲩⲱϣⲧ oder ϣⲙ̄ϣⲉ - in Zit. bzw. Kopt.(K) als ursprünglicher gelten darf, ist schwer zu entscheiden. ⲟⲩⲱϣⲧ erscheint mir die treffendere Aussage zu sein; vgl. dazu das Verbum *adorare* in Lat.(10) und die parallele Formulierung ⲁⲩⲱ ⲛ̄ⲥⲉⲟⲩⲱϣⲧ ⲛⲁⲩ (scil. den Göttern) in Kopt.(Bearb.) im § 5 des Mart. Psote.

(9) - (10) "den Göttern" (Zit.) / "den gerechten Göttern" (Kopt.(K) / "den lebendigen Göttern der Kaiser" (Lat.): Daß der Dativ in Lat. ursprünglich zu *adorare* in (10) gehörte, ist ziemlich eindeutig, s. den Kommentar zu (5) - (10). Die einfachste Form des

166 ORLANDI, Psote 72, Kol. I 17f liest ⲛⲧⲁⲓⲧ[ⲁⲩⲟϥ] ⲉⲃⲟⲗ. Die Ergänzung ist nicht nur wegen des Vergleichs mit den Paralleltexten unzutreffend, sondern auch vom koptischen Sprachgebrauch her. ⲧⲁⲩⲟ ⲉⲃⲟⲗ ist "aussenden, hervorbringen" und wird *nicht* mit sprachlichen Produkten als Objekt verwendet, s. CRUM, Dict. 443a; dagegen kann einfaches ⲧⲁⲩⲟ (ohne Adverb ⲉⲃⲟⲗ) ein "sprachliches Produkt" als Objekt zu sich nehmen, s. CRUM, Dict. 442a (ⲧⲁ(ⲟ)ⲩⲟ Bed.c).

"Dativ"-Objektes finden wir bei Schenute, die ausgebauteste Form in Lat.; zur letzteren ist die Parallele in Kopt.(Bearb.) zu vergleichen: ⲛ̄ⲛⲟⲩⲧⲉ ⲛ̄ⲇⲓⲕⲁⲓⲟⲥ ⲛ̄ⲛⲉⲣⲣⲱⲟⲩ. Kopt.(K) bietet eine Zwischenform, die auch sonst in der Phraseologie koptischer Märtyrertexte auftritt[167]; aber auch zu Lat. bzw. Kopt.(Bearb.) läßt sich eine Parallele angeben.[168] Angesichts dieses phraseologischen Parallelmaterials aus anderen (jüngeren) Märtyrerlegenden gewinnt die Einfachheit der Ausdrucksweise bei Schenute eine besondere Bedeutung - eine Einfachheit, die ganz auf der Linie der von Delehaye betonten Einfachheit und Natürlichkeit des literarischen Ablaufs der Martyriumshandlung liegt.[169] Als zusätzliches Argument für die Ursprünglichkeit von Zit. an dieser Stelle kann noch einfaches "den Göttern" in Aeth. genannt werden.

(11) - (14) Sehen wir von einem groben Mißverständnis bei der Übersetzung in Lat. ab[170], ist die Übereinstimmung zwischen den drei Haupttextzeugen sehr groß; vgl. noch den fast ganz mit Zit. bzw. Kopt.(K) übereinstimmenden Text bei Kopt.(Bearb.) in Mart. Psote § 5 . Von der Frage des "richtigen" futurischen Tempus in (11)[171] können wir für unseren Zusammenhang absehen; ebenfalls können wir das noch stärker entgegensetzende ⲕⲉ "auch" in (14) vernachlässigen (Kopt.(K) ϩⲛ̄ ⲧⲕⲉⲭⲱⲣⲁ; so auch Kopt.(Bearb.)). Wieder können wir feststellen, daß Schenutes Zitat dem ursprünglichsten Text sehr nahe steht.

(15) - (18) Das Textstück "Wenn sie mir aber Gehorsam leisten, werden sie große Ehren (-Geschenke) empfangen" fehlt in Zit. und Lat. Es fehlt ebenfalls in Kopt.(L) und in den Wiederholungen des Brieftextes Mart. Psote § 5 (Kopt.(Bearb.)) und § 9 (Kopt.(K)). Dadurch gibt es sich eindeutig als sekundäre Erweiterung zu

167 Vgl. ⲛⲓⲛⲟⲩϯ ⲛ̄ⲇⲓⲕⲉⲟⲛ in Mart. Theodor Anatoleos (edd. I.BALESTRI - H.HYVERNAT, Acta Martyrum I , CSCO 43 (Script.Copt.3), Paris 1907 (unv. Nachdr. Louvain 1955), 34 - 62), 53,18; 58,16; Mart. Sarapion (edd. BALESTRI - HYVERNAT, op.cit. 63 - 88) 63,18 (der Ausdruck hier ebenfalls in der Martyriumseinleitung in einem Schreiben des Diokletian an Arianus!); Enk. Georg (edd. I.BALESTRI - H.HYVERNAT, Acta Martyrum II, CSCO 86 (Script.Copt.6) Louvain 1924 (unv. Nachdr. ebd. 1953), 183 - 269) 199,9.

168 Mart. Leontios von Tripolis (ed. GARITTE, s.o. im Kommentar zu (6) - (7)) IV §2: ⲛ̄ⲛⲟⲩⲧⲉ ⲛ̄ⲇⲓⲕⲁⲓⲟⲛ ⲛ̄ⲧⲉ ⲛⲉⲛϫⲓⲥⲟⲟⲩⲉ ⲛ̄ⲣ̄ⲣⲱⲟⲩ.

169 DELEHAYE, Martyrs d'Egypte 321.

170 Lat. hat die Gegenübersetzung in (13) - (14) nicht verstanden und übersetzt: "... und werdet (friedlich) in euren Städten (≙ ϩⲛ̄ ⲧⲉⲩⲡⲟⲗⲓⲥ) und euren Gegenden (≙ ϩⲛ̄ ⲧⲉⲭⲱⲣⲁ ⲧⲏⲣ̄ⲥ̄) wohnen". Damit entgeht ihm die Pointe im Blick auf die den Bischöfen versprochene Machtstellung völlig: Sie soll nicht für ihre jeweilige Bischofsstadt, sondern für das ganze Land gelten.

171 Es sind alle Varianten, die im Hauptsatz möglich sind, vertreten: Futur I in Kopt. (Bearb.) / Futur II in Zit. und Kopt.(K) in §9 / Futur III in Kopt.(K) und Kopt.(L).

erkennen: Ausschmückung durch einen ägyptischen Bearbeiter. Anzeichen zu einer solchen Ausschmückung finden sich auch in zwei Textzeugen zu (11) - (12); dort wird ⲉⲝⲟⲩⲥⲓⲁ durch ⲧⲁⲓⲟ "Ehre(nstellung)" ersetzt.[172]

(19) - (26) Sieht man von einem Mehr an Text in Zit.(21) - (24) ab, ist die Übereinstimmung zwischen den drei Haupttextzeugen wiederum sehr groß. Ziehen wir den Überschuß an Text bei Schenute als sekundär ab - dazu s. Kommentar (21) - (24) -, so erhalten wir etwa folgenden Grundtext: "Wenn sie aber nicht Gehorsam leisten, wird man sie zum Tode verurteilen." (Beachte: Die 2.Person Plural in Lat. ist sekundäre Stilisierung, s. Kommentar zu (1) - (4)!).

(21) - (24) Dieses Textstück tritt nur in Zit. auf; es fehlt ebenfalls in Kopt.(L) und in den Wiederholungen des Brieftextes Mart. Psote § 5 (Kopt.(Bearb.)) und § 9 (Kopt.(K)). Dadurch gibt es sich - ebenso wie der Parallelfall Kopt.(K) (15) - (18), s.o. - eindeutig als sekundär zu erkennen. Die Erweiterung Schenutes dient aber anderen Zwecken als denen der hagiographischen Ausschmückung:

a) (22) ⲡⲉϫⲁϥ "sagte er" ist eine Zitationsformel; Schenute signalisiert, daß wir uns noch im Zitat befinden.

b) Die übrigen Teile der Erweiterung entsprechen ganz genau der Protasis des ersten (positiven) Konditionalgefüges, und zwar:
(21) ≙ (6)
(23) ≙ (8)
(24) ≙ (9)
Nur werden diese Teile hier in einer negativ gefaßten Protasis verwendet. Schenute möchte also eine fast vollständige Parallelität zwischen erster und zweiter Protasis herstellen, um die Kontrastwirkung "positiv" / "negativ" eindringlicher zu machen. Außerdem erhält er dadurch die Chance, noch einmal sein Stichwort ⲇⲓⲁⲧⲁⲅⲙⲁ einzufügen, s.o. Kommentar zu (6).

Fazit: Schenute hat den Satz zwar aus Gründen der rhetorischen Eindringlichkeit erweitert, aber dadurch nicht den Sinn der

172 Während Kopt.(K) in §9 das massive ⲉⲝⲟⲩⲥⲓⲁ "Macht(stellung)" mit Hilfe der Phrase "eine bedeutende Ehrenstellung" ersetzt, geht die Umarbeitung in Kopt.(L) noch weiter, verliert aber deutlich an Eindringlichkeit. Dort heißt es unter Aufgabe des Gegensatzes Bischofsstadt / ganzes Land in (11) - (14): "... werdet ihr hohe Ehren im ganzen Lande empfangen." Ob hier ein unachtsamer Bearbeiter von Kopt.(L) den Satz (15) - (18) aus Kopt.(K) in seinen Satz (11) - (14) "eingearbeitet" hat?

Aussage verändert. Seine rhetorische Erweiterung ist erklärbar, muß aber im Blick auf den seinem Zitat zugrundeliegenden Text eliminiert werden.

(25) - (26) "Wird man sie zum Tode verurteilen" (Zit.) / "Wirst du sie zum Tode verurteilen" (Kopt.(K) / "werdet ihr zum Tode verurteilt werden" (Lat.): Lassen wir die Stilisierung zur 2.Person Plural in Lat. außer Betracht - s.o. zu (1) - (4) -, so verbleibt die Entscheidung über den Aktanten des Verbums ⲕⲁⲧⲁⲕⲣⲓⲛⲉ, "sie (bzw. man)" oder "du". "Du" in Kopt.(K) hat augenscheinlic die Eingliederung des Briefes in den Kontext für sich: Dioketian schreibt an Arianus, der in dieser Angelegenheit tätig werden soll. Aber betrachten wir zuerst die Bezeugung der Varianten:

a) "sie / man" in Zit., Kopt.(L), Aeth.; in der Wiederholung des Briefes Mart. Psote § 5 : Aeth.

b) "du" in Kopt.(K) und in der Wiederholung des Briefes Mart. Psote § 9 ebenfalls in Kopt.(K).[173]

c) Kopt.(Bearb.) ist nicht verwertbar, da an dieser Stelle zerstört. Der Herausgeber Orlandi ergänzt zu [ⲉⲕ]ⲛⲁⲕⲁⲧⲁ-ⲕⲣⲓⲛⲉ.[174] Die Ergänzung [ⲉⲩ] ist aber genauso gut möglich, und aus den gleich darzulegenden Gründen vorzuziehen; sie wurde daher oben in den Text der Synopse eingesetzt.

Kopt.(K) ist also der einzige Zeuge für "du", allerdings auf in sich konsequente Weise (drei Stellen). Lat. scheidet für die Beurteilung aus, da seiner Stilisierung beide Formen zugrundeliegen können. Zwar scheint schon die Mehrheit der Textzeugen auf die Ursprünglichkeit der Variante "sie" hinzuweisen; aber das allein kann nicht den endgültigen Ausschlag geben. Sehen wir vorerst noch vom Alter der Bezeugung durch Zit. ab, so gibt es ein zusätzliches inhaltliches Argument, nämlich die Parallelität der beiden Konditionalgefüge des Briefes,

173 Außerdem kommt die Form ⲉⲕⲛⲁⲕⲁⲧⲁⲕⲣⲓⲛⲉ in Kopt.(K) noch in einer Bezugnahme auf den Brief des Diokletian vor. In Mart. Psote §11 sagt der kaiserliche Kurier nämlich zu Arianus: "Denn der Kaiser hat befohlen: Wenn er (scil. Psote) nicht Gehorsam leistet, wirst du ihn zum Tode verurteilen." (ORLANDI, Psote 34,4f). Die Formulierung in der 2.Person Singular an dieser Stelle ist aber kein zwingendes Argument für die Ansetzung dieser Form auch im Brief des Diokletian. Sie kann nämlich durch die direkte Auseinandersetzung Kurier / Statthalter bedingt sein, in der der Kurier dem Arianus erläutert, was dieser auf Grund des Briefes tun darf und was nicht. Für diese Frage aber ist es gleichgültig, in welcher grammatischen Person die Phrase innerhalb des Briefes formuliert ist.

174 ORLANDI, Psote 72, Kol. I 29.

die Schenute durch die Erweiterung (21) - (24) noch überpointiert hat. Den beiden Konditionalgefügen (5) - (14) bzw. (19) - (26) wird nämlich in (1) - (4) ihr Subjekt extraponiert ("Prolepse des Subjektes"):

1. Extraposition: Psote und Kallinikos ...
2. Konditionalgefüge I (positiv)
   a) Protasis: Subjekt "sie"
   b) Apodosis: Subjekt "sie"
3. Konditionalgefüge II (negativ)
   a) Protasis: Subjekt "sie"
   b) Apodosis: Subjekt "sie"
   (das Subjekt tritt zwar grammatisch als Objekt auf; der vorliegende Textbefund ist aber als "periphrastisches Passiv"[175] aufzufassen).

Referenz jeweils auf das in der Extraposition Explizierte

Im Hinblick auf diese Analyse des Textes und das Alter ihrer Bezeugung durch Zit. ergibt sich nunmehr, daß "du" in Kopt.(K) sekundäre Veränderung ist. Dem Bearbeiter muß aufgefallen sein, daß der Brief an Arianus gar nicht an diesen gerichtet ist. Das versuchte er, durch Umstilisierung zu "du" am Schluß des Brieftextes abzumildern.[176] Wohl wegen ähnlicher Bedenken hatte ja der Bearbeiter der Textform, die Lat. zugrundeliegt, zu einem noch radikaleren Mittel gegriffen, nämlich zu einer konsequenten Umstilisierung des Brieftextes: Der Brief an Arianus wird bei ihm zum Brief an Psote und Kallinikos, indem die Extraposition des Subjektes des Briefinhaltes zur Briefeinleitung umgestaltet wird.

175 Vgl. WALTER C.TILL, Koptische Grammatik (Saidischer Dialekt), (Lehrbücher für das Studium der orientalischen Sprachen. 1), 2.verb. Aufl., Leipzig 1961, §326.

176 Vgl. auch die entsprechende Abänderung für den positiven Teil des Briefes im Enk. Psote: "Wenn sie Gehorsam leisten, wirst *du* sie über das ganze Land Ägypten einsetzen." (ORLANDI, Psote 62, Kol. I 1 - 5).

GESAMTBEFUND

Unter Heranziehung der verschiedenen Bezeugungen des Briefzextes ist es uns gelungen, so etwas wie eine ursprüngliche Textform herzustellen. Dabei war das Zitat bei Schenute von ganz entscheidender Bedeutung: Ohne seine Hilfe wäre es meist nicht möglich gewesen, Varianten der Überlieferung eindeutig zu bewerten. Dabei ergab sich, daß Schenutes Zitat dem (hypothetischen) Grundtext am nächsten steht, also einen eminenten textgeschichtlichen Wert besitzt, solange wir nicht über einen griechischen Repräsentanten des Grundtextes verfügen. Gleichzeitig konnten wir im Rahmen der Bewertung der Varianten die ägyptischen Hagiographen "bei der Arbeit" beobachten: Sekundäre Veränderungen und Umstilisierungen, Erweiterungen und Ausschmückungen konnten identifiziert und erklärt werden. Schon Delehaye war von einer "ersten Redaktion" ausgegangen, die dann in die Hände verschiedener Hagiographen fiel, welche sie nach und nach überarbeiteten, um sie dem Tagesgeschmack anzupassen[177]; alle ihm bekannten Textzeugen waren Repräsentanten solcher Bearbeitungen.[178] Mit Hilfe des Schenute-Zitates ist es nun gelungen, für eine kleine Textpassage zu einer Annäherung an Delehayes "erste Redaktion" zu kommen. Diese "erste Redaktion" des Briefes an Arianus sei hier noch einmal geschlossen auf der Basis der im Kommentaer angestellten textkritischen und textgeschichtlichen Erwägungen vorgeführt; noch einmal muß betont werden, daß es sich um einen rekonstruierten Text handelt, der versucht, dem verlorenen griechischen Original (oder auch seiner koptischen Entsprechung) möglichst nahe zu kommen.

> "Psote und Kallinikos, die großen Bischöfe der Chora: Wenn sie meiner Anordnung Gehorsam leisten wollen, die ich veröffentlicht habe, und den Göttern Verehrung erweisen, dann werden sie große Macht erlangen - nicht nur in ihrer jeweiligen Stadt, sondern auch in der gesamten (übrigen) Chora; wenn sie aber nicht Gehorsam leisten, dann werden sie zum Tode verurteilt werden."

Nunmehr können wir auch versuchen, eine Art textgeschichtliches Stemma aufzustellen - mit allem Vorbehalt und erst einmal nur für die Überlieferung des Briefes an Arianus gültig.[179]

177 DELEHAYE, Martyrs d'Egypte 324.

178 DELEHAYE aaO; die Delehaye bekannten Textzeugen waren, was den hier besprochenen Brief betrifft: Lat.; Kopt. (Bearb.), Aeth. Delehayes generelle Feststellungen konnten hier auf Grund neuen Textmaterials einerseits bestätigt werden (s. das textgeschichtliche Stemma), andererseits bedeutend verfeinert werden.

179 Es handelt sich *nicht* um ein textkritisches Stemma, d.h. die Siglen stehen nicht für eine - hypothetische oder reale - Handschrift (also G $\neq \alpha$, der archetypischen

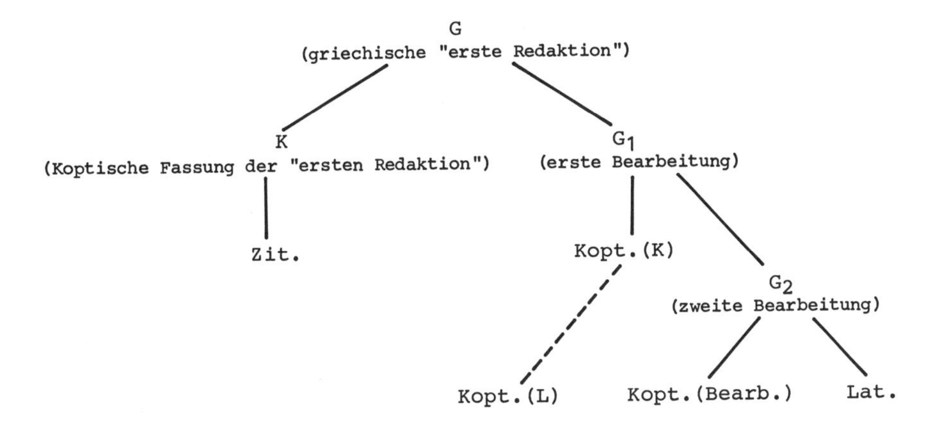

Beachte: G, G_1, G_2 und K sind nicht durch reale Textzeugen repräsentiert, sondern nur durch von ihnen abgeleitete Textformen. Der Text

Hs. des Mart. Psote). Die Siglen bezeichnen vielmehr Stationen in der Entwicklung des Textes; das Stemma versucht, das Verhältnis der Stufen der Textentwicklung zueinander anschaulich zu machen. Also: Der Text des Briefes in Zit. ist aus K abzuleiten, wobei K seinerseits aus G abzuleiten ist; demgegenüber ist Lat. über zwei Zwischenstufen (G_1, G_2) mit G verbunden (nicht etwa: Der Text von Zit. ist aus einer koptischen Hs. K abgeschrieben, deren Vorlage wiederum eine griech. Hs. G war, usw.). Natürlich gibt es Beziehungen zwischen bestimmten Stufen der Textentwicklung und bestimmten Handschriften. Diese kommen hier aber nur soweit in den Blick, als Handschriften Repräsentanten einer bestimmten Stufe der Textentwicklung sind; also z.B.: Hs. New York, Pierpont Morgan Library M 583 repräsentiert Textstufe Kopt.(K), vgl. ORLANDI, Psote 9 - 11 (Textzeuge A) und 15. Zur Anwendung der Stemmatik auf die Textgeschichte s. WOLFGANG SCHENKEL, Das Stemma der altägyptischen Sonnenlitanei. Grundlegung der Textgeschichte nach der Methode der Textkritik, GOF Reihe IV (Ägypten) 6 ,Wiesbaden 1978, insbesondere §1: Textkritik und Textgeschichte und §3: Prinzipien einer textgeschichtlichen Stemmatik. Das hier versuchsweise vorgelegte Stemma entspricht nicht der Striktheit der dort entwickelten Regeln; ein Grund dafür liegt in der Übersetzungsproblematik (griechische Vorlagen werden durch koptische, lateinische und äthiopische Textzeugen wiedergegeben). Ein "endgültiges" Stemma dieses hagiographischen Textes wäre auch in anderem Zusammenhang als hier zu entwickeln. Zu den Überlieferungsproblemen der hagiographischen Literatur - jeder Kopist nimmt sich das Recht heraus, auch bearbeitend in den Text einzugreifen - s. HANS-GEORG BECK, Der Leserkreis der byzantinischen "Volksliteratur" im Licht der handschriftlichen Überlieferung, in: Byzantine Books and Bookmen (Dumbarton Oaks Colloquium 1971), Washington D.C. 1975, 47 - 67, bes. 48f. Beck äußert aaO 49 Skepsis gegenüber der Anwendung textkritischer Methoden: "Man sieht auf den ersten Blick, welche Verwirrung entstehen muß, wenn man textkritisch an diese Werke herangeht und die Überlieferungsstränge zu ordnen versucht ..." Daß solche Skepsis nicht immer berechtigt ist, zeigt die obige textgeschichtliche Analyse, die durchaus geeignet war, zu einer Ordnung der Überlieferung zu kommen.

des Briefes in Kopt.(L) ist sicher nicht auf G_2 zurückzuführen, sonder geht auf eine Umredigierung innerhalb der koptischen Tradierung von Kopt.(K) zurück (Stichwort ⲧⲁⲓⲟ). Wegen der Neubearbeitung des ganzen Mart. Psote in Kopt.(L) wurde eine unterbrochene Linie gesetzt. Zur Ei ordnung von Aeth. bedürfte es noch eingehender Untersuchungen.

Die beobachtbaren Überarbeitungen des Briefes, wie sie uns vor allen Dingen durch Kopt.(K) und durch Lat. bzw. Kopt.(Bearb.) überliefert sind, haben ein Mißverständnis ausgelöst, auf das abschließend kurz eingegangen sei. Delehaye kommt auf Grund der Stilisierung von Psote und Kallinikos zu Adressaten des Briefes in Lat. zu der Vermutung, daß es ursprünglich zwei Briefe gegeben habe, nämlich einen an Arianus und einen an die beiden Bischöfe.[180] Seine Vermutung geht auf das Unbehagen zurück, das er angesichts der Diskrepanz von Rahmenerzählung (Diokletian schreibt an Arianus) und Briefinhalt empfand - ein Unbehagen, das auch ägyptische Hagiographen empfanden und das sich bei ihnen in verschiedenen bearbeitenden Eingriffen auswirkte. Ein solcher Eingriff war auch die Umstilisierung des ursprünglichen Brieftextes zu einem Brief an die beiden Bischöfe. Dadurch bekam der Brief zumindest eine Briefeinleitung und genügte so eher den Anforderungen an das antike Briefformular. Durchschaut man diese Formung des Briefinhaltes als bewußten Eingriff eines Hagiographen (G_2: Lat., Kopt.(Bearb.)), so sieht man, daß dieser im Bestreben, seinen Helden zu verherrlichen, mehr Probleme geschaffen als beseitigt hatte. So muß er dann in Mart. Psote § 5 zu Psote sagen lassen: "Der Kaiser Diokletian hat *an dich* geschrieben."[181] - obwohl wenige Sätze zuvor der kaiserliche Kurier den Stadtoberen von Psoi noch erklärt hat, der Kaiser habe geschrieben ⲉⲧⲃⲉ ⲯⲟⲧⲉ ⲙⲛ̄ ⲕⲁⲗⲗⲓⲛⲓⲕⲟⲥ ⲛ̄ⲛⲟϭ ⲛ̄ⲉⲡⲓⲥⲕⲟⲡⲟⲥ ⲛ̄ⲧⲉⲭⲱⲣⲁ "wegen (bzw. betreffend) Psote und Kallinikos, der großen Bischöfe der Chora."[182]

Der lapidare Charakter des "Briefes" in der "ersten Redaktion" ist aber gewollt und entspricht der nüchternen Sprache dieses Dokumentes. Es bot nur das Briefkorpus ohne jeden Schnörkel - einen Brief, der formal kein Brief war. Daß dieser Befund ganz ernst zu nehmen ist und nicht etwa sogleich mit einer Verkürzung des Briefes um die Briefeinleitung (und

180 DELEHAYE, Martyrs d'Egypte 316f.

181 Vgl. Kopt.(Bearb.): ORLANDI, Psote 71, Kol. II 28f; Lat.: ebd. 27. Ähnlich auch Kopt.(K): ORLANDI, Psote 26,12; vgl. weiter in Mart. Psote §9 (Arianus zu Psote): "der Brief ..., den er an dich gesandt hat." (ebd. 30,22).

182 Mart. Psote §4: Kopt.(Bearb.) bei ORLANDI, Psote 71, Kol. I 16 - 21; so nicht in Lat., dort heißt es nur: "Er zeigte ihnen den Brief, den der Kaiser geschickt hatte", s. ebd. 27; Kopt.(K) ebd. 26,3f.

den Briefschluß) gerechnet werden darf, zeigt wiederum das Zitat bei Schenute und dessen Kontext. Wie oben in den einleitenden Bemerkungen zur Textdarbietung unter a dargelegt wurde, will Schenute mit seinem Zitat ja ein Beispiel für ein kaiserliches ⲇⲓⲁⲧⲁⲅⲙⲁ bzw. ⲡⲣⲟⲥⲧⲁⲅⲙⲁ vorführen, das schriftlich in den Märtyrerakten festgehalten ist, und zwar, wie er sein konkretes Beispiel einleitet, "schriftlich festgehalten auf Grund seiner Schreiben." Hätte Schenutes Vorlage mehr Brieftext gehabt als wir ihn für die "erste Redaktion" erschlossen haben, so hätte er angesichts seiner Argumentation allen Grund gehabt, auch dieses Mehr zu zitieren. Schenute scheint mir aber die Hagiographen seiner Zeit besser verstanden zu haben als die späteren Hagiographen ihre Vorgänger. Er verlangt gar nicht, daß ein formularmäßiger Brief oder ein formgerechtes amtliches Schriftstück von den Märtyrerakten festgehalten wird, sondern formuliert sehr schlicht, daß das entsprechende Textstück schriftlich festgehalten sei ϩⲓⲧⲛ̄ ⲛⲉϥⲥϩⲁⲓ "*auf Grund* seiner Schreiben". Er setzt also keine Identität von "echtem" kaiserlichen Schriftstück und von in den Märtyrerakten überliefertem Text voraus - was nichts daran ändert, daß er die Überlieferung der Märtyrerakten für insgesamt historisch richtig und zuverlässig hält (wie wir oben schon festgestellt haben, vgl. Anm.112).

Die Hand späterer Hagiographen - vielleicht schon der Zeit des Schenute - hat sich dann des "Problems" der formalen Unvollständigkeit des Briefes angenommen - ein Problem, das ursprünglich keines war. Es wurde z.B. die Lösung darin gefunden, das lapidare Schreiben in einen Brief an Psote und Kallinikos umzustilisieren. Akzeptiert man die hier vorgetragene Sicht der Entwicklung, so erledigt sich Delehayes Vermutung, ursprünglich seien zwei Briefe vorhanden gewesen, ganz von selbst. Auch der Duktus der Erzählung des Mart. Psote in Kopt.(K) liegt ganz auf dieser Linie: Der Inhalt des Briefes wird Psote nämlich erst vom eigentlichen Adressaten des Briefes, dem Statthalter Arianus, eröffnet.[183] Allerdings machen sich auch schon in Kopt.(K) Tendenzen zur Umarbeitung im Sinne von Kopt.(Bearb.) und Lat. bemerkbar:

a) Mart. Psote § 5 : "Sie sagten zu ihm: Der Kaiser ist es, der an dich schreibt. ... Da wurde ihm der Brief des Kaisers verlesen."[184]
b) Mart. Psote § 9 : "Nun aber höre den Brief meines Herren, des Kaisers, den er dir geschickt hat."[185]

Der Bearbeiter von Kopt.(K) hat bei a nicht bemerkt, daß es recht widersinnig ist, Psote den Brief zu verlesen, wenn der Ablauf der Er-

183 Mart. Psote §9, s. ORLANDI, Psote 30,20 - 32,3.

184 ORLANDI, Psote 26,12 - 14.

185 Ebd. 30,21f.

zählung vorsieht, daß das erst vor dem Statthalter geschehen soll, bzw. umgekehrt: Angesichts von a wäre b überflüssig. Die Eingriffe des Bearbeiters werden aber leicht durchschaubar, wenn wir an das Faktum denken, daß der Brief ursprünglich eben nicht an Psote (und Kallinikos) gerichtet war. "An dich" in a und "dir" in b sind also keinesfalls ursprünglich. Die Rückführung auf eine ursprünglichere Form ist in beiden Fällen recht einfach: Lies in beiden Fällen "deinetwegen" (ϵⲧⲃⲏⲏⲧⲕ) statt "an dich" (ⲛⲁⲕ) und streiche als Konsequenz "Da wurde ihm ... verlesen" in a. Indizien dafür, daß das die ursprünglichere Form der Erzählung ist, gibt es genügend:

(1) Kopt.(K) selbst bietet ϵⲧⲃϵ in Mart. Psote § 4 an der Stelle, wo der kaiserliche Kurier den Stadtoberen von Psoi über den Brief berichtet; er sagt, daß der Kaiser *wegen* Psote und Kallinikos schreibe - nicht aber, daß er an sie schreibe.[186]

(2) In der Erzählung des Martyriumsgeschehens sagt uns Kopt.(L) zu Mart. Psote § 3 , daß der Brief "seinetwegen" und nicht etwa "an ihn" geschrieben wurde.[187]

(3) Weiter ist auf das kräftige "euretwegen" (Mart. Psote §5)[188] bzw. "deinetwegen" (Mart. Psote § 9)[189] in Aeth. zu verweisen. An der ersten Stelle läßt sich der ursprünglichere Text noch ganz deutlich erkennen: Es heißt dort nämlich, daß die Stadtoberen zu Psote sagen: "Der Kaiser hat euretwegen Botschaft gesandt" - im Gegensatz zu "... hat an dich geschrieben" (o.ä.) in Kopt.(K), Lat. und Kopt.(Bearb.).[190]

Die an Schenutes Zitat aus dem Mart. Psote gewonnenen Beobachtungen machen es uns also auch möglich, Einblicke in die Werkstatt der ägyptischen Bearbeiter hagiographischer Literatur zu gewinnen. Das liegt daran, daß das Zitat der ursprünglichen Fassung des Martyriums (Delehayes "erster Redaktion") sowohl zeitlich als auch inhaltlich ganz nahe steht.

186 Vgl. Anm.182.

187 ORLANDI, Psote 47, Kol. II 21f. Die Stelle ist zwar zerstört, läßt sich aber sinngemäß recht eindeutig so ergänzen: "Es geschah nun seinetwegen, daß der Kaiser Diokletian einen Brief schrieb, der folgendermaßen lautete: ..." (Der Ausdruck ϵⲧⲃⲏⲏⲧϥ selbst ist nicht zerstört).

188 BUDGE, Misc. 1143,10.

189 BUDGE, Misc. 1148,2.

190 Nachweis der Stellen s. Anm.181.

EXKURS ZU §3: DER MÄRTYRER KALLINIKOS (UND SEIN "PAARGENOSSE" PSOTE)

Der Brief des Diokletian, den Schenute zitiert, ist auf die Märtyrerbischöfe Psote und Kallinikos bezogen. Während nun Psote im relativ hellen Lichte der literarischen Überlieferung steht, hatten wir festgestellt, daß Kallinikos im Dossier des Psote eigentlich nur am Rande auftritt. Wir hatten angesichts der Formulierung des Briefes gefragt, ob dieser ursprünglich einem Martyrium des Psote *und* Kallinikos entstammt; diese Frage wird nicht einheitlich beantwortet, s. Anm.126. Angesichts der vielen Unklarheiten um den Märtyrerbischof Kallinikos und im Blick auf seine häufige Erwähnung im Rahmen dieser Erörterungen erscheint es nützlich, das vorliegende Material einmal zusammenzustellen. Ich beginne mit den handbuchartigen Zusammenstellungen, die teilweise eine Reihe von Irrtümern enthalten:

a) DELEHAYE, Martyrs d'Égypte 98 (27.Kīhak und 2.Tūba); vgl. auch ebd. 319.

b) DE LACY O'LEARY, The Saints of Egypt. An alphabetical compendium of martyrs, patriarchs and sainted ascetes in the Coptic calendar, commemorated in the Jacobite Synaxarium, London und New York 1937 (Nachdr. Amsterdam 1974), 108.

c) Art. Callinique (6), DHGE XI (1949), 415 (R. van Doren).

d) Art. Callinico, Bibliotheca Sanctorum III (1963), 676f (Joseph-Marie Sauget).

ZUM NAMEN DES MÄRTYRERS

Der Name des Märtyrers, der dem griechischen Namensinventar Ägyptens entstammt[191], ist zwar in der koptischen Namensgebung nicht sonderlich häufig, aber auch nicht schlecht belegt.[192] Beim Vorkommen des Namens in Ägypten sind drei Fälle besonders interessant: zwei bischöfliche Namensgenossen des Märtyrers, von denen der eine meletianischer Bischof von Pelusium ist[193], der andere sich leider nicht näher fixieren

191 Vgl. GUSTAV HEUSER, Die Personennamen der Kopten I (Untersuchungen), Studien zur Epigraphik und Papyruskunde. Bd.I Schrift 2, Leipzig 1929, 81.

192 Zusammenstellung einiger Belege bei WALTER C.TILL, Datierung und Prosopographie der koptischen Urkunden aus Theben, SÖAW.PH 240 Abh.1, 1962, 117. Vgl. noch W.E.CRUM, Catalogue of the Coptic Manuscripts in the Collection of the John Rylands Library Manchester, Manchester und London 1909, Nr.224 (drittletzte Zeile der Liste) und die folgende Anmerkung mit weiteren Belegen für den Namen und seine Formen.

193 Er tritt unter den meletianischen Bischöfen Ägyptens auf, die Meletius in seinem berühmten Breviarium an Athanasius aufführt, s. HENRI MUNIER, Recueil des listes épiscopales de l'Église copte (Publications de la Société d'Archéologie Copte. Textes et Documents), Le Caire 1943,2. Vgl. schon MICHEL LE QUIEN, Oriens Christianus II, Paris 1740 (unv. Nachdr. Graz 1958), 531 zu den Belegen für diesen Bischof.

läßt[194], und die Benennung des Vaters des Märtyrers im Mart. Didymos als Kallinikos[195]. Im letzteren Fall läßt sich vermuten, daß der Autor dieser Legende den Vatersnamen aus programmatischen Gründen gewählt hat: Schon im Namen des Vaters kündigt sich das Martyrium des Sohnes an.

Als Standardform des Namens dürfen wir ⲕⲁⲗⲗⲓⲛⲓⲕⲟⲥ ansetzen, so wie sie im koptisch-sa^c^idischen Dossier des Psote durchgehend auftritt.[196] Zu dieser Form gibt es Abwandlungen, deren häufigste ⲕⲁⲗⲗⲓⲛⲓⲕⲉ ist.[197] Der Name kann weiterhin in seinem Anlaut verändert werden, indem das anlautende ⲕ durch ⲅ ersetzt wird.[198] Das ist zwar im sa^c^idischen Dossier des Psote nicht der Fall, aber z.B. in der bohairischen Kirchenpoesie gut belegt. Dort wird ⲅⲁⲗⲗⲓⲛⲓⲕⲟⲥ zur Normalform des Märtyrernamens.[199] Mit dieser Veränderung des Namens müssen wir aber schon sehr viel früher rechnen. Die lateinische Version des Mart. Psote nennt den Märtyrer *Gallinicus*[200], was eindeutig dafür spricht, daß der Übersetzer in seiner Vorlage ⲅⲁⲗⲗⲓⲛⲓⲕⲟⲥ (bzw. dessen griechische Entsprechung) gelesen hat. Der Herausgeber des koptischen Dossiers bietet zwar den lateinischen Text mit der Form *Gallinicus*[201], weist aber auf deren Konsequenzen für

194 Belegt in einem Brief, den Bischof Kallinikos an den Bischof Taurinos (von ?) geschrieben hat: London, British Museum BMEA 10583, ed. W.E.CRUM, Varia Coptica. Texts, Translations, Indices, Aberdeen 1939, Nr.38 (s. das Verso). Obwohl der Brief viele Einzelheiten und Namen enthält, bleibt eine nähere zeitliche und örtliche Bestimmung zweifelhaft, s. Crums Anm.1 zur Übersetzung des Stückes.

195 HENRI HYVERNAT (Hrsg.), Les Actes des martyrs de l'Égypte. Vol.I (mehr nicht erschienen), Paris 1886 / 7 (unv. Nachdr. Hildesheim / New York 1977), 287,16. Vgl. auch im Mart. Eusebios ebd. 31,18f: Eusebios begegnet im Gefängnis verschiedenen Heiligen, die um des Namens Christi willen eingesperrt sind, darunter einem ⲅⲁⲗⲗⲓⲛⲓⲕⲟⲥ. Ich glaube nicht, daß der Legendenautor hier an unseren Bischof gedacht hat: Er hätte sonst dem Namen den Apa-Titel zugefügt. Der Name steht hier nur als ein "typischer" Märtyrername.

196 S. den Namensindex zu Orlandis Ausgabe des Psote-Dossiers (ORLANDI, Psote 119). An allen dort aufgeführten Stellen lautet der Name ⲕⲁⲗⲗⲓⲛⲓⲕⲟⲥ. Vgl. auch die in Anm.192 genannten Stellen.

197 S. W.E.CRUM, Catalogue of the Coptic Manuscripts in the British Museum, London 1905, Nr.1028,3; ders., Cat. Rylands (s. Anm.192), Nr.193,2; H.SATZINGER, BKU III, Berlin 1968, Nr.428,12.

198 Zu den Gründen des Wechsels von ⲕ und ⲅ in griechischen Lehnworten des Koptischen s. W.A.GIRGIS, Greek Loan Words in Coptic §20a, BSAC 19 (1967- 1968, ersch. 1970), 57; vgl. dort besonders das Beispiel καρπός "Frucht" > ⲅⲁⲣⲡⲟⲥ.

199 DELACY O'LEARY (ed.), The Difnar (Antiphonarium) of the Coptic Church. Part I, London 1926, 97: Psali "Adam" zum 27.Kīhak Strophe 2 und 8; Psali "Batos" Str.1 und 5; dass., Part II, London 1928, 2f: Psali "Adam" zum 2.Ṭūba Str. 1.2.9; Psali "Batos" Str. 13. Vgl. weiter die von O.H.E.BURMESTER und Y.^c^ABD AL-MASĪḤ in BSAC verzeichneten Hymnen (Turūḥāt und Doxologien): BURMESTER, BSAC 5 (1939), 107 (zwei Turūḥāt zum 27.Kīhak); ^c^ABD AL-MASĪḤ, BSAC 8 (1942), 59f (Doxologien zum 27. Kīhak; die bohairische Namensform von mir aus der arabischen Überschrift erschlossen). S. auch das Auftreten von ⲅⲁⲗⲗⲓⲛⲓⲕⲟⲥ im (bohairischen) Mart. Eusebios, vgl. die zweite Belegstelle in Anm.195.

200 DELEHAYE, Martyrs d'Egypte 343 (§1 Zeile 1); 344,6f. 12.

201 ORLANDI, Psote 25: §1 Zeile 1; §2 Zeile 2; §3 Zeile 2.

die Namensform in der (griechischen) Vorlage nicht hin. Der Hinweis auf die Nebenform "Gallinikos" ist deshalb wichtig, weil diese der Ausgangspunkt für die Formen des Namens in der sekundären Überlieferung geworden ist. Die christlich-arabische Überlieferung des Synaxars der koptischen Kirche bietet auf dieser Basis *Ǵalīnīkūs*, *Ġalānīkūs* o.ä. - mit Wiedergabe des Buchstabens *gamma* durch den arabischen Buchstaben *ġain*.[202] Eine Ausnahme macht dabei der einzige publizierte Textzeuge, der der oberägyptischen (sa^c^idischen) Rezension des Synaxars[203] zuzurechnen ist, nämlich Forgets Hs. G.[204] Sie schreibt den Namen des Kallinikos im Anlaut konsequent mit dem Buchstaben *kāf*[205] - was sich in guter Übereinstimmung mit der oberägyptisch-koptischen (sa^c^idischen) Überlieferung des Psote-Dossiers befindet. Die arabische Form mit *ġain* im Anlaut des Namens wäre aber auf der Basis von ⲕⲁⲗⲗⲓⲛⲓⲕⲟⲥ gar nicht denkbar; sie ist wiederum der Ausgangspunkt für die äthiopische Überlieferung des Namens. Diese gibt arabisches *ġain* durch äthiopisches *alf* wieder. Wir finden dann den Namen des Märtyrerbischofes (ziemlich einhellig) als *'Alānīqōs* über-

202 Synaxarium Alexandrinum (ed. FORGET, s.o. Anm.134) I (Textus) 177,10; 185,5 ≙ I (Versio) 282,27; 296,2. An der zweiten Stelle fehlt im Apparat die Variante aus Forgets Hs. G; dazu s. Anm.204.

203 Zu dieser Rezension s. RENÉ-GEORGES COQUIN, Le Synaxaire des Coptes. Un nouveau témoin de la recension de Haute Égypte, AnBoll 96 (1978), 351 - 365.

204 Der Text dieser Handschrift läßt sich leider häufig genug nicht aus der Synaxarausgabe von Forget erschließen. Forgets Hs. G ist Paris, Bibliothèque Nationale Arabe 4869 und 4870. Diese wurde dem Herausgeber erst nach Beginn des Druckes des arabischen Textes bekannt; er entschloß sich, das Sondergut der Hs. G dem arabischen Text des ersten Bandes seiner Synaxarausgabe als Anhang beizugeben - das aber auch erst ab dem dritten Monat des koptischen Kalenders, s. FORGET in Synaxarium Alexandrinum I (Versio) S.IV; den Textanhang aus Hs. G s. Synaxarium Alexandrinum I (Textus) 291 - 456. Zur Unvollständigkeit der Textdarbietung vgl. FORGET aaO: Ein Teil seiner Abschriften ist bei einem Brand (dem Brand von Löwen im Ersten Weltkrieg) verlorengegangen. Auf die von Forget angesprochenen Probleme geht es wohl auch zurück, daß es an einer konsequenten Berücksichtigung der Varianten seiner Hs. G mangelt. So fehlen in der Notiz über Kallinikos zum 2.Tūba wichtige Varianten, obwohl Forget in der Textzeugenliste zu dieser Notiz vermerkt, *alle* von ihm benutzten Hss. - also auch G - böten den Text der Notiz (Synaxarium Alexandrinum II (Textus) 320). Glücklicherweise setzt uns die Ausgabe des Synaxars von RENÉ BASSET im Rahmen der Patrologia Orientalis (PO) in die Lage, Forgets Text zu kontrollieren. Basset hat zwar nur zwei Hss. benutzt, aber seine Hs. B ist identisch mit Forgets Hs. G. Auch seine Darbietung des Textes ist problematisch; zur (stiefmütterlichen) Behandlung der Hs. Basset B / Forget G durch die Herausgeber s. COQUIN, op.cit. 353 - 355. Trotz dieser Vorbehalte ist es dann möglich, Lesarten dieser Hs. einwandfrei zu bestimmen, wenn sie von Basset eindeutig als solche seiner Hs. B gekennzeichnet werden.

205 RENÉ BASSET (Hrsg.), Le Synaxaire arabe Jacobite (Rédaction copte) III , PO XI (5), 1916, 513,4 (2.Tūba: *Kalānīkūs*; Var. fehlt bei Forget); ebd. 763,6. 7 (1.Amšīr: *Kalīnīkū*) ≙ Synaxarium Alexandrinum (ed. FORGET) I (Textus) 441,21. 23. Das sind alle Stellen in der Hs. Basset B / Forget G, an denen der Name des Märtyrerbischofes vorkommt; in der Notiz der Hs. zum 27.Kīhak (Psote) tritt der Bischof Kallinikos nicht auf.

liefert.[206] In Unkenntnis dieses Überlieferungsprozesses sind merkwürdige Unformen in die Übersetzungen der entsprechenden Texte eingedrungen: Galinicus oder Galanicus (Forget)[207] bzw. Hellanicus (Budge)[208]. Auf solchem Wege der "Deutung" des Namens werden dann auch hagiographische Zusammenhänge undurchschaubar gemacht.[209]

ZUR BISCHÖFLICHEN STELLUNG DES MÄRTYRERS

Kallinikos ist Bischof gewesen - darin ist sich die hagiographische Literatur einig und betont das durch die Wahl einer formelhaften Wendung: "Psote und Kallinikos, die großen Bischöfe der (ägyptischen) Chora". Der Bischof welcher Stadt die beiden jeweils sind, wird uns aber im Mart. Psote (Kurzfassung) nicht gesagt, wenn man für Psote von Überschrift

206 Vgl. äthiopisches Mart. Psote: BUDGE, Misc. 1141 (Zeile 3 des äth. Textes); 1142,3. 11; 1143,4. 13; 1148,3; Notiz zum 27.Tāḫšāš (≙ 27.Kīhak) im äthiopischen Synaxar: BUDGE, Misc. 1158,4 ≙ Le Synaxaire éthiopien IV (ed. SYLVAIN GRÉBAUT) Teil 2, PO XXVI (1), 1945, 81,2; Salām zum selben Tage: BUDGE, Misc. 1160,9. Vgl. weiter dieselbe Form des Namens in Ludolfs kalendermäßiger Aufbereitung des äthiopischen (und ägyptischen) Materials: HIOB LUDOLF, Ad suam Historiam Aethiopicam antehac editam Commentarius, Francofurti a.M. 1691, 403 (27.Kīhak) und 404 (2.Ṭūba).

207 Synaxarium Alexandrinum (ed. Forget) I (Versio) 282,27 (Galinicus); 296,2 (Galanicus). Dagegen liest Forget ebd. 454,24 und 28 "Calinicus" - obwohl es sich an allen genannten Stellen um denselben Märtyrer handelt.

208 BUDGE in seinem Appendix äthiopischer Texte zu BUDGE, Misc. bietet in der engl. Überschrift zum Mart. Psote noch ein Fragezeichen zu dieser Namensform (Misc. 1141). Dieses Fragezeichen entfällt aber völlig in seiner Übersetzung des äthiopischen Synaxars, s. E.A.WALLIS BUDGE, The Book of the Saints of the Ethiopian Church, Cambridge 1928, Vol. II 417f (27.Tāḫšāš); 441f (2.Ṭĕr). Die Deutung "Hellanicus" geht wohl auf Hiob Ludolf zurück, der diese Namensform in der lateinischen Übersetzung an den in Anm.206 genannten Stellen benutzt.

209 Beispielsweise sind die für Kallinikos im Synaxar einschlägigen Texte, die unter sich zusammenhängen (27.Kīhak / 2.Ṭūba / 1.Amšīr) mit Hilfe der Ausgabe von Forget *nicht* zu erheben, da der Herausgeber den Zusammenhang nicht erkannt hat und die Texte im Index auf "Calinicus" (bzw. "Kalīnīkū") und Galīnicus verteilt: Synaxarium Alexandrinum II (Versio) 318 (bzw, 328) und 322. Bassets Register ist hier besser (Le Synaxaire arabe Jacobite VI , PO XX (5), 1929); er stellt ebd. 774 (1358) unter dem Stichwort "Callinicos" zusammengehörige Stellen auch wirklich zusammen. Aber auch hier Ungenauigkeiten: Der Zusatz "Bischöfe" (Plural!) zum Namen läßt unbe rechtigte Zweifel an der Identität des Heiligen erkennen; außerdem fehlt eine wichtige Stelle, nämlich die Notiz zum 27.Kīhak in Bassets Hs. A, die er nur in einer Fußnote zu Text und Übersetzung mitgeteilt hat: op.cit. II , PO III (3), 1907, 530f (454f; Anm.5 zum arab. Text bzw. Anm.2 zur Übersetzung).
Die weitreichenden Folgen solcher Namensdeutungen zeigen sich in Malans Kalendarium der koptischen Kirche (S.C.MALAN, The Calendar of the Coptic Church (Original Documents of the Coptic Church. 2), London 1873). Er gibt den Namen zum 2.Ṭūba als "Gelanicus" wieder, op.cit.17, und korrigiert das im Kommentar zu "Hellanicus", op.cit. 64. Dieser Hellanicus soll dann der Bischof von Tripolis in Phönizien sein, der am Konzil von Nicaea teilnahm (Kommentar aaO) - eine Behauptung, die in allem den verfügbaren koptischen Quellen widerspricht!

und "ägyptischem" Schluß des Martyriums absieht.[210] Trotz Delehayes Vermutung, daß die Namen der Bischofssitze in der ägyptischen Vorlage der lateinischen Version gestanden haben[211], müssen wir feststellen, daß die vorliegende Form der Überlieferung ursprünglich ist. Das Schenute-Zitat hat uns gezeigt, daß die genannte formelhafte Wendung[212]

210 Der Ortsname Psoi / Ptolemais kommt nur in der koptischen Version der Kurzfassung vor: ORLANDI, Psote 24,2 (Überschrift); 40,22f (Schlußnotiz über das Begräbnis des Märtyrers); er fehlt in Überschrift und Schluß der lateinischen Version. Zum "ägyptischen Schluß" von Kopt.(K) vgl. Anm.116 und 124; zur Nennung des Ortsnamens Psoi s. Anm.153. Sieht man von den Eigenheiten von Kopt.(K) in Überschrift und Schluß (dort wird ein weiterer Ortsname genannt) ab, ist ein weiteres zu konstatieren: Mart. Psote (Kurzfassung) enthält *keinen einzigen Ortsnamen*; auch der Name der Residenz des Arianus wird nicht genannt. Wir sind hier also noch weit entfernt vom topographischen Interesse der Legenden des koptischen Konsenses - wenn sich dieses auch schon im Schluß der koptischen Fassung andeutet. Da sich das Martyriumsgeschehen auch literarisch nicht jenseits von Zeit und Raum abspielt, so dürfen wir annehmen, daß das Mart. Psote in dieser Form einem sozioreligiösen Kontext angehört, in dem die örtlichen Bezüge für den Hörer / Leser eindeutig klar waren. Dieser Kontext ist geographisch gesehen in der Nähe von Martyriums- und Begräbnisort zu suchen. Erst zeitlicher Abstand und Ausweitung des Kultes in entferntere Gegenden des Landes machen es notwendig, die topographischen Bezüge auch literarisch klarzustellen - wer könnte sonst den Topos des Märtyrers aufsuchen und dort Segen erlangen?

211 DELEHAYE, Martyrs d'Egypte 320: "Un indigène n'eût pas simplement qualifié les deux évêques de *magni episcopi apud Aegyptum* (s. Mart. Psote §1), et aurait indiqué leurs sièges." Die ungenaue Ausdrucksweise des lateinischen Übersetzers, an der sich Delehaye stört, beruht aber gerade auf dem Fehlen von Ortsnamen in der ägyptischen Version des Martyriums. Gehen wir von den in Anm.210 angestellten Überlegungen aus, mußte der Übersetzer an dieser Stelle eine Verdeutlichung vornehmen - sonst hätten seine Leser übehaupt nicht gewußt, in welchem Lande das Martyriumsgeschehen spielt. Er versetzte ja mit seiner Übersetzung das Mart. Psote von einem sozioreligiösen Kontext - dem (ober)ägyptischen - in den anderen - den westeuropäisch-lateinischen -. Für den westeuropäischen Hörer / Leser aber genügte es sicher, zu erfahren, daß die beiden Märtyrer Bischöfe in Ägypten (*episcopi apud Aegyptum*) waren; weitere topographische Einzelheiten hätten ihn wohl kaum interessiert. Wir können also feststellen: Lat. hat an dieser Stelle nicht genau übersetzt, sondern eine für westeuropäische Verhältnisse notwendige Verdeutlichung vorgenommen; auf diesem Wege wurde aus "... der Chora" lateinisches "... apud Aegyptum".

212 S. die Textsynopse zum Schenute-Zitat (2) - (3); alle Textzeugen bieten gleichlautend die Formel. Weiteres Vorkommen der Formel im Mart. Psote (Kurzfassung): ORLANDI, Psote 24,4. 12f; 26,3f; 30,23; im Mart. Psote (bearbeitete Fassung): ORLANDI, Psote 71, Kol. I 17 - 21 (≙ Kurzfassung ebd. 26,3f). Gliedern wir das Auftreten der Formel nach dem Aufbau des Martyriums, so erhalten wir:
a) Mart. Psote §1 (Einleitung des Martyriums) : Kopt.(K), Lat.
b) ebd. §2 (Bericht des Arianus) : Kopt. (K), Lat.
c) ebd. §3 (Brief des Diokletian) : Kopt.(K), Lat., Kopt.(L)
d) ebd. §4 (der kaiserliche Kurier spricht zu den Stadtoberen von Psoi) : Kopt.(K), Kopt.(Bearb.); Kopt.(K); Lat. om.
e) ebd. §5 (der Brief des Diokletian wird Psote verlesen) : Kopt.(Bearb.); Kopt.(K), Lat. omm.
f) ebd. §9 (der Brief des Diokletian wird Psote von Arianus verlesen) : Kopt.(K); Lat. om.
Wir können also feststellen, daß die Formel in Kopt.(K) fünfmal begegnet, während sie in Lat. nur dreimal auftritt. Ein Gesamtbefund läßt sich für die anderen erwähnten Fassungen nicht formulieren, da sie fragmentarisch sind. Erwähnt sei noch, daß alle Stellen des Auftretens der Formel ihre Entsprechung im äthiopischen Mart. Psote (ed. Budge) haben:
a) BUDGE, Misc. 1141 (Zeile 3 des äthiop. Textes)

bereits zum ältesten Bestand dieser Märtyrerlegende gehörte. Wir dürfen daher nicht erwarten, daß an anderen Stellen das Auftreten der Formel ursprünglich so etwas gestanden hat wie "Psote und Kallinikos, die Bischöfe von NN und NN" - auch dort nicht, wo die Formel zum ersten Mal auftritt, nämlich ganz zu Beginn des Martyriums.[213] Diese Fassung des Mart. Psote scheint mir auf ein lebendiges Bewußtsein davon zurückzugehen, welche Städte die Bischofssitze der Märtyrer waren: Der Hörer brauchte ursprünglich gar nicht die Ortsnamen, um sich zu orientieren, um welche Bischöfe es sich handelte.

Und doch können wir davon ausgehen, daß die Bischofssitze der beiden Märtyrer weiter tradiert wurden - wenn ursprünglich auch nicht auf dem Wege der Märtyrerlegende. Die Bindung des Psote an Psoi / Ptolemais ist dabei sehr gut greifbar; sie ist schon früh in die ägyptische Fassung des Martyriums selbst hineingenommen worden.[214] Schwieriger ist es, die örtliche Bindung des Kallinikos zu bestimmen. Aber auch in seinem Falle ist die (mündliche bzw. liturgische) Tradierung des Bischofssitzes in eine ägyptische Fassung des Martyriums aufgenommen worden, nämlich die koptische Langfassung des Mart. Psote.[215] Von dort bzw. über eine Zwischenstufe[216] ist sie dann in das Synaxar der koptischen Kirche übernommen worden, d.h. in die dem Kallinikos gewidmete Notiz zum

b) ebd. 1142,3f
c) ebd. 1142,10f
d) ebd. 1143,4f
e) ebd. 1143,13
f) ebd. 1148,2f
Die Formel ist auch deshalb beachtenswert, weil sie das Martyrium eröffnet - Auftreten a in den obigen Listen -, also sein "Incipit" bildet. Das hieße, daß dieser Text dort genau nach dieser Formel benannt würde, wo Texte nach ihren Anfängen verzeichnet bzw. zitiert werden. So wie wir den Text als "Martyrium des Psote" zitieren, könnte er in Ägypten als "Psote und Kallinikos, die beiden großen Bischöfe der Chora" zitiert werden.

213 ORLANDI, Psote 24,4 = Auftreten a der Formel in den Listen von Anm.212; vgl. auch die Bemerkung am Schluß dieser Anm. zum "Incipit"-Charakter der Formel. Lat. hat übrigens den "proleptischen" Charakter der Formel nicht voll durchschaut: Die Formel ist dem ersten selbständigen Satz des Martyriums extraponiert ("Prolepse des Subjektes") und damit integrativer Bestandteil dieses Satzes. Lat. macht dagegen aus der Extraposition einen selbständigen Satz: "Psote und Kallinikos waren bedeutende Bischöfe in Ägypten. Sie verkündigten ..." (ORLANDI, Psote 25).

214 S. den "ägyptischen Schluß" des Mart. Psote (Kurzfassung) §16; vgl. Anm.153 und 210.

215 Die Fragmente der Langfassung ediert bei ORLANDI, Psote 47 - 54; von ihr sind nur vier Blätter erhalten, die in etwa den erweiterten Text von Mart. Psote §§3 - 4 und 7 - 11 enthalten. Die Blätter gehören alle einer Handschrift an (Orlandis Textzeuge B foll.1 - 4, s. op.cit. 11). Daß die Bischofsstadt des Kallinikos in diesen Fragmenten genannt wird, hat der Herausgeber nicht erkannt; zu seiner Fehldeutung s. Anm.222.

216 Nämlich über ein verselbständigtes Mart. Kallinikos. Zur Frage, ob es ein solches gegeben hat, vgl. Anm.126 und weiter unten die Erwägungen zur literarischen Kallinikos-Tradition.

2.Ṭūba.[217] Verbinden wir nun die Angaben der fragmentarischen Langfassung des Mart. Psote mit der Zusammenfassung des Mart. Kallinikos im Synaxar, so ergibt sich eindeutig, daß Kallinikos B i s c h o f v o n L e t o p o l i s / ⲟⲩϣⲏⲙ / *Ausīm*[218] war. In der in der Einleitung zu diesem Exkurs genannten Literatur dagegen lesen wir großenteils, daß er Bischof von Hermopolis gewesen sei - ein Irrtum, den Amélineau in die Welt gesetzt hat[219] und der die Nachschlagewerke weitgehend beherrscht.[220] Amélineaus Irrtum geht auf eine Fehllesung in der von ihm benutzten Synaxarhandschrift zurück: Diese verwechselt *Ausīm* mit *Ašmūnain* / ϣⲙⲟⲩⲛ / Hermopolis.[221]

217 Ed. FORGET, Synaxarium Alexandrinum I (Textus) 185,5 - 16, lat. Übersetzung in op.cit. I (Versio) 296. Text und französische Übersetzung auch bei BASSET, Synaxaire (s. Anm.204 und 205) III, PO XI (5), 1916, 513f (479f); Bassets Edition ist wegen einiger Varianten seiner Hs. B (= Forgets Hs. G) wichtig, die Forget nicht gebucht hat, obwohl er behauptet, die Hs. zu dieser Notiz herangezogen zu haben (vgl. Anm.204). Eine Übersetzung der Fassung der Notiz im äthiopischen Synaxar (2.Ṭĕr) bei BUDGE, Book of the Saints of the Ethiopian Church (s. Anm.208) II 441f; der äthiopische Text der Notiz ist bisher nicht publiziert.

218 Der Ort liegt knapp nordwestlich der südlichen Deltaspitze, westlich des westlichen Nilarmes, s. die in Anm.136 genannten Karten von Timm (dort s.v. "Boušēm / Lētouspolis" bzw. "Wasīm"). Kurzer Überblick über die Namensformen bei WESTENDORF, Handwörterbuch 481. Zum Ort und seinem Namen ist zu vergleichen:
a) für die altägyptische Zeit: WOLFGANG HELCK, Die altägyptischen Gaue, Beihefte TAVO Reihe B Nr.5, Wiesbaden 1974, 151 - 153 (Letopolis ist Hauptort des 2. unterägypt. Gaues).
b) für die griechisch-römische Zeit: ARISTIDE CALDERINI, Dizionario dei nomi geografici e topografici dell'Egitto Greco-Romano (hrsg. v. SERGIO DARIS) Vol. III Fasc.2, Milano 1980, 197 s.v. Λητοῦς πόλις (1); dort auch weitere Lit.
c) für die koptische Überlieferung: EMILE AMÉLINEAU, La Géographie de l'Egypte à l'époque copte, Paris 1893, 51 - 54 (s.v. Aousîm)
d) zu den arabischen Namensformen: HEINZ HALM, Ägypten nach den mamlukischen Lehensregistern. I : Oberägypten und das Fayyūm, Beihefte TAVO Reihe B Nr.38/1, Wiesbaden 1979, 210 s.v. Ausīm. Dort Nachweis weiterer Lit.; vgl. auch ebd. Karte 18 zur Lage.

219 EMILE AMÉLINEAU, Les Actes des martyrs de l'Eglise copte. Etude critique, Paris 1890, 53f. Amélineau faßt dort die Synaxarnotiz zum 2.Ṭūba zusammen und schreibt: "l'évêque d'Hermopolis-Magna (Eschmounein), Callinique" (aaO 53).

220 Unter den zu Beginn dieses Exkurses genannten Werken bietet nur O'LEARY, Saints 108 die richtige Version: "Callinicos was bishop of Awsim ..." Das verwundert deshalb, weil überall das Synaxar als Quelle angegeben wird, in dem aber - abgesehen von einer Handschrift - nichts von Hermopolis zu lesen ist.

221 In der Synaxarhandschrift Basset B / Forget G ist zu lesen, daß Kallinikos seine Gemeinde in Hermopolis (*al-Ašmunain*) versammelte, s. BASSET, Synaxaire III, PO XI (5), 1916, 513 (479): Anm.13 zum arab. Text bzw. Anm.2 zur Übersetzung; die Variante wurde von Forget nicht verzeichnet. Das steht im Widerspruch zur Überlieferung von Bassets Hs. A (= Forget Hs. B) und der anderen von Forget benutzten Hss., die einheitlich *Ausīm* bieten, s. Synaxarium Alexandrinum (ed. FORGET) I (Textus) 185,7; vgl. auch MEINARDUS, Christian Egypt[2] (s. Anm.135) 94 zum 2.Ṭūba. Als zusätzliche Stütze für die Lesung *Ausīm* s. das äthiopische Synaxar zum 2.Ṭĕr, das uns leider nur indirekt durch die Übersetzung von Budge (s. Anm.217) zugänglich ist; Budges Wiedergabe des Ortsnamens als *Wĕsīm* aaO 442 scheint aber Vertrauen zu verdienen. Budges Wiedergabe wird übrigens im Art. Callinico der Bibliotheca Sanctorum zu *Wešhīm* verballhornt - sicher einer der Gründe dafür, daß der zutreffende Ortsname *Ausīm* dort überhaupt nicht diskutiert wird.
Die Form *Ašmūnain* in Bassets Hs. B / Forgets Hs. G geht angesichts des Zeugnisses der anderen Texte nicht auf eine Sonderüberlieferung zurück, sondern auf ein Schreiberversehen. Dieses beruht auf einer Flüchtigkeit bei der Lesung der Zeichenfolge

Daß der Ortsname im Synaxar zum 2.Ṭūba auf eine koptische Tradition zurückgeht, läßt sich nunmehr klar aus einem Fragment der Langfassung des Mart. Psote erheben, das Orlandi ediert, aber nicht in seiner Bedeutung erkannt hat. Wir können dort lesen:

"Als nun der kaiserliche Kurier so weit nach Süden in Ägypten gelangt war, bis er ⲟⲩϣⲏⲙ[222] erreichte, da suchte er nach dem heiligen Kallinikos. Er fand ihn und ..."[223]

Wir erfahren dann weiter, daß der Kurier Kallinikos nach Antinoopolis bringt und ihn dem Arianus übergibt; dort wird Kallinikos der Brief des Kaisers verlesen.[224] Anschließend begibt sich der Kurier nach Psoi, um auch Psote vor den Statthalter zu bringen.[225] Daß ⲟⲩϣⲏⲙ / Letopolis nicht nur ein zufälliger Aufenthaltsort des Kallinikos ist, ergibt sich einerseits aus der zielgerichteten Suche des kaiserlichen Kuriers, andererseits aus dem Gang der Erzählung im Synaxar: Kallinikos versammelt noch einmal in *Ausīm* / Letopolis seine Gemeinde, feiert mit ihr das Abend-

in der Vorlage. Die Zeichenfolge in *Ausīm* enthält nämlich fünf Buchstaben; diese sind - sieht man von den diakritischen Punkten des *šīn* ab - allesamt auch in der Zeichenfolge (sieben Buchstaben) von *Ašmūnain* enthalten. Wir haben es also mit einer unbewußten "Umdeutung" der Vorlage durch den Schreiber zu tun.
Dieser Fehler in der Hs. zeigt, neben zwei Varianten, die nur diese bietet, daß Amélineau genau diese Hs., nämlich Paris, Bibliothèque Nationale Arabe 4869, für seine Mitteilungen über Kallinikos benutzt hat. Denn nur Bassets Hs. B bietet "Hermopolis", nur sie nennt den Namen des Statthalters als "Arianus" und nur sie bezeichnet den Ort der Folterung des Kallinikos als *Qāw* (Antaeopolis) - alles Angaben, die auch Amélineau aaO (s. Anm.219) bringt. Zu den Zweifeln an der Benutzung dieser Pariser Hs. durch Amélineau s. COQUIN, op.cit. (Anm.203) 355f.

222 ORLANDI, Psote 48, Kol. I 19f; von Orlandi in der Übersetzung verballhornt zu "um ihn (scil. den Süden Ägyptens) *in Etappen* zu erreichen (per raggiungerlo *a tappe*)". Orlandi scheint hier irgendwie an ϣⲏⲙ ϣⲏⲙ "allmählich" (CRUM, Dict. 563b) gedacht zu haben, was aber nicht im Text steht. Eine Adverbialphrase ⲉ + *unbest. Art.* + ϣⲏⲙ scheidet aus zwei sehr einfachen Gründen aus:
a) Der unbest. Art. würde mit der Präposition ⲉ- zu ⲉⲩ- kontrahiert, vgl. TILL, Grammatik (s. Anm.175) § 93, dagegen nicht das vokalische ⲟⲩ des Stadtnamens.
b) Konstruiert man aus der Folge von Morphen eine modale Adverbialphrase ("adverbiale Bestimmung der Art und Weise"), so fehlt dem Verbum ⲡⲱϩ die hier notwendige Komplementierung durch eine Adverbialphrase des Ortes mit ⲉ-, vgl. CRUM, Dict. 281b (ⲡⲱϩ ⲉ- "gelangen zu"). Orlandi hat diese Klippe "elegant" umschifft: Er hängt dem Infinitiv *raggiungere* einfach ein *lo* an, das so nicht im Text steht.
Fazit: Was im Text steht, ist der koptische Name der Stadt Letopolis und nichts anderes. Ergänze Orlandis Index der Namen (op.cit. 119f) entsprechend.

223 ORLANDI, Psote 48, Kol. I 16 - 23 (Zeilenzählung gegenüber Orlandis Zählung korrigiert).

224 Ebd. 48, Kol. II 6 - 26 (Zeilenzählung korrigiert); beachte die Parallelität zur Verlesung des Briefes durch Arianus in Mart. Psote (Kurzfassung) §9: Dort wird Psote der Brief verlesen, nachdem ihn der kaiserliche Kurier dem Arianus übergeben hat.

225 Ebd. 48, Kol. II 17 - 27 (Zeilenzählung korrigiert); der koptische Text ist großenteils verloren, es läßt sich aber eindeutig erkennen, daß der Kurier sich nunmehr aufmacht, um Psote vor den Statthalter zu holen.

mahl und nimmt Abschied von ihr.[226] Wir haben also mit Psote und Kallinikos die Märtyrerbischöfe von Psoi / Ptolemais und Ūšēm / Letopolis vor uns. Von der Frage der Historizität der beiden Figuren sehe ich hier ab; sie sind zumindest in der hagiographischen Tradition um das Jahr 400 n.Chr. schon fest verankert, wie das Zitat des Schenute aus dem Mart. Psote zeigt.

ZUM FESTTAG DES KALLINIKOS

Die Überlieferung des Synaxars über den Gedenktag des Märtyrers ist einheitlich: Sein Tag ist der 2.Ṭūba.[227] Das Difnār (Antiphonarium) der koptischen Kirche widmet dem Kallinikos zum 2.Ṭūba eine Hymne.[228] Außerhalb dieser Überlieferung läßt sich der Festtag nur schwer belegen.[229] Das erstaunt deshalb, weil nach dem Aufbau der Notizen zum Tage im Synaxar Kallinikos eindeutig der erste Heilige des Tages ist - vor dem Patriarchen Theona bzw. dem Mönch Jona von Hermonthis.[230] Dasselbe Verhältnis zeigt sich im Difnār: Kallinikos ist die erste, dem Patriarchen Theona die zweite Hymne gewidmet, wobei die Schlußstrophe der zweiten Hymne auch des Kallinikos gedenkt.[231] Immerhin zeigt uns eine koptische

226 Synaxarnotiz zum 2.Ṭūba; Editionen s. Anm.217. Man beachte wiederum die Parallelität zu Psote: Auch Psote feiert noch einen letzten Gottesdienst mit seiner Gemeinde und nimmt dabei Abschied von ihr, Mart. Psote (Kurzfassung) §§7 - 8.

227 S. die Textzeugenliste für den 2.Ṭūba zu Kallinikos in Synaxarium Alexandrinum (ed. FORGET) II (Textus) 320: "omnes". Weitere Zeugen für diesen Tag nennt MEINARDUS, Christian Egypt[2] (s. Anm.135) 94.

228 O'LEARY (ed.), Difnar II (s. Anm.199) 2, Psali "Adam".

229 Im von TISSERANT herausgegebenen Kalendarium des Abū 'l-Barakāt (PO X (3), 1913) fehlt der Festtag des Kallinikos ebenso wie in den Festkalendern koptisch-arabischer Evangeliare, die NAU ediert hat (PO X (2), 1913). Die Verzeichnisse von Ṭuruḥāt bzw. Doxologien, die BURMESTER bzw. ᶜABD AL-MASĪḤ in BSAC vorgelegt haben, bieten kein Material für einen eigenen Fettag des Kallinikos. Am 2.Ṭūba werden dort vielmehr Dioskoros, Asklepios und die Märtyrer von Panopolis / Achmim gefeiert: BURMESTER, BSAC 5 (1939), 113f; ᶜABD AL-MASĪḤ, BSAC 11 (1945), 95.
Das von MALAN edierte Kalendarium - s. Anm.209 am Ende - bietet zwar den 2.Ṭūba als Gedenktag des Kallinikos, MALAN aaO 17 (von MALAN aaO 64 zu "Hellanicus Bischof von Tripolis in Phönizien" umstilisiert). Es ist aber sehr jung und scheint auf eine Exzerpierung des Synaxars zurückzugehen. Ihm kommt daher ein ziemlich geringer Wert als Zeuge zu.

230 Die unterägyptische Rezension des Synaxars bietet Kallinikos und Theona als Tagesheilige, die oberägyptische Rezension Kallinikos und Jona von Hermonthis; dabei steht die Notiz über Kallinikos jeweils an erster Stelle (korrigiere daher MEINARDUS, Christian Egypt[2] 94). Vgl. Synaxarium Alexandrinum (ed. FORGET) I (Textus) 185f bzw. I (Versio) 296f (Forgets Ausgabe ist nur für die unterägyptische Rezension brauchbar); Synaxaire (ed. BASSET) III, PO XI (5), 1916, 513 - 525 (479 - 491). Trotz umfangreicher Erweiterungen zum 2.Ṭěr ist diese Abfolge auch noch im äthiopischen Synaxar zu erkennen, vgl. BUDGE, Book of the Saints (s. Anm.208) II 441 - 443 (Kallinikos und Theona) und Ludolfs Kalendarium in LUDOLF, Commentarius (s. Anm.206) 404 (ebenfalls Kallinikos und Theona).

231 O'LEARY (ed.), Difnar (s. Anm.199) 2f.

Quellengruppe, die wir schon für den Festtag des Psote herangezogen haben[232], daß der Festtag des Kallinikos im Weißen Kloster begangen worden ist. Ein im Rijksmuseum zu Leiden verwahrtes Fragment eines Typikons verzeichnet Lesungen für den Tag des Kallinikos.[233] Leider ist der Text in der linken Hälfte der Seite beschädigt; daher entgeht uns das Datum, zu dem im Weißen Kloster des Märtyrers gedacht wurde.[234] Wir haben aber damit eine Bezeugung des Gedenktages, die zeitlich weit vor der Ausarbeitung des Synaxars in seiner vorliegenden Form liegt.

Auf ein merkwürdiges Phänomen ist hier noch aufmerksam zu machen: Im Gegensatz zum Synaxar, in dem der 27.Kīhak *nur* dem Psote gewidmet ist, sehen die kirchenpoetischen Sammelwerke - Difnār, Ṭurūḥāt und Doxologien - diesen Tag als den des Psote *und* Kallinikos an.[235] Bezeichnend dafür sind die beiden Antiphonen zum 27.Kīhak im Difnār, in denen durchgängig im Plural von den beiden Bischöfen gesprochen wird. Ich gebe Textauszüge in Übersetzung:

"(*Psali 'Adam'*) ... (*Strophe 2*) und laßt uns den Ruhm dieser Bischöfe besingen, nämlich des Apa Psote (ⲁⲃⲃⲁ ⲯⲁⲧⲉ) und des Kallinikos (ⲅⲁⲗⲗⲓⲛⲓⲕⲟⲥ). ... (*Strophe 5*) Sie geboten den Leuten, sich zu hüten vor dem verruchten Gottesdienst der Götzen. ... (*Strophe 8*) Der große Psote und Kallinikos, unsere rechtgläubigen Bischofsväter, (*Strophe 9*) die großen Anführer im Kampf des Landes Ägypten, die der Herr offenbarte in der Zeit der Not, (*Strophe 10*) sie geboten den Leuten, keine Angst zu haben vor den Foltern dieser flüchtigen Zeit ...
(*Psali 'Batos'*, *Strophe 1*) Psote und Kallinikos (ⲯⲁⲧⲉ ⲛⲉⲙ ⲅⲁⲗⲗⲓⲛⲓⲕⲟⲥ),

232 S. Anm.130.

233 Leiden, Ms. Insinger No.38b Verso 22 - 26, edd. PLEYTE und BOESER, Manuscrits coptes (s. Anm.130) 191. Aus Zeile 22 ergibt sich eindeutig, daß es sich um Lesungen für den Tag unseres Kallinikos handelt: [ⲁⲡ]ⲁ ⲕⲁⲗⲗⲓⲛⲓⲕⲟⲥ ⲡⲉⲡⲓⲥⲕ, "Apa Kallinikos der Bischof".

234 Auf dem Verso ist kein einziges Datum erhalten; das Recto (PLEYTE - BOESER, op.cit. 189f) bietet Daten zwischen dem 21.Tūba - Zeile 6 - und dem 25.Tūba - Zeile 24 -. Die anderen auf dem Verso genannten Heiligen - Zeile 13: Christodoros der Soldat; Zeile 17: Philotheos der Märtyrer - lassen sich nicht sicher zuordnen, zumal die richtige Lesung der Namen durch Pleyte und Boeser zweifelhaft ist. Außerdem ist die Bestimmung von "Recto" und "Verso" durch die Herausgeber nicht sicher: Ihr "Verso" könnte auch die Vorderseite des Blattes sein. Unter diesen Umständen ist nicht zu entscheiden, wo das Datum des Gedenktages liegt: in der Mitte des Monats Tūba - oder an seinem Ende? Nur soviel läßt sich sagen, daß wir uns "in der Gegend" des Monats befinden.

235 Difnār: DELACY O'LEARY (Hrsg.), The Difnar (Antiphonarium) of the Coptic Church. Part I, London 1926, 97f; Turūhāt: BURMESTER, BSAC 5 (1939), 107; Doxologien: ᶜABD AL-MASĪḤ, BSAC 8 (1942), 59f. Eine Spur dieser Widmung des Tages auch in einigen Hss. des äthiopischen Synaxars; dort gilt die Salutatio zum Schluß der Psote gewidmeten Notiz (27.Tāḫšāš) sowohl Psote als auch Kallinikos, s. BUDGE, Book of the Saints (s. Anm.208) II 418 (nicht in Le Synaxaire éthiopien IV (Le mois de Tāḫšāš, ed. SYLVAIN GRÉBAUT) (2), PO XXVI (1), 1945, 80 - 82). Vgl. auch die Eintragung in Ludolfs Kalendarium zum Tage, s. LUDOLF, Commentarius (s. Anm.206) 403.

die großen Bischöfe[236], die zuverlässigen Hirten der Herde Christi, (*Strophe 2*) sie hüteten die Schafe der Kirche Christi, die er sich erworben hat durch sein Blut, der große Hirte ... (*Strophe 5*) Psote und Kallinikos, die großen Bischöfe, die wahrhaften Leuchter, die die Oikumene erhellen, (*Strophe 6*) die großen Streiter, die Kämpfer für ihren Herrn, die kühnen Krieger, die kämpften und den Sieg errangen ..."[237]

Wenn nun der 27.Kīhak der Gedenktag *beider* Bischöfe ist, ist es nur konsequent, am 2.Ṭūba keine Kommemoration des Kallinikos zu bringen - so ja auch die von Burmester und ᶜAbd al-Masīḥ aufgearbeiteten Sammlungen, die das Gedenken des Kallinikos durch die Kommemoration des Dioskoros, Asklepios und der Märtyrer von Achmim ersetzen.[238] Das Difnār vollzieht aber diese Konsequenz nicht; es behält den 2.Ṭūba als Tag des Kallinikos bei. Hier scheinen sich zwei Traditionslinien zu durchkreuzen, die ich die "oberägyptische" und die "unterägyptische" nennen möchte:

a) unterägyptische Tradition: ein Gedenktag für beide Märtyrer, nämlich der 27.Kīhak
b) oberägyptische Tradition: zwei getrennte Gedenktage für die Märtyrer, nämlich der 27.Kīhak (Psote) und der 2.Ṭūba (Kallinikos)

Daß es sich bei b tatsächlich um eine oberägyptische Tradition handelt, ergibt sich aus den getrennten Festtagen in den Typika des Weißen Klosters.[239] Dazu kommt eine charakteristische Differenz zwischen unter- und oberägyptischer Rezension der Synaxarüberlieferung zum 27. Kīhak. Die Synaxarnotiz über Psote in der oberägyptischen Rezension bietet eine völlig abweichende und viel ausführlichere Fassung als die relativ kurze Notiz der unterägyptischen Version.[240] Vor allen Dingen aber wird dort der Name des Kallinikos, im Gegensatz zur unterägyptischen Notiz[241], nicht erwähnt. Das liegt nicht daran, daß die oberägyptische Notiz auf ein Martyrium zurückgeht, das die Verbindung zwischen

236 Hier klingt deutlich die Formel "Psote und Kallinikos, die großen Bischöfe der Chora" an, die oben besprochen wurde; vgl. Anm.212.

237 O'LEARY, op.cit. (s. Anm.235) 97.

238 S. die Nachweise oben in Anm.229.

239 Zum Festtag des Psote in den Typika s. Anm.130, zum Tag des Kallinikos s. Anm.233 und 234.

240 Vgl. Synaxarium Alexandrinum (ed. FORGET) I (Textus) 359,12 - 361,12 bzw. I (Versio) 283,16 - 285 (oberägyptische Notiz aus Hs. Forget G / Basset B); ebd. I (Textus) 177,9 - 178,2 bzw. I (Versio) 282,25 - 283,15 (unterägyptische Notiz).

241 Synaxarium Alexandrinum (ed. FORGET) I (Textus) 177,10 bzw. I (Versio) 282,27; der Name des Kallinikos steht in der Zusammenfassung zur Martyriumseinleitung, vgl. Mart. Psote §§1 - 3. Parallel dazu auch das äthiopische Synaxar, das nur die unterägyptische Rezension der Synaxarnotiz bietet: Synaxaire éthiopien IV (2) (s. Anm. 235) 81,1 - 4; vgl. auch BUDGE, Book of the Saints (s. Anm.208) II 417.

Psote und Kallinikos nicht kennt; die Verbindung beider Märtyrer ist der oberägyptischen Rezension wohlbekannt, vgl. einen entsprechenden Passus in der ebenfalls oberägyptischen Notiz über den Bischof "Abadion" von Antinoopolis zum 1.Amšīr.[242] Der Grund für die Weglassung des Namens des Kallinikos ist vielmehr darin zu suchen, daß dieser Märtyrer in der oberägyptischen Rezension von vornherein seinen eigenen Festtag besaß, so daß eine Erwähnung am 27.Kīhak überflüssig wurde. Diese oberägyptische Tradition hat dann auch den "allgemeingültigen" ägyptischen Festkalender beeinflußt - 2.Ṭūba als Gedenktag des Kallinikos -, ohne aber die Tradition vom 27.Kīhak als Gedenktag beider Märtyrer ganz beseitigen zu können.

Die oberägyptische Tradition zu Psote und Kallinikos weist noch eine weitere Eigenheit auf, die die unterägyptische Synaxarrezension nicht kennt. Die Gedenktage der Märtyrer sind nicht nur um das Weihnachtsfest (29.Kīhak) angeordnet, sondern schließen ein Martyriumsgeschehen ein, das sich genau vom 28.Kīhak bis zum 1.Ṭūba erstreckt und in dieser Form nur von der oberägyptischen Rezension berichtet wird: das Martyrium der

242 Synaxarium Alexandrinum (ed. FORGET) I (Textus) 441,18 - 23 bzw. I (Versio) 454,19 - 28 (aus Hs. Forget G / Basset B). Hier wird die Erzählung vom Brief des Diokletian aus Mart. Psote §3 aufgegriffen. Der Bericht des Arianus an den Kaiser ist hier aber nicht, wie in Mart. Psote §2, durch die Tätigkeit der beiden Bischöfe veranlaßt, sondern durch den Zorn über eine Auskunft des Psote über den Kaiser: Diokletian sei in Wirklichkeit der oberägyptische Ziegenhirte Agrippida, der mit Psote aufgewachsen ist und wahnsinnig geworden ist (op.cit. I (Textus) 441,4 - 6 bzw. I (Versio) 453,27 - 31: "Abadion" teilt Arianus das mit, was er von Psote erfahren hat; ebd. (Textus) 441,17f bzw. (Versio) 454,16 - 19: Psote bestätigt dem Arianus die Aussage des "Abadion"). Diese Erfindung koptischer Hagiographen finden wir weder in der koptischen Kurzfassung noch in der Langfassung des Mart. Psote. Sie begegnet aber in den enkomiastischen Erzählungen des fragmentarischen Enk. Psote (ed. ORLANDI, Psote 55 - 70) und ebenfalls in der oberägyptischen Synaxarnotiz über Psote zum 27.Kīhak (ed. FORGET), s. Anm.240). Zu dieser mit Psote verbundenen Tradition s. ORLANDI, Psote 18 und 21; Orlandi hat auch auf ihre Wiedergabe im Synaxar hingewiesen, allerdings nur auf die Notiz zum 27.Kīhak (ebd. 18 Anm.40).
Angesichts dieser Motivierung des Berichtes des Arianus an Diokletian in der Synaxarnotiz über Bischof "Abadion" ist es eigentlich überflüssig, neben Psote auch den Bischof Kallinikos zu erwähnen; der hat ja mit der Diokletian / Agrippida-Geschichte nichts zu tun. Aber Konsequenz ist nicht die Sache der koptischen Hagiographen. Diese haben hier vielmehr aus mehreren ihnen zur Verfügung stehenden Quellen geschöpft, nämlich
a) aus einer weiteren bearbeiteten Fassung des Mart. Psote, wie sie sich im Synaxar zum 27.Kīhak (oberägyptische Rezension) und im Enk. Psote spiegelt
b) aus dem Mart. Psote (Kurzfassung).
Das Mart. Psote (Kurzfassung) ist also neben den bearbeiteten Fassungen auch in Oberägypten weiter tradiert worden. Das deckt sich mit dem auf den ersten Blick eigenartigen Befund in Orlandis Textzeugen aus dem Weißen Kloster. Diese enthalten ja verschiedene Fassungen des Martyriums, darunter die Kurzfassung, s. ORLANDI, Psote 11 - 13. Für das Enk. Psote hat bereits ORLANDI ebd. 18 darauf hingewiesen, daß der Verfasser neben einer bearbeiteten Fassung des Martyriums (oben a) auch dessen Kurzfassung benutzt hat. So bestätigen sich hier Entwicklungslinien, die im koptischen Dossier des Psote beobachtet werden können, mit Hilfe von Erkenntnissen aus der Synaxartradition zu Psote und Kallinikos.

Märtyrer von Achmim.[243] Zwar sorgt die Dignität des Weihnachtsfestes dafür, daß der Festkalender am 28. und 29.Kīhak von Märtyrern weitgehend freigehalten wird.[244] Wir erfahren im Synaxar erst dadurch, daß wir die Notiz zum 30.Kīhak (Arianus in Achmim) analysieren und mit den Angaben der Notiz zum 1.Amšīr (Bischof "Abadion") kombinieren, daß das am 30.Kīhak geschilderte Geschehen bereits am 28.Kīhak begonnen hat.[245] Dieser Zustand der Überlieferung ist sicher nicht ursprünglich, wie uns noch das äthiopische Synaxar zeigt. Dort wird über das Geschehen an drei Tagen berichtet, dem 29. und 30.Tāḫšāš und dem 1.Ṭĕr (≙ 29. und 30. Kīhak, 1.Ṭūba)[246], also wenig Scheu gezeigt, das Weihnachtsfest mit einem Märtyrertag zu koppeln. Eine solche Scheu ist aber in den verklausulierten Wendungen des oberägyptischen Berichtes zum 30.Kīhak zu beobachten; sie wird in dem vom Weihnachtsfest recht entfernt liegenden Bericht zum 1.Amšīr über den Märtyrerbischof "Abadion"[247] ganz beiseite gelassen.

243 Der Gesamtbefund zu diesen Märtyrern läßt sich nur durch die Kombination verschiedener Synaxarnotizen erheben, die alle der oberägyptischen Rezension angehören:
a) 3o.Kīhak (Arianus in Achmim): Synaxarium Alexandrinum (ed. FORGET) I (Textus) 361,14 - 362,9 bzw. I (Versio) 291
b) 1.Ṭūba (Dioskoros und Asklepios) : ebd. (Textus) 362,12 - 363,8 bzw. (Versio) 295,5 - 36.
c) 1.Amšīr (Bischof "Abadion" von Antinoopolis) : ebd. (Textus) 439,13 - 442,10 bzw. (Versio) 451,27 - 455, speziell die Episode aaO (Textus) 441,10 - 16 bzw. (Versio) 454,1 - 14.

244 Vgl. die Übersicht bei MEINARDUS, Christian Egypt^2 (s. Anm.135) 93f.

245 Zu Beginn der Notiz zum 30.Kīhak - s. Anm.243 unter a - heißt es zwar, daß Arianus "an diesem Tage" in Achmim eingetroffen sei; das steht aber in eklatantem Widerspruch nicht nur zu anderen Bezeugungen, sondern zu Angaben dieser Notiz selbst. Am Schluß nämlich wird uns mitgeteilt, daß die erste Gruppe der Märtyrer von Achmim bereits am Weihnachtstage (= 29.Kīhak) in der Kirche umgebracht wurde. Das ist aber keine andere Gruppe als die, von der der Hauptteil der Notiz berichtet, nämlich die, die Bischof "Abadion" (am Weihnachtsabend) in der Soter-Kirche zu Achmim versammelt hatte. Schon aus inneren Gründen ergibt sich also, daß Arianus am 28.Kīhak in Achmim eingetroffen ist. Die heutige Fassung der Notiz beruht auf einer Zusammenarbeitung von ursprünglich zwei Notizen (zum 29. und 30.Kīhak). Die Zusammenarbeitung unter dem Datum des 30.Kīhak scheint mir eindeutig von dem Bestreben getragen, den Weihnachtstag von Märtyrern zu "befreien".
Und doch gibt es genügend Spuren der "Weihnachts-Märtyrer" von Achmim in der Synaxarüberlieferung. Die Notiz zum 1.Amšīr - s. Anm.243 unter c - berichtet uns ganz offen vom Martyrium am Weihnachtstag und gibt das Datum der Versammlung der Gemeinde in Achmim ganz ausdrücklich als "28.Kīhak" an (op.cit. (Textus) 441,12 bzw. (Versio) 454,5). Zur äthiopischen Überlieferung s. die folgende Anm.

246 29.Tāḫšāš: Synaxaire éthiopien IV (2) (s. Anm.235) 104,10 - 105,7; BUDGE, Book of the Saints (s. Anm.208) II 429.
30.Tāḫšāš: Synaxaire éthiopien IV (2) 109,6 - 110,3; BUDGE, op.cit. II 431.
1.Ṭĕr: äthiopischer Text bisher nicht publiziert; BUDGE, op.cit. II 436 - 439.

247 Ich habe den Namen des Bischofs bisher in einer "normalisierten", der Übersetzung von Forget entnommenen Form zitiert. Diese geht aber eindeutig auf Verballhornung innerhalb des christlich-arabischen Textes zurück. Das Synaxar überliefert den Namen als *Abādiyūn, Bādiyūn* (Notizen zum 30.Kīhak und 1.Amšīr); das äthiopische Synaxar bietet schon eine große Annäherung an den wirklichen Namen: *Bĕnūdĕyās, Bĕnūdĕyōs, Babnūdĕyōs* (Notizen zum 29.Tāḫšāš bis 1.Ṭĕr; Budge "normalisiert" teilweise zu "Venudius") o.ä. Bevor wir die äthiopischen Formen mit den arabischen

Dort wird geradeheraus erklärt, daß die Achmimer Martyriumsereignisse am 28.Kīhak in Gang kamen.[248] Die Geschichten um die Märtyrer von Achmim können hier nicht im einzelnen analysiert werden; dazu wäre eine eigene Darstellung notwendig, die in einer späteren Folge dieser Studien vorgelegt werden soll. Die Märtyrer von Achmim haben primär auch nichts mit Psote und Kallinikos zu tun; sie erhalten aber eine Verbindung mit ihnen über eine farbige Figur der ägyptischen Hagiographie, den schon genannten Bischof "Abadion" von Antinoopolis, den wir nunmehr besser mit seinem koptischen Namen "Pinution" nennen sollten.[247] Seine Geschichte im Synaxar (1.Amšīr) bringt ihn in Verbindung mit dem Märtyrer Kolluthos[249] einerseits und dem Bischof Psote[250] andererseits; dazu

verbinden, einige Erinnerungen an die Schwächen der Schreiber christlich-arabischer Literatur:

a) Aus dem Koptischen übernommene Vokale werden gern durch "passendere" arabische ersetzt, vgl. *Ǵalīnīkus* > *Ǵalānīkus* (s. Anm.202).
b) Konsonanten mit diakritischen Zeichen in koptischen Eigennamen werden mit der Zunahme der Entfernung zur Tradierung des Koptischen häufig falsch punktiert.
c) Anlautende Silben aus *b + Vokal* werden in Personennamen gerne als Kurzform des Abū-Titels gedeutet (*Bū* < *Abū*, *Bā* < *Abā*) und dann vom Wortkörper getrennt, vgl. vgl. *Abū Fām* < *Bī Fām* < *Bifām* (Phoibamon).

Unter diesen Gesichtspunkten vergleichen wir nun *Abā Bādiyūn* (etwa Synaxarium Alexandrinum (ed. FORGET) I (Textus) 441,23) mit der äthiopischen Form *Bĕnūdĕyōs*, die ziemlich sicher in ihrer Endung gelitten hat; wir erhalten: *Abā Bādiyūn* < *Bā Bādiyūn* < *Babādiyūn* (oben c; der erste Vokal ist kurz, s. Aeth.) < *Banādiyūn* (oben b) < *Banūdiyūn* (oben a; Ersetzung von ū durch ā). Das ist aber nichts anderes als eine arabische Transkription des koptischen ⲡⲓⲛⲟⲩⲧⲓⲟⲛ (vgl. HEUSER, Personennamen (s. Anm.191) 45)! Darauf, daß der Bischof von Antinoopolis in der koptischen Tradition tatsächlich "Pinution" heißt, hat schon Crum hingewiesen: WALTER E.CRUM, Colluthus, the Martyr and his Name, ByZ 30 (1929/30), 323 - 327 (327 am Ende). Crum hat gleichzeitig betont, daß schon in dem koptischen Text, den er heranzieht, die Namensüberlieferung nicht fest ist. Trotzdem erscheint es mir im Hinblick auf die oben vorgetragene Deutung der arabischen und äthiopischen Namensüberlieferung angebracht, den Bischof nunmehr als "Pinution (ⲡⲓⲛⲟⲩⲧⲓⲟⲛ), Bischof von Antinoopolis" zu zitieren. Damit erledigt sich der (mit Fragezeichen versehene) Deutungsvorschlag "Apa Dion" von REYMOND-BARNS, Martyrdoms (s. Anm.75) 14.

248 Die Stelle ist am Ende von Anm.245 genannt.

249 Synaxarium Alexandrinum (ed. FORGET) I (Textus) 439,16 - 440,5 bzw. I (Versio) 451,3 - 452,17: Kolluthos ist Freund des Philippos, des Sohnes des Pinution; beide sind Ärzte und üben ihre Kunst unentgeltlich aus. Arianus heiratet die Schwester des Kolluthos. Pinution weiht den Kolluthos zum Priester und prophezeit ihm das Martyrium durch die Hand des Arianus. Die romanhaften Einzelheiten über Kolluthos sind hier noch weiter entwickelt als im Synaxarbericht über Kolluthos zum 25.Bašans; dort kommen Pinution und sein Sohn Philippos nicht vor. Zu diesen Erweiterungen und Veränderungen der Kolluthos-Tradition s. REYMOND-BARNS, Martyrdoms (s. Anm.75) 13f. Forget hat hier übrigens nicht erkannt, daß es sich um den Heiligen des 25. Bašans handelt; er konstruiert einen "Caltus" und trennt diesen von "Coluthus".

250 Pinution bezeichnet Psote als seinen Bruder und Gewährsmann für die Geschichte von Diokletian als ehemaligem Ziegenhirten in Oberägypten, die er dem Arianus erzählt. Das bringt den Statthalter darauf, mit Pinution nach Psoi / Ptolemais zu fahren, um sich von Psote selbst die Wahrheit der Geschichte bestätigen zu lassen (Synaxarium Alexandrinum (ed. FORGET) I (Textus) 441,4 - 8 bzw. I (Versio) 453,27 - 33; vgl. Anm.242, erster Absatz).

wird auf den gemeinsamen Tod des Psote und Kallinikos Bezug genommen.[251] Die Figur des Pinution setzt, wie in Anm.242 gezeigt, das Mart. Psote literarisch voraus, das zeigt sich auch in einer Anleihe, die in der Geschichte von den Märtyrern von Achmim dort gemacht wird. Pinution begleitet nämlich den Statthalter Arianus nach Achmim; der dortige Bischof ist geflohen. Der Christenverfolger trifft am Vortage des Weihnachtsfestes (28.Kīhak) in Achmim ein. Pinution versammelt am Abend die christliche Gemeinde (Heiliger Abend!), hält mit ihnen Gottesdienst und ermahnt sie die Nacht über; am Weihnachtsmorgen feiert er mit ihnen das Abendmahl; anschließend werden die Christen von den Soldaten des Arianus niedergemetzelt (29.Kīhak).[252] Die Martyrien in Achmim setzen sich am 30.Kīhak fort[253] und schließen am 1.Ṭūba mit dem Martyrium des Dioskoros und Asklepios.[254] Die abendliche Versammlung der christlichen Gemeinde und die Ermahnung bei Nacht stellt die Verwendung eines Motives dar, das in sozusagen klassischer Weise im Martyrium des Psote formuliert ist: Psote bittet sich vom kaiserlichen Kurier Aufschub der Abreise bis zum nächsten Tag aus, versammelt seine Gemeinde, um von ihr Abschied zu nehmen, ermahnt sie die Nacht über[255] und feiert morgens das Abendmahl mit ihnen (Mart. Psote §§ 6 - 8).[256] Dieses Motiv finden wir dann in ähnlicher Weise in der Zusammenfassung des Martyriums des Kallinikos, die die Synaxarnotiz zum 2.Ṭūba bietet.[257] Insgesamt tritt es also vom

251 Das Synaxar bietet hier eine "Kürzestfassung" des Mart. Psote: op.cit. I (Textus) 441,18 - 23 bzw. I (Versio) 454,19 - 28. Dabei wird auch der Tod des Kallinikos berichtet, der in der Kurzfassung des Martyriums nicht ausdrücklich erwähnt wird. Zur Benutzung des Mart. Psote durch die Hagiographen, auf die die Notiz über Pinution zurückgeht, s. Anm.242.

252 S. den in Anm.243 unter c genannten Textabschnitt; vgl. auch den dort unter a genannten Text und die Bemerkungen in Anm.245 dazu. Die äthiopische Version s. Anm.246.

253 S. insbesondere die äthiopische Version zum 30.Tāḫšāš (Anm.246); die arabische Version zum 30. Kīhak - Anm.243 unter a - arbeitet zwei Tagesnotizen zusammen und ist daher mit Vorsicht zu benutzen (Anm.245).

254 S. den in Anm.243 unter b genannten Text; die äthiopische Version s. Anm.246.

255 Das wird im koptischen Martyrium nur indirekt deutlich: Psote bittet sich einen Tag Aufschub aus (§6), versammelt die Gemeinde, ermahnt sie und nimmt unter großen Klagen Abschied (§7); als die Morgendämmerung einsetzt, feiert er die Eucharistie mit der Gemeinde (§8). Aus der Zeitbestimmung für die Eucharistiefeier ergibt sich also erst, daß die Versammlung die ganze Nacht gedauert hat. Deutlicher ist hier die lateinische Fassung: "(Psote) hörte den ganzen Tag und die ganze Nacht nicht auf, sie zu ermahnen und anzuspornen ..." (§7, s. ORLANDI, Psote 29; vgl. auch Orlandis Bemerkung zur Stelle ebd. 16). Die Kürze der Darstellung der nächtlichen Versammlung regte koptische Literaten dazu an, eine Rede des Psote zu konzipieren, die selbständig tradiert wurde ("Oratio Psotii", ed. ORLANDI, Psote 77 - 92) . Diese will nach ihrer Überschrift am Morgen von Psote gehalten worden sein, "nachdem er die ganze Nacht damit verbracht hatte, dem Volke zu predigen" (aaO 78,4f).

256 ORLANDI, Psote 26,17 - 30,12.

257 Synaxarium Alexandrinum (ed. FORGET) I (Textus) 185,7 - 9 bzw. I (Versio) 296,6 - 11 .

27.Kīhak bis zum 2.Ṭūba dreimal auf. Beim Auftreten zum 28./29.Kīhak (Weihnachtsnacht) kann man von einer *Melodramatisierung* des Motives sprechen. Diese Melodramatisierung liegt nicht nur in der Koppelung mit dem festlichen Anlaß "Weihnachten", sondern auch in Ummodelungen des Motives: Auch in Achmim ist es die letzte Ermahnung des Bischofes an die Gemeinde - aber nicht, weil er zum Martyrium geht, sondern weil die ganze Gemeinde anschließend das Martyrium erleidet; außerdem hat die Gemeinde das Glück, noch einmal das Abendmahl feiern zu können, dadurch, daß ein "zugereister" Bischof die Funktion des geflohenen Bischofs von Achmim übernimmt. Die Aufnahme des Motivs der nächtlichen Ermahnung in die Geschichte der Märtyrer von Achmim stellt eine sekundäre Erweiterung dar, die sich hagiographischen Anleihen beim (im Kalender, aber auch geographisch) benachbarten Heiligen Psote bzw. bei der kalendermäßigen Rahmung der Geschichte durch die Gedenktage des Psote und Kallinikos verdankt.

ZUM MARTYRIUMS- UND BEGRÄBNISORT DES KALLINIKOS

War es sehr leicht gewesen, den Begräbnisort, den "Topos", des Psote zu bestimmen, da dieser (in Nachfolgebauten) noch heute erhalten ist[258], so gilt das nicht ohne weiteres für seinen Märtyrergenossen Kallinikos. Eine Kirche des Kallinikos ist heute unter den koptisch-orthodoxen Kirchen Ägyptens nicht mehr vorhanden.[259] Es gelingt auch nicht, eine solche für das Mittelalter mit Hilfe des sog. Abū Ṣāliḥ oder al-Maqrīzīs "Geschichte der Kopten" nachzuweisen. Doch macht das Synaxar die Angabe, daß Kallinikos in Tkow / Antaeopolis[260] gemartert worden sei; auf diese Stadt ist der Ortsname im Synaxar eindeutig zu beziehen, obwohl die Schreibung in der Mehrzahl der Hss. nicht ganz klassisch für den arabischen Namen *Qāw* der Stadt ist.[261] Wir befinden uns also bei der Marterung im nördlichen Oberägypten. Dieser Martyriumsort gilt nun auch, wenn wir einen etwas kryptischen Hinweis im Mart. Psote beachten, für den Märtyrer

258 S. Anm.135.

259 Vgl. die von TIMM, Christliche Stätten in Ägypten (s. Anm.135) zusammengestellte Liste der Kirchen nach den Namen der Heiligen, denen sie gewidmet sind (op.cit. 147 - 165).

260 Zu den Namensformen des alten Hauptortes des 10. oberägyptischen Gaues s. WESTENDORF, Handwörterbuch 480 (kurze Übersicht); AMÉLINEAU, Géographie (s. Anm.131) 511 - 513.

261 Forgets Hss. ABCDEFH - das sind die Handschriften der unterägyptischen Rezension - schreiben *Itkū* (*Atkū*); s. Synaxarium Alexandrinum (ed. FORGET) I (Textus) 185,11; Forgets Hs. G (= Bassets Hs. B) schreibt *Qāw*, s. Synaxaire (ed. BASSET) III, PO XI (5), 1916, 513 (479), Anm.23 zum arab. Text (die Variante aus Hs. G ist bei Forget nicht gebucht!). Den Schlüssel zum richtigen Verständnis bietet hier die Hs. Forget G / Basset B. Ihre Schreibung bietet eindeutig die arabische Form für das oberägyptische Tkow / Antaeopolis, s. AMÉLINEAU aaO (s. Anm.260) und HALM, Ägypten ... I (s. Anm.134) 95 s.v. *Qāw al-Ḫarāb*. Die Schreibung der unterägyptischen Rezension erinnert an den Namen des unterägyptischen Tkow: *Itkū / Idkū*,

Psote. Oben wurde ja festgestellt, daß das Mart. Psote in seinem ursprünglichen Bestand der Ortsnamen ermangelt; nur die Überschrift und der "ägyptische Schluß" der koptischen Kurzfassung enthalten zwei Ortsnamen: Psoi / Ptolemais[262] - und Tkow / Antaeopolis[263]. Der Name der Stadt Tkow tritt im Schluß des Martyriums auf. Dort heißt es nach der Enthauptung des Psote:

"Leute seiner Stadt (scil. Psoi) aber trugen ihn nach Tkow hinein; dann setzten sie mit ihm nach Westen über den Fluß und brachten ihn nach Süden zu seiner Stadt, wobei sie ihn auf ihren Schultern trugen."[264]

Der Leichnam des Psote wird also nach dem Martyrium von Tkow nach Psoi gebracht. Tkow aber wird hier deshalb erwähnt, weil sich nach ägyptischer (koptischer) Tradition *das Martyrium des Psote in bzw. bei dieser Stadt abgespielt hat*. "Nach Tkow hinein" in dem oben zitierten Textpassus ist so zu deuten, daß die Enthauptung vor den Toren der Stadt stattgefunden hat. Daß Psote zur Enthauptung aus der (nicht genannten) Stadt hinausgeführt wurde, läßt sich aus der koptischen und lateinischen Kurzfassung des Mart. Psote erheben.[265] Merkwürdigerweise ist die Tradition über den Martyriumsort Tkow nicht in das Synaxar eingegangen; weder die Kurzfassung (unterägyptische Rezension) noch die Langfassung (oberägyptische Rezension) der Notiz über Psote zum 27.Kīhak bieten den Ortsna-

s. AMÉLINEAU, op.cit. 157 - 159 und HALM, op.cit. II (Das Delta), Beihefte TAVO Reihe B Nr.38/2, Wiesbaden 1982, 768 (zur Lage s. ebd. Karte 41). Dieses ist hier aber sicher nicht gemeint. Eine Kleinigkeit verrät, daß auch mindestens ein Schreiber der unterägyptischen Rezension an eine andere Stadt gedacht hat: In Forgets Hs.B = Bassets Hs. A fehlt dem Ortsnamen das für *Itkū* notwendige schließende *alif*, s. Synaxaire (ed. BASSET) III aaO (bei Forget nicht als Variante gebucht). Die Lesung würde dann *Itkau* oder *Atkau* lauten. Das aber könnte der Versuch einer arabischen Transkription des koptischen Ortsnamens Tkow, hier der Stadt in Oberägypten, sein. Ein solcher Transkriptionsversuch dürfte die Basis der Schreibung in der unterägyptischen Rezension darstellen; dieser wurde dann im Sinne der Schreibung des unterägyptischen Tkow, nämlich *Itkū*, umgedeutet. Fazit: Auch die unterägyptische Rezension überliefert als Ort des Martyriums Tkow / Antaeopolis.

262 ORLANDI, Psote 24,2 (Überschrift); 40,22 (Schluß des Martyriums); vgl. Anm.153.

263 ORLANDI, Psote 40,21 (Schluß des Martyriums).

264 ORLANDI, Psote 40,20 - 22.

265 ORLANDI, Psote 38,14f (koptische Fassung): " Als er nun hinausging an den Ort, wo er enthauptet werden sollte, da gingen auch die Bewohner der Stadt hinaus ..."; ebd. 38,18 (koptische Fassung): "Als man nun hinausgekommen war, um ihn zu enthaupten ..." Vgl. die lateinische Fassung ebd. 39: "Und daraufhin befahl er (scil. der Statthalter), daß er nach draußen geführt und enthauptet werde. Der ... Bischof, der schon nach draußen hinausgeführt werden sollte ..."

men.[266] Die im "ägyptischen Schluß" des Mart. Psote erhaltene Tradition wird aber auf das Schönste durch ein anderes Literaturwerk bestätigt, nämlich das Erste Enkomion auf den Märtyrer Klaudios des Bischofs Konstantin von Asyūṭ.[267] Dort erscheint Psote dem Klaudios in einer nächtlichen Vision, um ihm und Viktor das Martyrium anzukündigen; dabei nennt er auch den Ort, wo er selbst das Martyrium erleiden wird:

"Was mich betrifft, so wird man mich in einer Stadt umbringen[268], die Tkow heißt."[269]

Eine weitere indirekte Bestätigung bietet nun die Nennung von Tkow in der Synaxarnotiz über Kallinikos. Das könnte als eine weitere Anleihe beim Mart. Psote - wie die Übernahme des Motivs der nächtlichen Ermahnung der Gemeinde[270] - gedeutet werden. Ich möchte aber diese Ortsnamenüberlieferung ganz ernst nehmen: Sie entstammt nicht hagiographischen Anleihen beim Psote-Dossier[271], sondern einer (vorliterarischen) *Tradition, die beide Märtyrer gemeinsam betrifft.* Diese Tradition lautet ihrem Inhalt nach schlicht: Die Bischöfe Psote und Kallinikos haben zur gleichen Zeit in Tkow / Antaeopolis das Martyrium erlitten. Dazu sei noch einmal auf die hagiographische Formel "Psote und Kallinikos, die großen Bischöfe der Chora" verwiesen.[272] Wir hatten ihr mehrfaches Vor-

266 Nachweis der Editionen s. Anm.240. Das Fehlen des Ortsnamens beruht nicht darauf, daß die Synaxarnotizen Martyrien ohne "ägyptischen Schluß" verarbeitet haben: Es lassen sich vielmehr in beiden Fassungen Spuren dieses Schlusses nachweisen:
a) Kurzfassung (aaO (Textus) 178,1 bzw. (Versio) 283,14): "Und er erlangte die Krone des Lebens im himmlischen Königreich." Vgl. ORLANDI, Psote 40,25 und den in §2 besprochenen Schenute-Text ("... bis sie die Krone des Lebens erlangten"), s. Anm.116.
b) Langfassung (aaO (Textus) 361,9f bzw. (Versio) 285,30 - 33): "Diejenigen nun, die von seiner Gemeinde anwesend waren, ... trugen seinen Leichnam auf ihren Schultern und brachten ihn hin zum Ufer der Stadt Psoi (*Abṣāy*) und begruben ihn dort ..." Vgl. ORLANDI, Psote 40,20 - 23.

267 Ed. GÉRARD GODRON, Textes coptes relatifs à Saint Claude d'Antioche, PO XXXV (4), 1970, 508 - 591 (86 - 169).

268 Lies mit Godrons Textzeugen V_1 ⲕⲱⲛ̄ⲥ und korrigiere Textzeugen M (ⲕⲱⲱⲥ "begraben") entsprechend, aaO 528 (106), 1f. Die hier angestellten Beobachtungen zum Mart. Psote machen endgültig klar, daß die Lesung der Hs. M fehlerhaft ist. Godron hat das zwar auch in einer Fußnote angemerkt (aaO 529 (107) Anm.1), hat aber trotzdem den Text seiner Hs. M als Haupttext geboten. Der Begräbnisort des Psote liegt ja, wie dargestellt, gegenüber von Psoi, und das scheint in Oberägypten allgemein bekannt gewesen zu sein.

269 GODRON, aaO 528 (106), 1 bzw. 2.

270 Nachweis der Stelle in Anm.257; vgl. Anm.226.

271 Solche Anleihen sind, über das Motiv der letzten Versammlung der Gemeinde hinaus, in der Synaxarnotiz ganz deutlich; vgl. dazu die Ausführungen zu den literarischen Traditionen über Kallinikos.

272 Die Nachweise der Formel in der koptischen, lateinischen und äthiopischen Überlieferung über Psote s. Anm.212. Das Synaxar gibt die Formel als "Apa Psote und Kallinikos, die beiden großen (*ᶜaẓīm*) Bischöfe von Oberägypten (*aṣ-Ṣaᶜīd*)" wieder, s. Synaxarium Alexandrinum (ed. FORGET) I (Textus) 177,10. Die Formel tritt dort nur an dieser Stelle auf, d.h. in der Notiz über Psote zum 27.Kīhak (Kurzfassung = unterägyptische Rezension).

kommen im Mart. Psote (Kurzfassung) konstatiert. Sie sperrt sich aber eigentlich gegen den Erzählduktus des Martyriums: Trotz der Erwähnung des Kallinikos in der Einleitung wird von ihm nichts weiter erzählt, wenn man von den späteren Bearbeitungen absieht. Der Grund für die Aufnahme der Formel in das Mart. Psote durch die ägyptischen Hagiographen liegt nun darin, daß sie hier *auf eine schon geprägte Tradition* zurückgriffen; diese Tradition, wie sie sich in der Formel äußert, war in Oberägypten in Umlauf und konnte von der Hagiographie nicht übergangen werden - obwohl das Mart. Psote nur für den Kult des Psote bestimmt war. Die vorgeprägte (mündliche bzw. liturgische) Tradition hat sicher nicht nur aus der Formel bestanden, der wir im Mart. Psote begegnen; sie enthielt vielmehr eine Aussage über das (gemeinsame) Martyrium der beiden Bischöfe. Wir können also die formelhafte Aussage ergänzen zu "Psote und Kallinikos, die großen Bischöfe der Chora, haben das Martyrium erlitten". Zwei Ergänzungen scheinen hier aus ägyptischer Sicht noch nötig, nämlich der Name des Peinigers, durch den sie litten, und der Name des Ortes, wo sie litten. Dadurch wird die sehr allgemeine Aussage "haben das Martyrium erlitten" konkretisiert: Der Name des Peinigers fixiert die Zeit, zu der das Martyrium stattfand (hier: diokletianische Verfolgung); der Ortsname ergibt eine geographische Fixierung, die für die Frage nach dem Begräbnis- und Kultort wichtig ist.[273] Damit wird zu-

273 Prinzipiell gilt natürlich, daß der Begräbnisort (= Kultort) nicht mit dem Martyriumsort identisch sein muß - vor allen Dingen dann, wenn es sich um Allerweltsmartyriumsorte wie Alexandria oder Antinoopolis handelt. Bei mehr individualisierten Martyriumsorten gilt aber, daß der Begräbnisort mit dem Ort des (endgültigen) Martyriums identisch ist bzw. in seiner Nähe zu finden ist. Ich gebe eine kleine Auswahl von Märtyrern des nördlichen Oberägypten, die das belegt:

	Martyriumsort	Begräbnisort
Kolluthos	Antinoopolis	Antinoopolis
Elias, Bischof von Kusai	Antinoopolis	Kūsai
Klaudios	Pohe	Pohe
Viktor, Sohn des Romanos	Hierakion	Hierakion
Viktor von Šū	Mūša	Mūša
Phoibammon (Bifām) von Letopolis (Ausīm)	Ṭimā	Ṭimā

Weiter ist zu bemerken, daß sich am Martyriumsort ein zweiter Kultort des Märtyrers bilden kann, wenn sein Begräbnisort an anderer Stelle liegt. Als Beispiel sei Phoibammon von Preht (der Soldat) genannt, dessen Martyriumsort Lykopolis (Asyūṭ) ist und der in Theodosiopolis (Ṭaḥā) begraben liegt. Die unpublizierte Miracula-Erzählung über diesen Heiligen sagt uns ausdrücklich, daß er auch in Asyūṭ eine Kultstätte besitzt: "So, wie meine Machttaten an dem Ort wirksam sind, wo sich mein Körper befindet in der Stadt Ṭaḥā, und an dem Ort, wo mein Blut vergossen wurde in der Stadt Asyūṭ ..." (New York, Pierpont Morgan Library M 582 fol.25r I 16 - 25; beschränkt zugänglich durch den Bd.46 der von HENRI HYVERNAT herausgegebenen Fotoausgabe; der koptische Text dort auf Taf.51).
Für die Angabe des Martyriumsortes in den ältesten Märtyrerüberlieferungen ist außerdem auf die Tradition der Martyrologien, z.B. das Martyrologium Hieronymianum, zu verweisen. Die knappste Form der Eintragung unter dem Tagesdatum lautet dort: "(Märtyrer) X in Y (Ortsangabe)".

gleich für das fromme Bewußtsein sichergestellt, daß das Martyriumsgeschehen nicht in einem "Irgendwann / Irgendwo" angesiedelt ist, sondern in dieser Welt in (bestimmbarer) Zeit und (bestimmbarem) Raum, stattgefunden hat. Auf der Basis dieser Überlegungen erhalten wir folgende hagiologische Aussage, die selbständig tradiert worden ist:

"Psote und Kallinikos, ..., die unter Arianus in Tkow das Martyrium ernus[274] in Tkow / Antaeopolis das Martyrium erlitten."

Diese hagiologische Formel stellt wohl die "erste Fassung" der Martyriumstradition dar; sie ist der Ausgangspunkt für alle späteren literarischen Bildungen, auch das Mart. Psote (Kurzfassung). Als Sitz im Leben der Formel ist (hauptsächlich) die Liturgie zu vermuten: Gedenkformel für die Märtyrer im Gebet der Gemeinde (Diptychen).[275] Trifft diese Vermutung zu, wäre in etwa folgende liturgische Formel anzusetzen: "Psote und Kallinikos, ..., die unter Arianus in Tkow das Martyrium erlitten haben." Da Schenute bereits die literarische Verarbeitung der Formel durch das Mart. Psote kennt und als bekannt voraussetzt, dürfen wir die Entstehungszeit der hagiologisch-liturgischen Formel mindestens auf die Mitte des 4. Jahrhunderts ansetzen.

Im Zentrum der Formel steht ein *Märtyrerpaar* - im Zentrum des Mart. Psote nur eine der beiden Figuren; daher rührt ein Teil von dessen inneren Spannungen. Diese gehen auf den Einbau der geprägten Psote-Kallinikos-Tradition, die einfach nicht übergangen werden konnte, in ein nur dem Psote gewidmetes Martyrium zurück. Wie lebendig die Tradition über das Märtyrerpaar in Oberägypten gewesen ist, davon legen die Wandinschriften (Graffiti) Zeugnis ab, die Psote und Kallinikos gemeinsam anrufen.[276]

274 Entsprechend dem Bericht des Mart. Psote wurde hier "Arianus" als Name des Peinigers eingesetzt. Der Name des Arianus darf aber nicht so gedeutet werden, als sei nun historisch erwiesen, daß die nachweisbare Person Satrius Arianus, *praeses* der Thebais (s. Anm.141) der römische Amtsträger gewesen ist, der die beiden Bischöfe zu Tode gebracht hat. Sein Name steht vielmehr als eine Art Prototyp für die römischen Amtsträger in Ägypten zur Zeit der diokletianischen Verfolgung.

275 Zu dem Diptychen in Ägypten vgl. zuletzt MICHAEL MCCORMICK, A Liturgical Diptych from Coptic Egypt in the Museum of Fine Arts, Muséon 94 (1981), 47 - 54; dort weitere Lit.

276 Vgl. ⲁⲡⲁ ⲡⲥⲁⲧⲉ ⁝ ⲁⲡⲁ ⲕⲁⲗⲓⲛⲅⲭⲉ in der Inschrift No.47,28f aus den Einsiedeleien von Esna: Les Ermitages chrétiens du désert d'Esna. I: Archéologie et inscriptions, par SERGE SAUNERON et JEAN JACQUET, FIFAO 29 (1), 1972, 97; dazu der Kommentar von SAUNERON und RENÉ-GEORGES COQUIN, in: dass. IV: Essai d'histoire, par SERGE SAUNERON, FIFAO 29 (4), 1972, 61 (Nr.34) und 71 (Nr.79). Zur Form ⲕⲁⲗⲓⲛⲅⲭⲉ vgl. ⲕⲁⲗⲓⲛⲉⲭⲉ in der Inschrift Nr.361,5 aus Bawīṭ (JEAN MASPERO - ETIENNE DRIOTON, Fouilles exécutées à Baouît, MIFAO 59, 1931, 114) und ⲕⲁⲗⲓⲛⲁⲭⲉ in der Inschrift Nr. 328,4 aus dem Jeremias-Kloster (ed. HERBERT THOMPSON, bei J.E.QUIBELL, The Monastery of Apa Jeremias, Excavations at Saqqara (1908-9, 1909-10). Le Caire 1912, 103); die genannten Formen sind auf die oben zum Namen des Märtyrers aufgeführte Nebenform ⲕⲁⲗⲗⲓⲛⲓⲕⲉ zurückzuführen (Nachweise in Anm.197). In einer umfangreichen Heiligenanrufung aus Dêr al-Gabrāwī begegnen wir dem Märtyrerpaar als ⲁⲡⲁ ⲯⲁⲧⲉ ⲙ̄ⲛ̄ ⲕⲁⲗⲉⲛⲓⲕⲟⲥ: N. DE G.DAVIES, The Rock Tombs of Deir el Gebrâwi. Part II, ASE 12, 1902, Pl.XXIX No.3,9f (Bemerkungen von W.E.CRUM zur Stelle ebd.46); zur Form der Anrufung - nur Psote hat den Apa-Titel - vgl. ⲁⲃⲃⲁ ⲯⲁⲧⲉ ⲛⲉⲙ ⲅⲁⲗⲗⲓⲛⲓⲕⲟⲥ in der Strophe 2 der oben zum Festtag zitierten ersten Difnār-Hymne (Nachweis s. Anm.235).

Das Bewußtsein vom Märtyrerpaar bezeugen aber auch die oben zum Festtag des Kallinikos besprochenen Difnār-Hymnen, die durchgehend beider Märtyrer gedenken.[277]

Haben wir nun Klarheit über den Martyriumsort des Kallinikos *und* des Psote gewonnen, so verbleibt die Frage nach dem Ort, wo Kallinikos begraben wurde. Dazu macht das Synaxar auf den ersten Blick nur ungenaue Angaben. Der Statthalter Arianus macht sich mit dem halbtoten Kallinikos von Tkow / Antaeopolis per Schiff auf den Weg nach *Ṭūḫ*.[278] Der Leichnam des inzwischen verstorbenen Märtyrers wird, als das Schiff angelegt hat, von einem christlichen Matrosen gemäß einer Weisung des Kallinikos auf den Abfallhaufen[279] (der Stadt, des Ortes) geworfen.[280] "Und siehe, gläubige Leute, die der Engel des Herrn unterrichtet hatte, hoben den Körper des Heiligen auf und hüllten ihn in Leichentücher und verbargen ihn solange bei sich, bis die Zeit der Verfolgung aufhörte."[281] Die Nennung des Ortsnamens *Ṭūḫ* erfolgt an dieser Stelle sicher nicht nur deshalb, um das Reiseziel des Arianus anzugeben; mit ihm soll vielmehr der Begräbnisort des Kallinikos markiert werden. Beachtenswert ist dabei, daß das Schiff nicht etwa anhält, um den Leichnam des Märtyrers unterwegs abzusetzen; er wird ausgeladen, als das Ziel erreicht ist. Damit ist die Identität von Reiseziel des Arianus und Begräbnisort des Kallinikos erwiesen.

Es fragt sich nur noch, welches *Ṭūḫ* hier gemeint ist. Das ist nun leider nicht sicher zu entscheiden, da der Ortsname in Ägypten recht häufig und ohne identifizierenden Zusatz nicht eindeutig bestimmbar ist.[282] Außerdem wissen wir nicht, ob der Stathalter nach Süden oder nach Norden gefahren ist. Zwei Ortslagen in relativer Nähe zu Tkow / Antaeopolis bieten sich besonders an: *Ṭūḫ Bakrīma*[283] im Norden und *Ṭūḫ*

277 Edition s. Anm.235.

278 Synaxarium Alexandrinum (ed. FORGET) I (Textus) 185,12 bzw. I (Versio) 296,18 - 20; vgl. wegen der Varianten aus Forgets Hss. B und G Synaxaire (ed. BASSET) III 514 (480), 1f.

279 *al-kaum* scheint mir hier eindeutig die Bedeutung "der Abfallhaufen" zu haben; das Schiff soll ja ganz in der Nähe einer menschlichen Siedlung an Land gehen. Forget erwägt zwar diese Bedeutung (op.cit. I (Versio) 296 Anm.3), übersetzt aber *tumulus* "der Hügel"; Basset gibt das Wort ohne weiteren Kommentar als "la colline" wieder.

280 Synaxarium Alexandrinum (ed. FORGET) I (Textus) 185,12 - 15 bzw. I (Versio) 296,20 - 25; weitere Varianten s. Synaxaire (ed. BASSET) III 514 (480), 2 - 4.

281 Synaxarium Alexandrinum (ed. FORGET) I (Textus) 185,15f bzw. I (Versio) 296,25 - 28; weitere Varianten s. Synaxaire (ed. BASSET) III 514 (480), 4 - 6.

282 Vgl. die 19 ägyptischen Ortsnamen, deren erster Bestandteil *Ṭūḫ* ist, im Register bei HALM, Ägypten ... II (s. Anm.261) 806.

283 Liegt einige Kilometer nordwestlich von *Abū Tīg* im Gebiet der heutigen Gemeinde *Duwêna*, s. HALM, Ägypten ... I (s. Anm.134) 98 und die Karte 8 ebd. Der Ort besteht schon seit langem nicht mehr; sein Landgebiet gehört heute zu Duwêna. Zur historischen Entwicklung s. MUHAMMAD RAMZĪ, Al-qāmūs al-ǧuġrāfī li'l-bilād al-miṣrīya Abt. II Teil 4, Al-Qāhira 1963, 18 s.v. *Duwêna*.

al-Gabal (auch *Ṭūḫ al-Ḫail*)[284] im Süden der Stadt. Amélineau hat sich im Art. Toukh seiner Géographie[285] für das erstere entschieden.[286] Der Grund, den er dafür angibt - Arianus sei auf dem Rückwege nach Antinoopolis - kann zutreffen, ist aber nicht durchschlagend. Bis zum Auftauchen neuen Materials müssen wir die Frage der genauen Lokalisierung des Begräbnisortes dahingestellt sein lassen.

Die Auffindung solchen Materials dürfte schwierig sein, da anscheinend die Verfasser der Synaxarnotiz bewußt darauf verzichtet haben, von der Erbauung einer Begräbniskirche für Kallinikos zu sprechen. In diesem Sinne ist wohl das abrupte Ende der Notiz mit "... bis die Zeit der Verfolgung aufhörte" zu verstehen. Eigentlich müßte jetzt ja gerade die Angabe folgen: "Dann erbauten sie ihm eine (schöne) Kirche", vgl. den Schluß der Notiz über Psote in der oberägyptischen Rezension.[287]

Gegen ein Verschwinden der Angabe durch Unbilden in der handschriftlichen Überlieferung der Synaxarnotiz spricht das konsequente Fehlen in allen von Forget und Basset benutzten Hss. Daß hier etwas fehlt, was eigentlich zu erwarten wäre, zeigt die Überlieferung von Bassets Hs. A (= Forgets Hs. B). Deren Schreiber ersetzt nämlich "... verbargen ihn bei sich" durch "... *begruben* ihn bei sich".[288] Die Ersetzung zeigt deutlich, daß er das (endgültige) Begräbnis des Heiligen vermißt hat. Dieser Befund macht sehr wahrscheinlich, daß den Redaktoren der Synaxarnotiz die Begräbniskirche des Kallinikos nicht mehr bekannt war.

ZU DEN LITERARISCHEN TRADITIONEN ÜBER KALLINIKOS

Wir haben nunmehr die Bausteine gefunden, aus denen wir einen Überblick über die literarische Kallinikos-Tradition zusammensetzen können. Dabei möchte ich einen primären und einen sekundären Bereich der Traditionen unterscheiden. Als sekundär bezeichne ich den Traditionsbereich, in dem aus einer schon vorliegenden literarischen Quelle abgeleitet wird,

284 Liegt etwa 10 km südlich von Psoi / Ptolemais am westlichen Ufer des Nil, s. HALM, op.cit.88 und die Karte 5 ebd. Auch auf Timms Karte des christlichen Ägypten im Mittelalter eingetragen (TAVO Blatt B VIII 5, s. Anm.136), da dort eine Kirche nachgewiesen ist. Ich kann im Augenblick nicht bestimmen, um was für eine Kirche es sich dabei handelt.

285 AMÉLINEAU, Géographie (s. Anm.131) 522 - 524.

286 AaO 523f.

287 Synaxarium ALexandrinum (ed. FORGET) I (Textus) 361,10f bzw. I (Versio) 285,32 - 35: "... und sie begruben ihn dort beim Aufhören der Verfolgung; dann erbauten sie über ihm eine Kirche und ein schönes Kloster, in dem Gott Heilungswunder offenbart bis auf den heutigen Tag." Der letzte Zusatz zeigt nicht nur, daß die Redaktoren des Synaxars die Begräbniskirche des Psote kannten, sondern auch, daß der Kult des Heiligen zur Zeit der Redaktion noch in voller Blüte stand. Zur Begräbnisstätte des Psote vgl. Anm.134 und 135.

288 Synaxaire (ed. BASSET) III 514 (480),5; s. dagegen Hs. B (ebd. Anm.14) "und bewahrten ihn bei sich auf" (diese Varianten nicht bei Forget verzeichnet).

also z.B. Synaxarnotizen und Difnār-Hymnen, die auf das Martyrium des Heiligen (und eventuell andere Traditionen, z.B. Enkomien) zurückgreifen. Dabei vernachlässige ich die Frage der Sprache der jeweiligen Überlieferung. Hier ließen sich zwar weitere Differenzierungen durchführen, etwa: sekundäre Überlieferung im primären Bereich = koptische Version des Mart. Psote (Kurzfassung) oder sekundäre Überlieferung im sekundären Bereich = äthiopische Version der Synaxarnotiz für Kallinikos. Solche Differenzierungen würden aber für unseren Zweck wenig ergeben (Fehlen griechischer Überlieferung!), da hier die inhaltliche Seite im Vordergrund steht. Wird im folgenden eine Quelle genannt, so ist sie jeweils in ihrer ältesten erreichbaren sprachlichen Form gemeint, also Mart.Psote (Kurzfassung) = Kopt.(K) (und Lat.). Das heißt dann auch, daß weitere Übersetzungen dieser Quelle nicht gesondert genannt werden; es fehlt also z.B. die äthiopische Version der bearbeiteten Fassung von Mart. Psote. Querverweise auf die Editionen werden in den Anmerkungen gegeben.

A. Beiden Märtyrern gewidmete Traditionen

I. Primärer Bereich
0. Die hagiologisch-liturgische Formel[289]
1. Martyrium: *nicht vorhanden*

II. Sekundärer Bereich
1. Difnār-Hymnen zum 27.Kīhak[290]

B. Kallinikos gewidmete Traditionen

I. Primärer Bereich
1. Martyrium: *nicht vorhanden*[291]

II. Sekundärer Bereich
1. Synaxarnotiz zum 2.Ṭūba[292]
2. Difnār-Hymne zum 2.Ṭūba[293]

289 S.o. zum Martyriumsort des Kallinikos (und Psote).

290 Edition s. Anm.235.

291 Es sei denn, der von Graf im Abschnitt "Griechische Heilige" s.v. Kallinikus verzeichnete Text gehöre unserem ägyptischen Bischof Kallinikos (GEORG GRAF, Geschichte der christlichen arabischen Literatur. I: Die Übersetzungen, StT 118, 1944 (Nachdr. 1966), 519; dazu Nachtrag (zu 519,25) ebd. 687). Aber auch dann dürfte es sich um ein spätes Konstrukt - im Sinne der Synaxarnotiz - handeln.

292 Editionen s. Anm.217; dort auch Hinweis auf die äthiopische Version der Synaxarnotiz.

293 Edition s. Anm.228.

C. Kallinikos in den Psote gewidmeten Traditionen

I. Primärer Bereich
1. Mart. Psote (Kurzfassung)[294]
2. Bearbeitungen des Mart. Psote[295]

II. Sekundärer Bereich
1. Synaxarnotiz zum 27.Kīhak (unterägyptische Rezension)[296]
2. Difnār: entfällt, s. A II 1

D. Kallinikos in anderen Traditionen

I. Primärer Bereich
entfällt

II. Sekundärer Bereich
1. Synaxarnotiz über Pinution, Bischof von Antinoopolis zum 1.Amšīr (oberägyptische Rezension)[297]

294 Koptischer Text bei ORLANDI, Psote 24 - 41; dort auch Abdruck der lateinischen Version. Kritische Edition der lat. Version: DELEHAYE, Martyrs d'Egypte 343 - 352. Kallinikos kommt hier nur in der formelhaften Wendung "Psote und Kallinikos, die großen Bischöfe der Chora" vor bzw. in den Elaborationen, die daraus in der Einleitung des Martyriums entwickelt werden. Nachweis der Stellen s. Anm.212.

295 Fragmentarischer koptischer Text von zwei verschiedenen Bearbeitungen bei ORLANDI, Psote:
a) Kopt.(Bearb.): ebd. 71 - 73 (von Orlandi fälschlich als Fragment der *passio brevis* bezeichnet, s. dazu Anm.155).
b) Kopt.(L): ebd. 47 - 54.
Kallinikos wird in diesen Fragmenten sechsmal genannt, und zwar:
a (1) ebd. 71, Kol. I 17 - 21 ≙ Kopt.(K) ebd. 26,3f (in der formelhaften Wendung, als der kaiserliche Kurier zu den Stadtoberen von Psoi / Ptolemais spricht; vgl. Anm.212)
(2) ebd. 72, Kol. I 8 - 12 (in der formelhaften Wendung, als Psote der Brief Diokletians in Psoi verlesen wird; vgl. Anm.212 und Textsynopse)
b (1) ebd. 48, Kol. I 2 - 5 ≙ Kopt.(K) 24,18f (in der formelhaften Wendung im Brief Diokletians; vgl. Anm.212 und Textsynopse)
(2) ebd. 48, Kol. I 16 - 22 (der kaiserliche Kurier kommt nach Ūšēm / Letopolis und sucht nach Kallinikos; vgl. o. die Ausführungen zur bischöflichen Stellung des Märtyrers)
(3) ebd. 51, Kol. I 26 - II 1 (Arianus zu Psote): "Psote, verhalte dich nicht auch so unvernünftig und ungehorsam wie Kallinikos, der ungehorsam war und elendiglich starb."
(4) ebd. 51, Kol. II 4 - 8 (Antwort des Psote an Arianus): "Der Tod des Kallinikos ist kein Tod, sondern vielmehr Leben auf ewig."
Nur drei Nennungen - b(2) - (4) - bringen also Informationen, die über das Mart. Psote (Kurzfassung) hinausgehen. b (3) und (4) legen Zeugnis dafür ab, daß in Kopt.(L) Kallinikos vor Psote stirbt.
Die äthiopische Version einer Fassung, die wohl Kopt.(Bearb.) nahesteht, s. Anm. 156; Auflistung des Vorkommens des Kallinikos dort s. Anm.206 und 212.

296 Edition s. Anm.240. Die äthiopische Version des Synaxars - sie bietet die Notiz unter dem 27.Tāḫšāš in der unterägyptischen Rezension - s. Le Synaxaire éthiopien IV (2) (s. Anm.206) 80,10 - 82; BUDGE, Misc. 1158 - 1160.

297 S. dort die Episode Synaxarium Alexandrinum (ed. FORGET) I (Textus) 441,18 - 23 bzw. I (Versio) 454,19 - 28; vgl. dazu Anm.242. Diese Notiz ist in der äthiopischen Version des Synaxars zum 1.Yakātīt nicht enthalten, s. BUDGE, Book of the Saints II (s. Anm.208).

Wie oben zum Martyriumsort des Kallinikos schon festgestellt, ist A I 0 (die hagiologisch-liturgische Formel) der Ausgangspunkt für alle weiteren literarischen Bildungen. Der Autor des Mart. Psote (Kurzfassung) hat sie vorgefunden und in den Text eingebaut - aber eben in einen Text, der seine *Funktion nur im Kult des Psote* hatte. Für das bisher bekannte Material gilt nunmehr folgende Beobachtung: Auf der Basis von A I 0 hat sich zwar ein Mart. Psote gebildet (C I 1), aber weder ein Mart. Psote und Kallinikos (A I 1) noch ein Mart. Kallinikos (B I 1). Das sich in A I 0 spiegelnde Bewußtsein vom Märtyrerpaar Psote und Kallinikos ist aber nicht etwa verlorengegangen, sondern wurde neben dem nur einem von beiden Märtyrern gewidmeten Text C I 1 weitertradiert.[298] Das wirkte sich in drei Richtungen aus:

(1) Neubildung von Texten, die beiden Märtyrern gewidmet sind, s. A II 1

(2) Parallelbildungen zu für Psote vorhandenen Texten, deren Fehlen für Kallinikos anscheinend als störende Lücke empfunden wurde, s. B II 1 (mit Einschränkungen auch B II 2)

(3) Stärkere Berücksichtigung des Kallinikos in den Psote gewidmeten Texten, s. C I 2[299]

Die hier beschriebenen Tendenzen des Fortlebens der Psote-Kallinikos-Tradition können sich auch miteinander verknüpfen: Die Difnār-Hymnen zum 27.Kīhak, s. (1), profitieren sicher von den stärkeren Berücksichtigungen des Kallinikos in den Bearbeitungen des Mart. Psote, s. (3). Andererseits kann sich das Fortleben der Tradition auch so auswirken, daß es zu einer strikten Parallelisierung des Psote und Kallinikos gewidmeten Textmaterials kommt, s. die Synaxarnotizen zum 27.Kīhak und zum 2.Ṭūba in der oberägyptischen Rezension: Der Name des einen Märtyrers ist im Text des jeweils anderen getilgt. Hier scheint der Gedanke wirksam zu sein, daß, wenn schon der eine Märtyrer des Paares ein Martyrium besitzt, auch dem anderen ein solches zukommt.

Haben wir nunmehr einen großen Teil der Zusammenhänge und Abhängigkeiten der literarischen Traditionen geklärt, so bleibt noch die Frage, woher sich die alleine Kallinikos gewidmeten Traditionen speisen, nämlich B II 1 und 2. Diese finden ja, wenn wir von der Basisformel A I 0 absehen, im Grunde wenig Material vor - nämlich das, was C I bietet;

298 Das zeigt sich, neben der sozusagen klassischen Ausprägung in den Difnār-Hymnen zum 27.Kīhak (A II 1), an verschiedenen Einsprengseln in der Psote-Tradition: Schlußformel für *beide* Märtyrer in der Psote gewidmeten Synaxarnotiz in einem Teil der Hss. des äthiopischen Synaxars (BUDGE, Book of the Saints II 418; vgl. Anm.235); Salām für *beide* Märtyrer im Anschluß an die Psote-Notiz ebd. (BUDGE, Misc. 1160); Doxologien und Ṭurūḥāt für *beide* Märt. zum 27.Kīhak, dem Tage des Psote (s. Anm.235). Das Bewußtsein vom Märtyrerpaar bezeugen auch die in Anm.276 genannten Inschriften.

299 Diese stärkere Berücksichtigung des Kallinikos können wir wegen des fragmentarischen Charakters der Textzeugen nur bruchstückhaft wahrnehmen. Was wir jedenfalls erfahren, ist die Abholung des Kallinikos in Ūšēm / Letopolis durch den kaiserlichen Kurier und die Tatsache seines Todes vor dem Tod des Psote, s. Anm.295, bes.b (2) - (4).

C I 1 bietet aber im Grunde nicht viel mehr als A I O.[300] Die Antwort ist ganz einfach und liegt völlig klar auf der Linie der oben beschriebenen Tendenz (2): *Die Kallinikos-Traditionen B II 1 und 2 sind Ableitungen bzw. Parallelbildungen zu Psote-Traditionen.* Das sei durch zwei synoptische Zusammenstellungen illustriert:

I. SYNAXARNOTIZEN

Kallinikos (B II 1)	*Psote (C II 1)*
"An diesem Tage	" id.
erlitt das Martyrium	id.
der heilige	id.
Kallinikos der Bischof.	Apa Psote der Bischof.
Und das verhielt sich so:	id.
Als dem Kaiser Diokletian	Als den Kaiser Diokletian
die Kunde über ihn	die Kunde über Apa Psote
om.[301]	und Kallinikos, die großen
om.	Bischöfe von Oberägypten,
zu Ohren kam,	erreichte,
daß der die Leute lehre,	daß sie die Christen stärkten
om.	im Glauben an Christus
sie sollten die Verehrung	und daß sie die Verehrung
der Götter des Kaisers zurückweisen,	der Götzen lahmlegten,
da sandte er einen Brief,	da sandte er Botschaft,
daß man ihn festnehme	sie festzunehmen
und ihn martere.	und sie zu martern.
Als er nun von der	Was nun Psote betrifft, so
Ankunft der Boten hörte,	erbat er vom Boten,
da versammelte er die	ihm eine einzige Nacht
Gemeinde in der Stadt Letopolis.	Aufschub zu gewähren.
Er feierte den Gottesdienst	Dann feierte er den Gottesdienst
und reichte ihnen vom Leib	und spendete der Gemeinde
und Blut des Herrn dar;	die Eucharistie;
er sagte zu ihnen:	er trug ihnen auf,
'Ihr werdet mein Gesicht	fest im orthodoxen Glauben

300 Das liegt daran, daß Kallinikos dort nur dann auftritt, wenn auf die Basisformel A I O Bezug genommen (und diese elaboriert) wird; s. die Auflistung des Vorkommens des Namens des Kallinikos (d.h. der formelhaften Wendung) in Anm.212 und vgl. Anm.294. Zum Mehr an Informationsgehalt in C I 2 s. Anm.299.

301 Zur Tilgung des Namens des Psote bzw. der gesamten formelhaften Wendung s. die oben unter (2) beschriebene Tendenz und die Bemerkung dazu im Text.

nicht wieder sehen.'	zu verharren.
Da weinten sie allesamt	om.
bitterlich, vermochten aber nicht,	om.
ihn von seinem Vorsatz abzubringen.[302]	om.[302]
	Dann verabschiedete er sich
Dann ging er hinaus	von ihnen und ging hinaus von ihnen,
und lieferte sich selbst den	wobei er seine Seele dem
Boten aus.[303]	Herrn übergeben hatte.[303]
Die nahmen ihn	Der Bote begab sich mit ihm
und übergaben ihn dem	zu Arianus, dem Statthalter
Statthalter, damit er ihn martere."	von Antinoopolis."

Die Gegenüberstellung, die die erste Hälfte der Notiz umfaßt, macht deutlich, wie die Texte fast völlig parallel verlaufen. In der zweiten Hälfte laufen sie dann auseinander, als es um die Schilderung des jeweiligen Martyriums geht. Das verwundert nicht weiter, da jeder Märtyrer, hagiographisch gesehen, sein individuelles Martyrium erleidet - so schematisch es auch geschildert sein mag (hier etwa "... und marterte ihn mit verschiedenen Arten von Martern").[304] Da Kallinikos außerdem noch einen anderen Begräbnisort als Psote hat, wird im letzten Teil der Notiz recht ausführlich über die Verbringung dorthin berichtet. Die Anteile an der Erzählung gestalten sich gerundet so[305]:

302 Hier bietet der Kallinikos-Text nicht etwa eine eigenständige Erweiterung, sondern wiederum eine Anleihe beim Psote-Dossier, s. Mart. Psote (Kurzfassung) §8. Eventuell ist mit dem Ausfall des Satzes im Psote-Text zu rechnen.

303 Die beiden Texte unterscheiden sich hauptsächlich darin, wem der Märtyrer *nafsahu* übergibt: den kaiserlichen Boten (Kallinikos) oder dem Herrn (Psote). Einer der beiden Texte scheint einen Fehler zu enthalten; welcher das ist, ist nicht sicher zu entscheiden, da Anhaltspunkte im Mart. Psote (Kurzfassung) fehlen.

304 Die Schilderung des Martyriums konnte auch deshalb keine Anleihen bei Psote machen, weil dessen Leiden sehr individuell erzählt ist (Gesprächsauseinandersetzung mit Arianus!) und dem Geschmack späterer Zeit (koptischer Konsens der Märtyrerlegende!) kaum entgegenkommt, da ausführliche Marterszenen fehlen. Das Fehlen einer geprägten Tradition über das Martyriumsleiden des Kallinikos schlägt sich dann in der Schematik des Synaxarberichtes nieder: "Er aber marterte ihn mit verschiedenen Arten von Martern in Antinoopolis; der Herr aber verlieh ihm (scil. Kallinikos) dabei Kraft und Ausdauer. Dann nahm er ihn mit nach Antaeopolis und marterte ihn dort. Als er verdrießlich wurde, ihn zu martern, befahl er, daß ihm die Hand abgeschnitten würde und daß ihm der Arm bis zur Schulter gespalten würde." (Synaxarium Alexandrinum (ed. FORGET) I (Textus) 185,10 - 12 bzw. I (Versio)296, 12 - 18).

305 Gezählt nach den Zeilen der Ausgabe des arabischen Textes bei FORGET, Synaxarium Alexandrinum I (Textus) 185,5 - 16 (ohne Schlußformel).

(1) Einleitende Erzählung	5,5 Zeilen[306]
(2) Marterung in Antinoopolis und Tkow	2,0 Zeilen[307]
(3) Verbringung an den Begräbnisort	4,0 Zeilen[308]
Synaxarnotiz insgesamt	11,5 Zeilen

Man sieht also, daß die Notiz großenteils aus Einleitung und Schluß besteht.

II. DIFNĀRHYMNEN

Kallinikos (B II 2)		*Psote und Kallinikos (A II 1 / 1.Hymne)*
Strophe 1	≙	Strophe 9
2	≙	2
3		(vgl. Hymne 2, Str.5)
4-8	=	3-7
9	≙	8
10	≙	10
11	≙	11
12		(vgl. Hymne 2, Str.12)

Aus dem Vergleich ergibt sich, daß die Kallinikos-Antiphon fast vollständig der ersten Antiphon auf Psote und Kallinikos entnommen ist. Wir haben damit wiederum ein Indiz, daß es *keine selbständig geprägte Tradition über Kallinikos allein* gegeben hat, aus der das Difnār hätte schöpfen können.

SCHLUSSBEMERKUNG

Nunmehr sind wir gerüstet, die in Anm.126 angesprochene Frage endgültig zu beantworten, die von Delehaye und Orlandi so verschieden beantwortet wird: Gab es (ursprünglich) ein Martyrium, das beiden Märtyrern gemeinsam gewidmet war (also ein Mart. Psote *und* Kallinikos)? Die Antwort lautet eindeutig: nein, fällt also gegen Delehaye aus. Das bedeutet aber keinen Triumph für Orlandi. Denn seine Sicht der Entwicklung - Abspaltung einer Nebenfigur des Mart. Psote, die ein eigenes Martyrium erhält - ist ebenfalls unzutreffend, weil es kein selbständiges Mart. Kallinikos gegeben hat. Unzutreffend ist auch Orlandis Bemerkung, die die Verbindung Psote - Kallinikos als für uns undurchschaubare Ver-

306 AaO Zeile 5 - 10 (Übersetzung s.o. "I.Synaxarnotizen").

307 AaO Zeile 10 - 12 (Übersetzung s. Anm.304).

308 AaO Zeile 12 - 16 (vgl. dazu die Ausführungen zum Begräbnisort des Kallinikos).

knüpfung von Märtyrern klassifiziert. Mögen uns auch die historischen Einzelheiten entgehen, die zu dieser Verknüpfung geführt haben, so ist doch klar, daß die ägyptische Kirche die Märtyrer als Paar tradiert hat - historisch greifbar in Kult und hagiographischer Literatur seit der Mitte des vierten Jahrhunderts. Die Psote-Kallinikos-Tradition legt in ihren Wirkungen gleichzeitig Zeugnis dafür ab, wie lebendig eine Überlieferung sein kann, die als solche keine eigene hagiographisch-literarische Ausarbeitung erfahren hat.

§4 Schenutes Gebrauch von ⲇⲓⲁⲧⲁⲅⲙⲁ und ⲡⲣⲟⲥⲧⲁⲅⲙⲁ: Semantischer und hagiographischer Hintergrund

Schon in der Kommentierung zu dem in §2 dieser Studien vorgeführten Passus aus einer Schenute-Abhandlung zur Striktheit kaiserlicher Erlasse war darauf hingewiesen worden, daß Schenute Märtyrerlegenden kennen muß, in denen kaiserliche Erlasse schriftlich festgehalten sind, s. Anm.111. Speziell ist mit diesen Erlassen das Verfolgungsedikt des Kaisers (Diokletian) gegen die Christen gemeint, das in (späteren) koptischen Märtyrerlegenden überaus häufig auftritt. In den Feststellungen zu Text und Kommentierung war unter (2) gefolgert worden, daß aus den Äußerungen des Schenute zu entnehmen ist, daß Vorformen der späteren Entwicklung bereits um 400 vorliegen (vgl. dazu Anm.119 - 121). Diese Feststellung soll hier noch einmal vom Sprachgebrauch des Schenute her aufgegriffen, untermauert und erweitert werden. Dabei wird das Zitat aus dem Mart. Psote zurücktreten, da das kaiserliche Edikt dort nicht selbst auftritt, sondern nur in Form einer Bezugnahme auf dieses, nämlich im Bericht des Arianus über Psote und Kallinikos und im Brief des Diokletian, der das Edikt auf den Fall "Psote und Kallinikos" konkretisiert.[309] Schenute hat zwar das Mart. Psote als Paradebeispiel für die Striktheit kaiserlicher Erlasse zitiert, war sich selbst aber bewußt, daß es sich hier nur um eine indirekte Wiedergabe des Ediktes handelt, vgl. die Ausführungen in § 3 dieser Studien (Einleitung zur textgeschichtlichen Synopse unter a). An der genannten Stelle war auch klargestellt worden, daß die von Schenute benutzten Stichworte ⲇⲓⲁⲧⲁⲅⲙⲁ und ⲡⲣⲟⲥⲧⲁⲅⲙⲁ im von ihm zitierten Mart. Psote (Kurzfassung) *keine Rolle spielen* (vgl. Anm.148). Gerade angesichts dieses Befundes fragt es sich, welche Bedeutung Schenutes Wortwahl hat.

Beginnen wir mit einer Rekapitulation:

a) ⲇⲓⲁⲧⲁⲅⲙⲁ < διάταγμα "(kaiserliches) Edikt / *edictum*", s. Anm.90.[310]

b) ⲡⲣⲟⲥⲧⲁⲅⲙⲁ < πρόσταγμα "Anordnung, Erlaß (*auch untechnisch*: Edikt) / *iussus, edictum*", s. Anm.91.[311]

309 ORLANDI, Psote 24,13f (Bericht des Arianus): "Sie beliebten nicht, *deiner Anordnung* Gehorsam zu leisten"; ebd. 24,19f (Brief des Diokletian): "Wenn sie *meiner Anordnung* Gehorsam leisten wollen ..." (Zur Wiederherstellung der ursprünglichen Lesung s. den Kommentar zu Abschnitt (6) - (7) der Textsynopse in §3).

310 Vgl. auch FRIEDRICH PREISIGKE, Fachwörter des öffentlichen Verwaltungsdienstes Ägyptens in den griechischen Papyrusurkunden der ptolemäisch-römischen Zeit, Göttingen 1915, 56: "kaiserl. Erlaß (*edictum*)".

311 Vgl. auch PREISIGKE, op.cit. 151: "Erlaß, gew. enthaltend eine Entscheidung (des Königs od. eines höheren Beamten)". Zu πρόσταγμα "kaiserliches Edikt" im christlichen Griechisch vgl. LAMPE, Patristic Greek Lexicon 1182 a (Bed.2); "Erlaß eines höheren Beamten" ist dort nicht belegt.

Dabei ist διάταγμα (> ⲇⲓⲁⲧⲁⲅⲙⲁ) der *terminus technicus* für "Edikt / *edictum*".[312] Vergleicht man die hier angesetzten Bedeutungsbereiche von ⲇⲓⲁⲧⲁⲅⲙⲁ und ⲡⲣⲟⲥⲧⲁⲅⲙⲁ mit denen von διάταγμα und πρόσταγμα in der Sprache der griechischen Urkunden aus dem Ägypten der Kaiserzeit, wird man insbesondere für διάταγμα eine größere Weite der Bedeutung feststellen.[313] Als wichtigste Charakteristik der Bedeutung dort sei hervorgehoben, daß beide Worte Erlasse bzw. Anordnungen *sowohl des Kaisers als auch seiner Statthalter* (bzw. römischer Beamten) *in Ägypten* bezeichnen.[314] Angesichts dieses Befundes ist zu fragen, ob nicht auch den entsprechenden koptischen Lehnworten diese Bedeutungsbreite zukommt. Dabei wird ein entscheidendes Kriterium sein, welche Urheber im Koptischen hinter ⲇⲓⲁⲧⲁⲅⲙⲁ bzw. ⲡⲣⲟⲥⲧⲁⲅⲙⲁ stehen können. Beginnen wir die Untersuchung mit der Verwendung der Worte bei Schenute. Im Anschluß daran wird nach der Benutzung der Worte in der koptischen Bibelübersetzung gefragt, die weithin den Sprachgebrauch koptischer Literatur geprägt hat; dann wird zu Texten dieser Literatur übergegangen. Damit soll anschließend der Befund in den schriftlichen Dokumenten des Rechts- und Alltagslebens kontrastiert werden, um zu einer tragfähigen vorläufigen Aussage über die Bedeutung der beiden koptischen Worte zu gelangen.

BEISPIELE FÜR SCHENUTES VERWENDUNG DER WORTE

Zunächst muß auf ein grundlegendes Handicap der Untersuchung hingewiesen werden: Befriedigende Gesamtaussagen zu Schenutes Verwendung von ⲇⲓⲁⲧⲁⲅⲙⲁ und ⲡⲣⲟⲥⲧⲁⲅⲙⲁ sind nicht so sehr deshalb unmöglich, weil der Stand der Publikation seiner Werke unbefriedigend ist, als vielmehr deshalb, weil Indices zu wichtigen Ausgaben fehlen. So ist die umfangreichste Edition - Amélineau, Schenoudi[315] - nicht durch einen Index der Lehnworte erschlossen. Die folgenden Aussagen sind daher unter dem Vorbehalt einer relativ zufälligen Materialbasis zu sehen.

Nehmen wir den Index der Lehnworte zu Leipoldts Ausgabe der Werke

312 Zur Abgrenzung von διάταγμα und πρόσταγμα in dieser Hinsicht s. Anm.91.

313 FRIEDRICH PREISIGKE - EMIL KIESSLING, Wörterbuch der griechischen Papyrusurkunden mit Einschluß der griechischen Inschriften, Aufschriften, Ostraka, Mumienschilder usw. aus Ägypten, Heidelberg (u.a.) 1922ff
a) διάταγμα: ebd. I 364; IV 556; Suppl. I 72
b) πρόσταγμα: ebd. II 412f; Suppl. I 239.

314 PREISIGKE - KIESSLING, Wörterbuch I 364: διάταγμα Bed.2 "kaiserlicher Erlaß" und Bed.3 "statthalterlicher Erlaß" (sehr gut belegt!); ebd. II 412: πρόσταγμα Bed.1 "Anordnung, Verordnung, Erlaß" c "des Kaisers" und d "eines römischen Beamten".

315 EMILE AMÉLINEAU, Oeuvres de Schenoudi. Texte copte et traduction francaise, T.I Fasc.1 - T.II Fasc.3, Paris 1907 - 1914.

des Schenute[316] als Ausgangspunkt, so erhalten wir einen ersten überraschenden Befund:

a) ⲇⲓⲁⲧⲁⲅⲙⲁ ist dort *nicht belegt.*
b) ⲡⲣⲟⲥⲧⲁⲅⲙⲁ kommt nur an zwei Stellen vor, und zwar:
   (1) LEIPOLDT, Sinuthius III 197,22; Kontext: "einen jeden, der wandelt in meinen Satzungen (ⲇⲓⲕⲁⲓⲱⲙⲁ) und der einhält meine Anordnungen (ⲡⲣⲟⲥⲧⲁⲅⲙⲁ)".[317]
   (2) LEIPOLDT, Sinuthius IV 37,24; Kontext: "und laßt uns unser Herz richten auf die Satzungen (ⲇⲓⲕⲁⲓⲱⲙⲁ) Gottes und seine Anordnungen (ⲡⲣⲟⲥⲧⲁⲅⲙⲁ) und seine Gesetze (ⲛⲟⲙⲟⲥ)".

An beiden Stellen steht das Wort im Plural; Urheber des ⲡⲣⲟⲥⲧⲁⲅⲙⲁ ist Gott. Das kongruiert mit der von Bauer für die christliche Literatur festgestellten Lage: πρόσταγμα "Anordnung, Befehl, Gebot" wird nur für göttliche Vorschriften gebraucht und begegnet bis auf eine Belegstelle stets im Plural.[318]

Sehen wir uns nun die Verwendung der beiden Worte in dem Fragment der Abhandlung an, das wir in § 2 vorgestellt haben; die folgende Zusammenstellung enthält alle Belegstellen dort.

I. ⲇⲓⲁⲧⲁⲅⲙⲁ

	Belegstelle		*Numerus*	*Urheber*
	Amélineau[319]	Wessely[320]		
(1)	542,8	Lücke	Sing.	der König
(2)	543,3f	Lücke	id.	id.
(3)	543,15	p.(37) I 28	id.	id.
(4)	544,2	p.(37) II 11	id.	id.
(5)	544,8	p.38 I 10	id.[321]	id.

316 JOHANNES LEIPOLDT (ed.), Sinuthii Archimandritae vita et opera omnia T. III und IV, Paris 1908 bzw. 1913; s. Anm.31. Im folgenden als LEIPOLDT, Sinuthius III bzw. IV zitiert. Die Indices der Lehnworte aus dem Griech. wurden von MICHELANGELO GUIDI bearbeitet (op.cit. III 247 - 268; IV 216 - 232).

317 "Die Anordnungen (Gottes) einhalten (φυλάσσειν τὰ προστάγματα)" ist eine in der LXX geläufige Wendung, vgl. Gen 26,5; Ex 20,6; Lev 18,4.5.30; 20,8 u.ö.; Dtn 5,10; I Reg 3,14; 8,58 u.ö.; und passim.

318 WALTER BAUER, Griechisch-Deutsches Wörterbuch zu den Schriften des Neuen Testamentes und der übrigen urchristlichen Literatur, durchges. Nachdr. der 5.Aufl., Berlin 1963, 1424. Bauers Belege ergeben ein gehäuftes Auftreten des Wortes im 1. Klemensbrief; dort tritt es dann auch neben δικαιώματα auf (I Clem 2,8; 58,2).

319 AMÉLINEAU, Schenoudi II 536 - 550 (Stück XXXI).

320 WESSELY, GKT I 159f (No.48); zitiert nach Seiten, Kolumnen und Zeilen des Handschriftenfragmentes.

321 Amélineau bietet aaO Plur. ⲛⲉϥⲇⲓⲁⲧⲁⲅⲙⲁ, Wessely den Sing. Daß das Wiener Fragment den besseren Text enthält, ergibt sich einmal aus der Überlegenheit dieser Hs. über die Lesungen von Amélineau (vgl. Anm.159), zum anderen aus inhaltlichen Gründen. Denn es gibt nur *den* königlichen Erlaß (ⲇⲓⲁⲧⲁⲅⲙⲁ), s. die Ausführungen zum "Sitz im Leben" des Wortes in diesem Paragraphen.

II. ⲡⲣⲟⲥⲧⲁⲅⲙⲁ

	Belegstelle		*Numerus*	*Urheber*
	Amélineau[319]	Wessely[320]		
(1)	542,4	Lücke	Plur.[322]	Gott
(2)	542,8f	Lücke	id.	der König
(3)	543,9	Lücke	id.	id.
(4)	543,12f	p.(37) I 15f	id.	id.
(5)	544,7	p.38 I 8f	id.	id.
(6)	545,5[323]	p.39 I 8	id.	Gott
(7)	546,9f	p.40 II 27f	id.	id.

Aus dieser Zusammenstellung ergibt sich auch, daß alle Stellen für ⲇⲓⲁⲧⲁⲅⲙⲁ bzw. ⲡⲣⲟⲥⲧⲁⲅⲙⲁ des Königs in einem Textpassus stehen, der vom ⲡⲣⲟⲥⲧⲁⲅⲙⲁ Gottes sozusagen eingerahmt wird: Schenute kommt von den Anordnungen Gottes - Belegstelle II (1) - aif die Anordnung des Königs - Belegstellen I (1) und II (2) -, um von diesen später wieder auf die Anordnungen Gottes - Belegstelle II (1) - auf die Anordnung des Königs mentation mit den Anordnungen des Königs und der Striktheit ihrer Durchführung hat ja nur die Funktion, die Striktheit der Bestrafung zu illustrieren, mit der der Verstoß gegen die Anordnungen Gottes geahndet wird.[325]

Der Befund für Schenute läßt sich auf Grund der genannten Belegstellen so zusammenfassen:

a) ⲇⲓⲁⲧⲁⲅⲙⲁ (nur im Sing. verwendet) "Erlaß (des Königs)": Belegstellen I (1) - (5)

322 Amélineau bietet aaO Sing. ⲡⲉⲡⲣⲟⲥⲧⲁⲅⲙⲁ ⲙ̄ⲡϫⲟⲉⲓⲥ. Es ist eindeutig Plur. ⲛⲉⲡⲣⲟⲥⲧⲁⲅⲙⲁ zu lesen. Das ergibt sich
a) aus der Anlehnung Schenutes an die Sprache der sa^{c}idischen Bibel; dort wird ⲡⲣⲟⲥⲧⲁⲅⲙⲁ in der hier anvisierten Bedeutung nur im Plur. verwendet, s.u. zu ⲡⲣⲟⲥⲧⲁⲅⲙⲁ im Sprachgebrauch der koptischen Bibel.
b) aus der Parallelität der Phrasen op.cit. 542,4f "diejenigen, die den Anordnungen des Herrn und seinen Gesetzen nicht gehorsam sind" / ebd. 545,5f "der sich widersetzen wird den Anordnungen des Herrn und seinem Gesetz und seinen Satzungen ..." Zur Korrektur von Amélineaus Lesung der zweiten Stelle s. die folgende Anm.

323 Amélineau bietet aaO eine Urform ⲛⲉϥⲡⲣⲟⲥⲧⲁⲅⲙⲁ ⲙ̄ⲡϫⲟⲉⲓⲥ (Possessivartikel + genitivisch annektiertes Substantiv!); streiche das ϥ und lies ⲛⲉⲡⲣⲟⲥⲧⲁⲅⲙⲁ, s. den Text des Wiener Fragmentes bei Wessely.

324 Diese Rahmung ergibt sich aus dem Argumentationsgang Schenutes, der in der Einleitung zur Übersetzung dieser Textpassage in §2 nachgezeichnet worden war. Die Argumentation mit ⲇⲓⲁⲧⲁⲅⲙⲁ und ⲡⲣⲟⲥⲧⲁⲅⲙⲁ des Königs bildet rhetorisch gesehen nur ein Zwischenspiel, das handgreiflicher Illustration des Hauptgedankens dient. Vgl. auch Anm.117.

325 Im Sinne eines Argumentationsmusters "Wenn schon ... um wieviel mehr dann" : "Wenn schon der König (die Befugnis zu solchen drastischen Strafen hat), um wieviel mehr dann erst Gott ...". Vgl. den in Anm.117 übersetzten Textpassus.

b) ⲡⲣⲟⲥⲧⲁⲅⲙⲁ (nur im Plur. verwendet): "Anordnung(en)"
(1) von Anordnungen Gottes: Belegstellen oben b (1), (2); II (1), (6), (7)
(2) von Anordnungen des Königs: Belegstellen II (2) - (5).

ⲇⲓⲁⲧⲁⲅⲙⲁ UND ⲡⲣⲟⲥⲧⲁⲅⲙⲁ IM SPRACHGEBRAUCH DER KOPTISCHEN BIBEL

A. Im Neuen Testament
Hier können wir uns sehr kurz fassen, da es an einschlägigen Belegen mangelt.

I. ⲇⲓⲁⲧⲁⲅⲙⲁ
Das Wort begegnet nur in der sa^cidischen Überlieferung von Heb 11,23 und gibt griech. διάταγμα wieder; die bohairische Überlieferung bietet ϩⲱⲛ.[326] An dieser Stelle wird der Erlaß ausdrücklich als solcher des Königs (von Ägypten) bezeichnet (ⲡⲇⲓⲁⲧⲁⲅⲙⲁ ⲙ̄ⲡⲣ̄ⲣⲟ).[327]

II. ⲡⲣⲟⲥⲧⲁⲅⲙⲁ
Das Wort kommt in der sa^cidischen und bohairischen Übersetzung des NT nicht vor.[328] Die Entsprechung πρόσταγμα fehlt bereits im griechischen Text; das Wort tritt erst in den Schriften der sog. Apostolischen Väter auf.[329]

B. Im Alten Testament (Septuaginta)
Im Blick auf das Fehlen einer Gesamtausgabe der koptischen, insbesondere sa^cidischen Septuaginta und, was noch schwerer wiegt, das Fehlen einer Konkordanz zur koptischen (sa^cidischen) Septuaginta fällt es schwer, ein treffendes Bild der Verwendung der beiden frag-

326 S. ALEXANDER BÖHLIG, Die griechischen Lehnwörter im sahidischen und bohairischen Neuen Testament (Studien zur Erforschung des christlichen Ägypten. 2), München 1954,225. Vgl. auch die Konkordanz zum sa^cidischen NT: Concordance du Nouveau Testament Sahidique. I: Les mots d'origine greque (bearb. v. L.-TH.LEFORT), CSCO 124 (Subsidia 1), Louvain 1950, 69.

327 Text bei HORNER, Coptic Version of the New Testament in the Southern Dialect V: s. auch Concordance du Nouveau Testament Sahidique I aaO. Vgl. die für διάταγμα "Anordnung (des Königs)" angeführten Belege außerhalb des NT bei BAUER, Wörterbuch (s. Anm.318) 375f. Die Stelle Heb 11,23 ist gleichzeitig die einzige, an der das griechische Wort im griechischen NT vorkommt, s. BAUER aaO.

328 S. BÖHLIG, op.cit. (Anm.326), Heft 2 A (Register und Vergleichstabellen); vgl. auch Concordance ... I.

329 S. BAUER, Wörterbuch (s. Anm.318) 1424. Das koptische Wort ⲡⲣⲟⲥⲧⲁⲅⲙⲁ ist aber in der koptischen Überlieferung der Apostolischen Väter bisher nicht belegt, s. die Indices zu L.-TH.LEFORT (ed.), Les Pères Apostoliques en copte, CSCO 135 (Script. Copt.17), Louvain 1952; CARL SCHMIDT (Hrsg. und Bearb.), Der erste Clemensbrief in altkoptischer Übersetzung, TU 32 (1), Leipzig 1908. An allen bei Bauer aaO vermerkten Stellen aus I Clem, die koptisch erhalten sind, wird griech. πρόσταγμα durch kopt. ⲟⲩⲁϩⲥⲁϩⲛⲉ wiedergegeben, s. SCHMIDT, op.cit. Zu dieser Wiedergabe vgl. den unten zu ⲡⲣⲟⲥⲧⲁⲅⲙⲁ / πρόσταγμα in der Septuaginta dargestellten Befund.

lichen Worte dort zu zeichnen.[330] Die folgende Übersicht wurde aus einer systematischen Durchsicht der entsprechenden Stellen in der griechischen Septuaginta anhand der Konkordanz[331] gewonnen. Dabei wurde vorläufig davon ausgegangen, daß die koptischen Worte vor allen Dingen zur Wiedergabe der entsprechenden griechischen Worte dienen. Zur Kontrolle wurden Indices griechischer Lehnwörter zu koptischen Bibeltextausgaben herangezogen, sofern solche überhaupt existieren.[332] Im Vordergrund stand dabei die Beleglage in der sa^{c}idischen Bibelübersetzung; Material aus anderen Dialekten wurde nur zur Kontrolle bzw. dort herangezogen, wo die sa^{c}idische Überlieferung Lücken aufweist. Die Ausgaben der (sa^{c}idischen) Texte werden mit dem Namen ihres Herausgebers gekennzeichnet[333]; die Auflösung dieser Siglierung entnehme man den von Vaschalde und Till vorgelegten Listen zur Publikation der koptischen Bibel.[334] Die Kapitel- und Verszählung folgt der Handausgabe der Septuaginta von Alfred Rahlfs[335]; abweichende Zählweisen bei den Editoren koptischer Texte werden vermerkt. Noch einmal: Die im folgenden aufgeführten Belegstellen erheben keinen Anspruch auf Vollständigkeit.

I. ⲇⲓⲁⲧⲁⲅⲙⲁ

Das Wort kann ich aus der koptisch-sa^{c}idischen Septuaginta nicht belegen.[336] Von den drei Stellen, an denen διάταγμα in LXX

330 Vgl. schon BÖHLIG, op.cit. (Anm.326), Heft 2 A, 30f, wo zu διάταγμα kein Parallelmaterial aus der koptischen Septuaginta aufgeführt wird.

331 EDWIN HATCH und HENRY A.REDPATH, A Concordance to the Septuagint and the Other Greek Versions of the Old Testament (including the Apocryphal Books), Vol.I. II und Suppl., Oxford 1897 - 1906 (unv. Nachdr. Graz 1954); διάταγμα ebd. I 312, πρόσταγμα ebd. II 1219f.

332 Das ist insbesondere für die Ausgaben der biblischen Hss. der Sammlung Bodmer der Fall. Auch zu BUDGE, Coptic Biblical Texts existiert ein Index - dagegen nicht zu BUDGE, The Earliest Known Coptic Psalter. Besonders schmerzlich ist das Fehlen von Indices zu den Ausgaben der biblischen Fragmente aus dem Weißen Kloster in Rom (Sammlung Borgia, ed. CIASCIA) und Paris (Bibliothèque Nationale, ed. MASPERO).

333 Also z.B. Gen 47,26 (Maspero) = GASTON MASPERO (ed.), Fragments de la version thébaine de l'Ancien Testament, MMAF VI (1), 1892, 27. Liegen zwei (oder mehr) Editionen der Stelle vor, wurde eine weitere zur Kontrolle der Überlieferung herangezogen, also z.B. Ps 98,7 (Budge; Rahlfs). Vollständigkeit der Belegung der betreffenden Stelle in Texteditionen wurde nicht angestrebt; im Vordergrund stand die Absicherung der jeweiligen sa^{c}idischen Textüberlieferung.

334 A.VASCHALDE, Ce qui a été publié des versions coptes de la Bible, RB N.S. 16 (= 28) (1919), 220 - 243. 513 - 531; RB 29 (1920), 91 - 106. 241 - 254; WALTER C.TILL, Coptic Biblical Texts Published after Vaschalde's Lists, BJRL 42 (1959/60), 220 - 240. Bei Vaschalde und Till nicht verzeichnete (neuere) Editionen werden in den Anmerkungen in vollständiger Form angegeben.

335 Septuaginta. Id est Vetus Testamentum graece iuxta LXX interpretes, ed. ALFRED RAHLFS, 2 Bde., Stuttgart 1935 (versch. Nachdrucke).

336 Vgl. Anm.330. Die wenigen Belege für διάταγμα in der LXX - HATCH-REDPATH, Concordance verzeichnen nur drei Stellen - entsprechen anscheinend in ihrer Dürftigkeit der Beleglage im griechischen NT (ein Beleg, s. dazu Anm.327).

vorkommt, läßt sich nur eine an der sa^{c}idischen Überlieferung überprüfen, nämlich Sap 11,7 (Lagarde 11,8). Dort wird das griechische Wort mit ⲟⲩⲉϩⲥⲁϩⲛⲉ übersetzt.

II. ⲡⲣⲟⲥⲧⲁⲅⲙⲁ[337]

Ich beginne mit einer Liste von Belegen:

Beleg	Form	Numerus
Gen 47,26 (Maspero)	ⲡⲣⲟⲥⲧⲁⲕⲙⲁ	Sing.
Lev 18,4.5 (Ciasca)		Plur.
20,8 (Ciasca; Maspero)		Plur.
Num 9,23 (Wessely)		Sing.
Dtn 15,2 (Ciasca; Budge)[338]		Sing.
Jdc 11,39 (Maspero 11,40)		Sing.
I Reg (I Sam) 30,25 (Drescher)[339]		Sing.
III Reg (I Reg) 3,14 (Maspero)		Plur.
Ps[340] 80,5 (Budge 80,4; Rahlfs)		Sing.
98,7 (Budge; Rahlfs)		Plur.
104,10 (Budge; Gilmore-Renouf)		Sing.
148,6 (Budge 147,6; Rahlfs)[340]		Sing.
Prov 14,27 (Worrell)[341]		Sing.
Hi 4,9 (Ciasca)	ⲡⲣⲟⲥⲁⲁⲅⲙⲁ	Sing.
Mal 3,24 (achm.: Till 4,6)[342]		Plur.

337 Abweichende Wortformen gebe ich hinter der Belegstelle an; ist nichts weiter vermerkt, so steht an der betreffenden Stelle in der Edition ⲡⲣⲟⲥⲧⲁⲅⲙⲁ.

338 Nach Budges Index der koptischen Formen griechischer Worte zu Coptic Biblical Texts kommt ⲡⲣⲟⲥⲧⲁⲅⲙⲁ in Dtn nur an dieser Stelle vor. Dieser Befund wird für Dtn 1,1 - 10,7 durch Kassers Index der Lehnworte bestätigt: Papyrus Bodmer XVIII. Deutêronome I - X,7 en sahidique, ed. par RODOLPHE KASSER, Cologny - Genève 1962.

339 JAMES DRESCHER (ed.), The Coptic (Sahidic) Version of Kingdoms I, II (Samuel I, II), CSCO 313 (Script.Copt.35), Louvain 1970. Die Ausgabe enthält einen Index der aus dem Griech. entlehnten Worte; aus diesem ergibt sich, daß die genannte Stelle das einzige Vorkommen von ⲡⲣⲟⲥⲧⲁⲅⲙⲁ in I und II Reg (I und II Sam) darstellt.

340 Zu den griechischen Lehnworten in der koptischen Version der Psalmen liegt eine Studie von CARL WESSELY vor: Die griechischen Lehnwörter der sahidischen und boheirischen Psalmenversionen, DAW.PH 54 (3), Wien 1910. Nach Wesselys Listen kommt ⲡⲣⲟⲥⲧⲁⲅⲙⲁ in der sa^{c}idischen Version nur an den hier genannten vier Stellen vor, s. ebd. 19; in der bohairischen Version ist das Wort nicht belegt, vgl. aaO zu den Übersetzungsbegriffen des Bohairischen und ebd. 33.

341 ⲡⲣⲟⲥⲧⲁⲕⲙⲁ an dieser Stelle auch in Pap. Bodmer VI: RODOLPHE KASSER (ed.), Papyrus Bodmer VI: Livre des Proverbes, CSCO 194 (Script.Copt.27), Louvain 1960. Nach Kassers Index kommt das Wort im in dieser Handschrift erhaltenen Teil von Prov nur an dieser Stelle vor.
Die achmimische Version von Prov bietet hier ebenfalls ⲡⲣⲟⲥⲧⲁⲅⲙⲁ: ALEXANDER BÖHLIG, Der achmimische Proverbientext nach Ms. Berol. orient. oct. 987. Teil I: Text und Rekonstruktion der sahidischen Vorlage (Studien zur Erforschung des christlichen Ägyptens. 3), München 1958. Böhligs Ausgabe bietet leider keinen Index - ebensowenig wie die verdienstvolle kritische Ausgabe des sa^{c}idischen Textes von Worrell.

342 WALTER TILL (ed.), Die achmîmische Version der zwölf kleinen Propheten (Codex Rainerianus, Wien). Mit Einleitung, Anmerkungen und Wörterverzeichnis, Coptica IV, Hauniae 1927. Nach Tills Verzeichnis der fremden Wörter kommt ⲡⲣⲟⲥⲧⲁⲅⲙⲁ in den Wiener Blättern der Hs. nur an dieser Stelle vor; in den von Malinine reedierten Pariser Blättern dieser achmimischen Hs. - s. TILL, op.cit. (Anm.334) 239 - ist das Wort nicht belegt.

Jes 26,9 (Maspero; Lacau)	Plur.
56,4 (Hebbelynck; Pap. Bodmer XXIII)[343]	Plur.
Bar 1,18 (Pap. Bodmer XXII)[344]	Plur.
4,1 (Pap. Bodmer XXII)[344]	Plur.
Ez 20,11.24.25 (Ciasca)	Plur.

Die Bedeutung läßt sich klar nach singularischem oder pluralischem Gebrauch differenzieren; dabei ist die pluralische Verwendung am eindeutigsten:

(1) pluralisch: "Anordnungen, Satzungen", und zwar immer von Gott als Urheber ausgesagt, also "Anordnungen, Satzungen (Gottes bzw. des Herrn)"

(2) singularisch:
   a) "(einzelne) Satzung, (bestimmtes) Gesetz": Gen 47,26; Dtn 15,2; Jdc 11,39; I Reg 30,25; Ps 104,10; 148,6; Sonderfälle ("Gesetz" wird allgemeiner gefaßt): Ps 80,5; Prov 14,27
   b) "(einzelne bzw. konkrete) Anordnung", und zwar von Gott als Urheber ausgesagt, also "Anordnung (Gottes bzw. des Herrn)": Num 9,23; Hi 4,9

Aus den aufgeführten Belegstellen ergibt sich, daß das Wort in keiner Verwendungsweise vom König (bzw. seinen Amtsträgern) als Urheber ausgesagt wird.

Auf einige Eigenarten des aus dem Griechischen übernommenen Wortes innerhalb der koptischen Septuaginta sei hier noch hingewiesen.

(1) ⲡⲣⲟⲥⲧⲁⲅⲙⲁ übersetzt stets griech. πρόσταγμα; einen Fall, in dem ⲡⲣⲟⲥⲧⲁⲅⲙⲁ ein anderes griech. Wort wiedergibt, kann ich bisher nicht nachweisen.

(2) Griech. πρόσταγμα wird aber im Sa^{c}idischen nicht durchgängig mit dem Lehnwort übersetzt; noch häufiger ist die Übersetzung mit ⲟⲩⲉϩⲥⲁϩⲛⲉ. ⲡⲣⲟⲥⲧⲁⲅⲙⲁ und ⲟⲩⲉϩⲥⲁϩⲛⲉ sind auch nicht etwa

343 Papyrus Bodmer XXIII. Esaie XLVII, 1 - LXVI, 24 en sahidique, publ. par ROPOLPHE KASSER, Cologny - Genève 1965. Im Index kein weiteres Auftreten von ⲡⲣⲟⲥⲧⲁⲅⲙⲁ nachgewiesen.

344 Papyrus Bodmer XXII, et Mississippi Coptic Codex II. Jérêmie XL,3 - LII,34; Lamentations; Epître de Jérêmie; Baruch I,1 -V,5 en sahidique, publ. par RODOLPHE KASSER, Cologny-Genève 1964. Im Index kein weiteres Auftreten von ⲡⲣⲟⲥⲧⲁⲅⲙⲁ für die im Titel des Bandes genannten Texte nachgewiesen. An den anderen hier einschlägigen Stellen für πρόσταγμα, die Hatch-Redpath, Concordance aufführen, übersetzt Pap. Bodmer XXII mit ⲟⲩⲉϩⲥⲁϩⲛⲉ bzw. ⲟⲩⲁϩⲥⲁϩⲛⲉ - Jer 51,10.23; Bar 2,10 - oder bietet eine andere Textform - Bar 2,33 -.

durch Bedeutungsdifferenzierung geschieden; sie können vielmehr im gleichen Kontext miteinander wechseln. Dazu einige aufschlußreiche Beispiele:

a) In Num 9,23 tritt πρόσταγμα zweimal in gleicher Bedeutung auf ("auf Grund der (konkreten) Anordnung des Herrn"); beim ersten Auftreten wird es mit ⲟⲩⲉϩⲥⲁϩⲛⲉ, beim zweiten mit ⲡⲣⲟⲥⲧⲁⲅⲙⲁ übersetzt.

b) In Jdc 11,39 findet sich in der von Maspero herausgegebenen Pariser Hs. ⲡⲣⲟⲥⲧⲁⲅⲙⲁ, dagegen in der von Thompson publizierten Londoner Hs. ⲟⲩⲉϩⲥⲁϩⲛⲉ.

c) Besonders instruktiv ist die sa^{c}idische Übersetzung von Ez 20 (ed. CIASCA). Dort ist geradezu leitmotivisch von den προστάγματα die Rede, die Gott seinem Volk (neben δικαιώματα) gegeben hat, damit es darin wandele. Siebenmal tritt das griechische Wort in diesem Kapitel auf; in der sa^{c}idischen Übersetzung finden wir viermal ⲟⲩⲉϩⲥⲁϩⲛⲉ (Vers 13.16.19.21) und dreimal ⲡⲣⲟⲥⲧⲁⲅⲙⲁ (Vers 11.24.25).

Es sieht also so aus, daß ⲡⲣⲟⲥⲧⲁⲅⲙⲁ zwar eine Erweiterung des sa^{c}idischen Wortschatzes darstellt, aber keine mit besonders spezifischen Funktionen. Denn von Fall zu Fall kann es auch durch ⲟⲩⲉϩⲥⲁϩⲛⲉ ersetzt werden. Im Lichte dieser Ersetzungsmöglichkeit ist dann auch die Bedeutungsbestimmung, die ⲟⲩⲉϩⲥⲁϩⲛⲉ im koptischen Lexikon erfährt, zu erweitern.[345]

Diese Situation in der sa^{c}idischen Überlieferung der Septuaginta wird durch die bohairische Übersetzung in charakteristischer Weise beleuchtet. Dort wird nämlich das Wort ⲡⲣⲟⲥⲧⲁⲅⲙⲁ *nicht in den Wortschatz aufgenommen*, wenn man den Befund im bohairischen Pentateuch[346] und im bohairischen Psalter[347] verallgemeinern darf. In Pentateuch und Psalter wird griech. πρόσταγμα hauptsächlich durch ⲟⲩⲁϩⲥⲁϩⲛⲓ, aber auch durch ϩⲱⲛ (einmal ϩⲟⲛϩⲉⲛ) übersetzt. An den oben aufge-

345 Also nicht nur "Befehl, Anordnung", wie bei CRUM, Dict. 386a und WESTENDORF, Handwörterbuch 213 notiert, sondern auch (im Sing.) "Satzung, Gesetz" und (im Plur.) "Satzungen (Gottes)" - entsprechend den oben entwickelten Bedeutungen von ⲡⲣⲟⲥⲧⲁⲅⲙⲁ in der sa^{c}idischen Septuaginta.

346 Ed. PAUL DE LAGARDE, Der Pentateuch Koptisch, Leipzig 1867.

347 Ed. PAUL DE LAGARDE, Psalterii versio Memphitica. Accedunt Psalterii Thebani fragmenta Parhamiana, Proverbiorum Memphiticorum fragmenta Berolinensia, (Göttingen) 1875; Reedition des bohairischen Psalters in koptischen Lettern durch OSWALD H.E. BURMESTER und EUGÈNE DÉVAUD, Louvain 1925. Zu den Lehnworten aus dem Griechischen im Psalter s. die Studie von WESSELY (Anm.340). Nach Wesselys Listen ist ⲡⲣⲟⲥⲧⲁⲅⲙⲁ in der bohairischen Version nicht belegt.

führten Stellen, an denen sa^c^idisch ⲡⲣⲟⲥⲧⲁⲅⲙⲁ steht, findet sich hier ⲟⲩⲁϩⲥⲁϩⲛⲓ, bis auf Gen 47,26 (ϩⲱⲛ); Dtn 15,2 (ϩⲟⲛϩⲉⲛ); Ps 98,7 und 148,6 (ϩⲱⲛ).[348] Auf dieser Linie der bohairischen Übersetzung der Septuaginta dürfte auch die Wortwahl der bohairischen Übersetzung in Heb 11,23 zu sehen sein (sa^c^idisch ⲇⲓⲁⲧⲁⲅⲙⲁ entspricht bohairisch ϩⲱⲛ; s.o. zu ⲇⲓⲁⲧⲁⲅⲙⲁ im NT).

DER SITZ IM LEBEN VON ⲇⲓⲁⲧⲁⲅⲙⲁ "ERLASS, EDIKT (DES KÖNIGS)" UND ⲡⲣⲟⲥⲧⲁⲅⲙⲁ "ANORDNUNG, ERLASS (DES KÖNIGS)"

Schenutes Verwendung von ⲡⲣⲟⲥⲧⲁⲅⲙⲁ wird ganz eindeutig zum Teil aus der Sprache der koptischen Bibel gespeist, s. die oben festgestellte Bedeutung (1) des Wortes bei Schenute. Die Bedeutung (2) dagegen läßt sich von dort aus nicht erklären. Das Wort ⲇⲓⲁⲧⲁⲅⲙⲁ ist zwar in der koptischen Bibel vorhanden, aber so schwach belegt (bisher nur eine Stelle), daß hier kaum eine prägende Wirkung für seine Bedeutung in der übrigen koptischen Literatur angenommen werden darf. Wo sind nun die bei Schenute anzutreffenden, in der koptischen Bibel aber nicht vorhandenen Bedeutungen der Worte anzusiedeln?

Die Antwort läßt sich recht einfach so zusammenfassen: ⲇⲓⲁⲧⲁⲅⲙⲁ und ⲡⲣⲟⲥⲧⲁⲅⲙⲁ als Äußerungen königlicher Macht *wurzeln im Sprachgebrauch eines literarischen Typus der ägyptischen (koptischen) Märtyrerlegende.* Es handelt sich dabei um den Typus, in dem das Edikt des Kaisers, das die Christenverfolgung einleitet bzw. diese auf Ägypten konkretisiert, eine Rolle spielt.[349] Der Platz der beiden Worte im Aufbau von Märtyrerlegenden dieses Typus befindet sich in der Einleitungserzählung. Diese hat die literarische Funktion einer Hinführung auf das individuelle Martyriumsgeschehen um den jeweiligen Protagonisten des Textes: Von den allgemeineren Voraussetzungen der Martyriumssituation wird das Leser / Hörerinteresse hingelenkt auf die Verhältnisse in Ägypten bzw. am (ersten) Martyriumsort. Von dieser Ansiedlung der Worte aus können sie dann in andere Texte übernommen werden, die auf das Martyrium Bezug nehmen, z.B. in Enkomien oder Miracula, oder die auf die Phraseologie solcher Martyrien zurückgreifen.

348 Auch an der oben genannten Stelle aus dem Hiob-Buch steht in der bohairischen Version ⲟⲩⲁϩⲥⲁϩⲛⲓ (Hi 4,9; ed. E.PORCHER, Le Livre de Job. Version copte bohairique, PO XVIII (2), 1924). An den anderen drei Stellen, an denen πρόσταγμα im griech. Text von Hi vorkommt, wird das Wort im Bohairischen ebenfalls mit ⲟⲩⲁϩⲥⲁϩⲛⲓ wiedergegeben (Hi 26,10.13; 39,27).

349 Das sind insbesondere die Legenden mit "Edikt-Exordium", vgl. die Zusammenfassung zu §2 unter (2). Repräsentative Beispiele für solche Legenden sind in Anm.120 genannt.

Statt weiterer theoretischer Erörterungen folgt nunmehr eine paradigmatische Belegliste. Es wird dabei nicht der Anspruch erhoben, die gesamte koptische hagiographische Literatur aufgearbeitet zu haben; die herangezogenen Texte wurden aber vollständig ausgewertet. Der vorgeführte Befund kann aber als repräsentativ für die Literaturgattung gelten. Zu jeder Belegstelle wird kurz der Kontext skizziert; dabei steht *D.* für "Diatagma" und *P.* für "Prostagma". Die Kontextskizze für ⲇⲓⲁⲧⲁⲅⲙⲁ kann insofern vereinfacht werden, als mit dem Wort das verfolgungseinleitende Edikt des Kaisers bezeichnet wird. Daher wird nur das Stichwort "*Edikt*" gesetzt. Das Stichwort wird mit Stern (Asteriskus; *Edikt**) gekennzeichnet, wenn der Inhalt des Ediktes anschließend mitgeteilt wird. Unmarkiert besagt das Stichwort, daß es sich um eine Bezugnahme auf das verfolgungseinleitende Edikt handelt. In den Kontextskizzen zu ⲡⲣⲟⲥⲧⲁⲅⲙⲁ wird das Stichwort *Edikt* überall zur Verdeutlichung eingesetzt, wo P. = D. ist bzw. wo P. im Text von D. selbst steht.

Text bzw. Textausgabe	*Belegstelle*		*Kontext*
BALESTRI-HYVERNAT, Acta Martyrum I (AM I)[350]:			
Mart. Apatil	ⲇⲓⲁⲧⲁⲅⲙⲁ	AM I 89,16	Edikt*
	ⲡⲣⲟⲥⲧⲁⲅⲙⲁ	90,4	"unser P." (im Edikt)
		90,19	"dieses P. (= Edikt) wurde nach Ägypten gesandt"
		90,26	Verlesung des P. (=Edikt)
		92,27	dass.
		93,9	"gemäß dem P. der Herrscher"
		96,4	"gemäß den P. des Herrschers Diokletian"
		106,13	"gegen die P. der Kaiser"
		106,19	dass.
Mart. Papnute	ⲇⲓⲁⲧⲁⲅⲙⲁ	AM I 110,12f	Edikt
	ⲡⲣⲟⲥⲧⲁⲅⲙⲁ	nicht belegt	
Mart. Epima (B) (s. auch unten Mart. Epima (S))	ⲇⲓⲁⲧⲁⲅⲙⲁ	AM I 121,11	Edikt (im Vorschlag des Romanos)

350 S. Anm.167.

(Text bzw. Textausgabe)	*(Belegstelle)*	*(Kontext)*
(Mart. Epima (B)) (s. auch unten Mart. Epima (S))	(ⲇⲓⲁⲧⲁⲅⲙⲁ) AM I 122,11	Edikt*
	123,25	Edikt
	ⲡⲣⲟⲥⲧⲁⲅⲙⲁ nicht belegt	
Mart. Theodor Stratelates	ⲇⲓⲁⲧⲁⲅⲙⲁ AM I 157,11	Edikt*
	ⲡⲣⲟⲥⲧⲁⲅⲙⲁ nicht belegt	
Mart. Anub	ⲇⲓⲁⲧⲁⲅⲙⲁ AM I 200,21	Edikt*
	ⲡⲣⲟⲥⲧⲁⲅⲙⲁ AM I 200,25	"mein P." (im Edikt)
	201,10	"ungehorsam gegen das P." (im Edikt)
	201,16	"dieses P." (=Edikt)
BALESTRI-HYVERNAT, Acta Martyrum II (AM II)[351]:		
Mart. Jacobus Intercisus	ⲇⲓⲁⲧⲁⲅⲙⲁ nicht belegt	
	ⲡⲣⲟⲥⲧⲁⲅⲙⲁ AM II 24,21	"schickt P. (Plural)"
	52,6	der König erläßt ein P
	52,15	"als dies P. erlassen war"
Mart. Isaak	ⲇⲓⲁⲧⲁⲅⲙⲁ AM II 73,9	Edikt*
	ⲡⲣⲟⲥⲧⲁⲅⲙⲁ 73,14	"ungehorsam gegen unse P." (im Edikt)
	73,17	Übergabe des P. (= Edikt)
Enk. auf die beiden Theodore	ⲇⲓⲁⲧⲁⲅⲙⲁ AM II 101,3	Edikt
	ⲡⲣⲟⲥⲧⲁⲅⲙⲁ 101,9f	P. (=Edikt)
Enk. Georg	ⲇⲓⲁⲧⲁⲅⲙⲁ nicht belegt	
	ⲡⲣⲟⲥⲧⲁⲅⲙⲁ AM II 189,23	P. (=Edikt) des Dadianos
	190,11	"schickte die P. hinaus in die ganze Welt"
	250,21	"widersetzte sich den P. der 70 Könige"

351 S. Anm.70.

(Text bzw. Textausgabe)	*(Belegstelle)*		*(Kontext)*
Mart. Georg	ⲇⲓⲁⲧⲁⲅⲙⲁ	nicht belegt	
	ⲡⲣⲟⲥⲧⲁⲅⲙⲁ	AM II 270,15	Dadianos erläßt P. (Plur.)
		308,11f	"widersetzte sich den P. der Könige"
Mir. Georg	ⲇⲓⲁⲧⲁⲅⲙⲁ	nicht belegt	
	ⲡⲣⲟⲥⲧⲁⲅⲙⲁ	AM II 354,9	P. des Euhios unter Diokletian in Ägpten
		354,19	Euhios, "du führst aus das P. der Könige und ihre Befehle"
		354,21	"nimm das P. der Könige"
		355,10	Euhios nimmt das P. entgegen
MINA, Apa Epima[352]:			
Mart. Epima (S) (s. auch o. Mart. Epima (B))	ⲇⲓⲁⲧⲁⲅⲙⲁ	2,1	Edikt (im Vorschlag des Romanos)
		2,24	Edikt
	ⲡⲣⲟⲥⲧⲁⲅⲙⲁ	3,24	der Bote kommt mit dem P. nach Ägypten
		8,14	"er widersetzt sich dem P. des Königs"
TILL, Koptische Heiligen- und Martyrerlegenden I und II (KHML I bzw. II)[353]:			
Mart. Siebenschläfer von Ephesus	ⲇⲓⲁⲧⲁⲅⲙⲁ	nicht belegt	
	ⲡⲣⲟⲥⲧⲁⲅⲙⲁ	KHML I 21,1	P. des Decius
		22,24	"diese sind ungehorsam gewesen gegen mein P."
Mart. "Besamon"	ⲇⲓⲁⲧⲁⲅⲙⲁ	KHML I 43,4	Edikt
	ⲡⲣⲟⲥⲧⲁⲅⲙⲁ	nicht belegt	
Mart. Paese und Thekla - s.u. bei REYMOND-BARNS, Martyrdoms	ⲡⲣⲟⲥⲧⲁⲅⲙⲁ	KHML I 72,27 ≙ dort fol. 56v I 8f	

352 S. Anm.75.

353 S. Anm.75 (KHML I) und Anm.107 (KHML II).

(Text bzw. Textausgabe)	*(Belegstelle)*		*(Kontext)*
Mart. Kosmas und Damian	ⲇⲓⲁⲧⲁⲅⲙⲁ	nicht belegt	
	ⲡⲣⲟⲥⲧⲁⲅⲙⲁ	KHML I 159,8	dieses P. (im Edikt)
Texte zu Psote - s.u. bei ORLANDI, Psote	ⲇⲓⲁⲧⲁⲅⲙⲁ	KHML I 206,5 ≙ dort 59, Kol. I 13f	
		KHML I 207,2 ≙ dort 59, Kol. I 21	
	ⲡⲣⲟⲥⲧⲁⲅⲙⲁ	KHML I 207,11 ≙ dort 59, Kol. II 18f	
ORLANDI, Psote[354]:			
Enk. Psote	ⲇⲓⲁⲧⲁⲅⲙⲁ	59, Kol. I 13f	Edikt
		59, Kol. I 21	Edikt
		63, Kol. I 27	Edikt
		65, Kol. I 7	Edikt
		65, Kol. I 25f	Edikt
		66, Kol. II 27	Edikt
	ⲡⲣⲟⲥⲧⲁⲅⲙⲁ	59, Kol. II 18f	"damit er ihnen das P. des Königs vorles
		62, Kol. I 6f	"da wurde das P. zu Arianus gebracht"
Mart. Psote (bearb. Fassung)	ⲇⲓⲁⲧⲁⲅⲙⲁ oder ⲡⲣⲟⲥⲧⲁⲅⲙⲁ[355]	72,15	"wenn sie meinem Edikt/P. gehorchen wollen"
BUDGE, Martyrdoms[356]:			
Mart. Viktor[357]	ⲇⲓⲁⲧⲁⲅⲙⲁ	2,13	Edikt

354 S. Anm.72.

355 Die Stelle ist beschädigt; Orlandi ergänzt zu [ⲡⲁⲡⲣⲟⲥ]ⲧⲁⲅⲙⲁ. Diese Ergänzung ist wahrscheinlich, aber nicht zweifelsfrei; vgl. Anm.165.

356 S. Anm.69.

357 Aufgeführt werden hier die Belege in der von Budge edierten Londoner Fassung des Martyriums (*LoM*). Die von A.I.JELANSKAJA publizierte Leningrader Fassung (*LenM*, in PalSbor 20 (83), Leningrad 1969) bietet Parallelstellen und einen weiteren Beleg. Ich gebe eine Übersicht:

	LoM	*LenM*
ⲇⲓⲁⲧⲁⲅⲙⲁ	om.	p.79 I 11f Edikt*
	2,13	p.79 II 11f
	4,23	p.82 II 11f
	4,25	om.
ⲡⲣⲟⲥⲧⲁⲅⲙⲁ	25,30	Lücke

(Text bzw. Textausgabe)	*(Belegstelle)*		*(Kontext)*
(Mart. Viktor)	(ⲇⲓⲁⲧⲁⲅⲙⲁ)	4,23	Edikt
		4,25	Edikt
	ⲡⲣⲟⲥⲧⲁⲅⲙⲁ	25,30	gemäß dem P. des Königs
GODRON, St.Claude[358]:			
Texte zu Klaudios	ⲇⲓⲁⲧⲁⲅⲙⲁ	nicht belegt	
	ⲡⲣⲟⲥⲧⲁⲅⲙⲁ	14,2	gemäß dem P. (= Edikt) des Königs
		14,4	dass.
REYMOND-BARNS, Martyrdoms[359]:			
Mart. Paese und Thekla	ⲇⲓⲁⲧⲁⲅⲙⲁ	fol. 49v II 18f	Edikt*
	ⲡⲣⲟⲥⲧⲁⲅⲙⲁ	fol. 56v I 8f	Viktor hat dem P. des Königs nicht gehorcht
		fol. 86r I 31f	ein Skribon, der das P. des Königs umherbringt
Mart. Schenufe u. Brüder	ⲇⲓⲁⲧⲁⲅⲙⲁ	fol. 103v I 18	Edikt (im Vorschlag des Romanos)
		fol. 104r I 28	Edikt
	ⲡⲣⲟⲥⲧⲁⲅⲙⲁ	fol. 103v II 31f	P. (= Edikt; im Vorschlag des Romanos)
		fol. 105r I 11f	Diokletian schickt das P. nach Alexandria
		fol. 105r II 23	Eutychianos soll das P. in Ägypten durchführen
		fol. 112v I 2f	das P. wird nach Arsinoe gebracht
Mart. Apajule u. Pteleme	ⲇⲓⲁⲧⲁⲅⲙⲁ	fol. 168v I 2	Edikt
		fol. 168v I 7f	Diokletian schreibt ein P. an die Statthalter
	ⲡⲣⲟⲥⲧⲁⲅⲙⲁ	fol. 168v I 16	Diokletian gibt bekannt, daß er ein P. publiziert hat

358 S. Anm.74.

359 S. Anm.75.

(Text bzw. Textausgabe)	*(Belegstelle)*	*(Kontext)*
(Mart. Apajule u. Pteleme)	(ⲡⲣⲟⲥⲧⲁⲅⲙⲁ) fol. 168v I 22	Sebastianos wird das P. für Ägypten übergeben
	fol. 168v II 9f	Sebastianos bringt das P. nach Süden in Ägypten
	fol. 168v II 27	Verlesung des P. im Gau von Hnes
	fol. 169r I 24	Pteleme soll dem P. des Königs Verehrun erweisen
MART. LEONTIOS (ed. Garitte)[360]:	ⲇⲓⲁⲧⲁⲅⲙⲁ 319,11	Edikt*
	319,23f	Edikt (im Wortlaut des Ediktes)
	320,1f	dass.
	ⲡⲣⲟⲥⲧⲁⲅⲙⲁ 320,5f	P. (=Edikt)
	320,8	Übergabe des P. (=Edik an Julianos
	320,18	die Christen widersetz sich dem P. (=Edikt)
	321,33	dass.
	332,1	gemäß dem P. (=Edikt) des Königs

Aus der hier vorgelegten Belegliste ergeben sich nun weitere Beobachtungen und Schlußfolgerungen:

(1) ⲇⲓⲁⲧⲁⲅⲙⲁ wird in den hagiographischen Texten *nur im Singular* verwendet; ⲡⲣⲟⲥⲧⲁⲅⲙⲁ kann dagegen auch in den Plural gesetzt werden.

(2) Das ⲇⲓⲁⲧⲁⲅⲙⲁ des Königs kann auch als ⲡⲣⲟⲥⲧⲁⲅⲙⲁ bezeichnet werden. Teilweise tritt ⲡⲣⲟⲥⲧⲁⲅⲙⲁ schon im Wortlaut des Ediktes selbst als Bezeichnung des Ediktes auf. ⲡⲣⲟⲥⲧⲁⲅⲙⲁ scheint also einen weiteren Bedeutungsbereich zu haben, der die Bedeutung von ⲇⲓⲁⲧⲁⲅⲙⲁ einschließt.

(3) Der weitere Bedeutungsbereich von ⲡⲣⲟⲥⲧⲁⲅⲙⲁ ergibt sich daraus, daß das Wort auch zur Bezeichnung anderer königlicher (kaiserlicher) Willensäußerungen als "Edikte" verwendet werden kann, s. z.B. die als ⲡⲣⲟⲥⲧⲁⲅⲙⲁ bezeichneten Schreiben an die römischen Statthalter, die auf das Edikt Bezug nehmen, aber nicht mit ihm identisch sind,

360 GÉRARD GARITTE, Textes hagiographiques orientaux relatifs à Saint Léonce de Tripoli. I: La Passion copte sahidique, Muséon 78 (1965), 313-348.

im Mart. Apajule und Pteleme. Dasselbe zeigt sich auch an der Möglichkeit pluralischer Verwendung des Wortes. Also, auf die Bedeutung bezogen: ⲡⲣⲟⲥⲧⲁⲅⲙⲁ ≠ ⲇⲓⲁⲧⲁⲅⲙⲁ.

(4) Dem Aufbau der Märtyrerlegenden nach tritt ⲇⲓⲁⲧⲁⲅⲙⲁ im Prinzip *nur an einer Stelle auf*, nämlich dort, wo es um den Erlaß des verfolgungseinleitenden Ediktes bzw. seinen Wortlaut geht. Schon in der unmittelbaren Umgebung kann von diesem Edikt als ⲡⲣⲟⲥⲧⲁⲅⲙⲁ gesprochen werden (auch im Wortlaut des Ediktes!); im Fortgang der Erzählung wird dann *nur noch dieses Wort* als Bezeichnung für das Edikt benutzt, wenn es um Bezugnahmen auf dieses geht.

(5) ⲇⲓⲁⲧⲁⲅⲙⲁ tritt *nur in den Einleitungserzählungen von Legenden diokletianischer Märtyrer* auf, vgl. dazu das Fehlen des Wortes im Mart. Jacobus Intercisus und in den koptischen Georg-Texten. Das heißt aber im Blick auf seine nur singularische Verwendung: *Das Wort bezeichnet nur einen einzigen Gegenstand, nämlich "das Edikt" = das Verfolgungsedikt des Diokletian.*[361]

(6) ⲇⲓⲁⲧⲁⲅⲙⲁ ist, im Gegensatz zu ⲡⲣⲟⲥⲧⲁⲅⲙⲁ, außerhalb des skizzierten Kontextes der hagiographischen Literatur nur schwer zu belegen.[362] Finden wir das Wort daher an Stellen, deren Kontextbeziehungen nicht feststellbar sind - z.B. in beschädigten oder fragmentarischen Texten - oder die nicht von vornherein eindeutig sind - z.B. in Texten außerhalb der eigentlichen hagiographischen Literatur -, so dürfen wir ohne weiteres davon ausgehen, *daß dort auf die diokletianische Verfolgung Bezug genommen wird.*[363] Das gilt z.B. auch für unseren Ausgangspunkt, die Verwendung von ⲇⲓⲁⲧⲁⲅⲙⲁ durch Schenute.

361 Dazu, daß es in der koptischen Überlieferung nur *ein* Verfolgungsedikt des Diokletian gibt (im Gegensatz zur historischen Mehrzahl der Edikte), s. Anm.145.

362 Zu verweisen ist auf vier Stellen in den Codices von Nag Hammadi: NHC I 20,26 (Evangelium Veritatis); 93,15 (Tractatus Tripartitus); XI 14,30.33 (Interpretation der Gnosis); s. FOLKER SIEGERT, Nag-Hammadi-Register. Wörterbuch zur Erfassung der Begriffe in den koptisch-gnostischen Schriften von Nag-Hammadi mit einem deutschen Index, WUNT 26, Tübingen 1982, 233. Die zweite Stelle ist nach Meinung der Herausgeber (und dem Kontext) zu korrigieren, s. RODOLPHE KASSER u.a. (Hrsg.), Tractatus Tripartitus. Pars I: De Supernis (Codex Jung F. XXVI^{r} - F. LII^{v} (p. 51 - 104)), Bern 1973, 306. An den anderen Stellen scheint die Bedeutung "Edikt (Gottes des Vaters)" vorzuliegen, s. die Übersetzungen der Stellen in The Nag Hammadi Library in English, transl. by members of the Coptic Gnostic Library Project of the Institute for Antiquity and Christianity (James M.Robinson, Director), Leiden 1977, 39 bzw. 432. Dieser Gebrauch des Wortes scheint aber in der späteren koptischen Literatur keine Auswirkungen gehabt zu haben; ich kann zumindest keine entsprechende Verwendung von ⲇⲓⲁⲧⲁⲅⲙⲁ belegen.

363 Als Beispiel dafür s. die stark beschädigten Fragmente des Martyriums des Apa Pšoi in Berlin, Ägyptisches Museum P.22112, ed. HELMUT SATZINGER, BKU III, Berlin 1968, Nr.325. Dort läßt sich der Text von Blatt 4^{r}, 103 - 109 eindeutig ergänzen: [ⲟⲩ] ⲙⲟⲛⲟⲛ [ϫⲉ] ⲁⲕⲧ̄ⲥ̄ⲧⲟ [ⲉⲃ]ⲟⲗ ⲙ̄ⲡⲁ ⲇⲓ[ⲁⲧⲁⲅⲙⲁ ⲁⲗ]ⲗⲁ ⲁⲕⲣ̄ ⲡⲕ[ⲉ]ⲥⲱϣ̄ⲧ ⲙ̄ⲛ̄ [ⲡϩⲏ]ⲅⲉⲙⲱⲛ "nicht nur, daß du dich meinem Edikt widersetzt hast, sondern auch noch mich und den Statthalter verächtlich gemacht hast"; vgl. den Nachtrag von Satzinger (auf Grund eines Vorschlages von H.J.Polotsky) ebd. S.225. Der König, der hier zum Mär-

(7) Die Basis für die Aufnahme von ⲇⲓⲁⲧⲁⲅⲙⲁ einerseits, von ⲡⲣⲟⲥⲧⲁⲅⲙⲁ in der hier in Rede stehenden Bedeutung "Anordnung, Erlaß (des Königs)" andererseits in den koptischen Wortschatz ist sicher die Verwendung der Worte διάταγμα und πρόσταγμα im Griechischen Ägyptens. Die Bedeutung der Worte dort war in der Einleitung zu diesem Paragraphen skizziert worden. Im Prozess der Übernahme ergibt sich aber eine spezifische Einengung der Bedeutung, die das koptische Wort vom jeweiligen griechischen Korrelat unterscheidet:

a) ⲇⲓⲁⲧⲁⲅⲙⲁ wird koptischer terminus technicus - aber nicht für "kaiserliches Edikt (allgemein)", sondern für nur einen Vertreter dieser Gattung: "Verfolgungsedikt des Diokletian".

b) ⲡⲣⲟⲥⲧⲁⲅⲙⲁ (außerhalb seiner durch die Sprache der sa^{c}idischen Bibel geprägten Bedeutung) wird im Prinzip nur von einer Gattung von Urhebern ausgesagt, nämlich Königen (Kaisern).

KONTROLLFRAGE: SPIELEN ⲇⲓⲁⲧⲁⲅⲙⲁ UND ⲡⲣⲟⲥⲧⲁⲅⲙⲁ IN DEN TEXTEN EINE ROLLE, DIE MIT VERWALTUNG UND RECHTSLEBEN ÄGYPTENS ZU TUN HABEN?

Läßt sich die im vorhergehenden Abschnitt gegebene Bedeutungsbestimmung der Worte für den Bereich der koptischen hagiographischen Literatur ohne weiteres akzeptieren, so ist doch zu fragen, ob sie außerhalb dieser nicht eine andere semantische Rolle spielen. Diese Frage stellt sich besonders angesichts des semantischen Befundes für διάταγμα und πρόσταγμα in der Sprache der griechischen Urkunden aus Ägypten. Es wurde deshalb versucht, die Verwendung von ⲇⲓⲁⲧⲁⲅⲙⲁ und ⲡⲣⲟⲥⲧⲁⲅⲙⲁ in der Sprache der koptischen Rechtsurkunden und Dokumente des Alltagslebens (Briefe, Listen u.ä.) ausfindig zu machen. Dazu wurden die Indices der griechischen Lehnworte zu verschiedenen Urkundenpublikationen ausgewertet. Ich gebe eine Liste der herangezogenen Publikationen; die Abkürzungen der Titel folgen dem Abkürzungsschlüssel bei Till, Grammatik². [364]

tyrer spricht, ohne daß sein Name genannt wird (s. Zeile 93f), ist also niemand anders als Diokletian. Insoweit wenigstens kann Baumeisters resignierendes Urteil zu den Fragmenten ergänzt werden (BAUMEISTER, Martyr Invictus 115 Anm.125).

364 S. Anm.175; der Abkürzungsschlüssel dort S.14 - 28 und 361 (Nachträge).

365 Der Index verzeichnet ⲡⲣⲟⲥⲧⲁⲅⲙⲁ in Nr. 167 Rs., 13f. Das ist aber Ps 148,6, s.o. zum Wort im Sprachgebrauch der koptischen Bibel.

BKU I[365]
BKU III (ed. Satzinger)[366]
Crum, CO
Crum, BM
Crum, Ryl.
Crum, J
Crum, ST
Crum, Ep. II
Crum, VC
Jernstedt, KTE
Jernstedt, KTM
Schiller, Ten Coptic Legal Texts[367]
Till, CPR IV

Der Befund ist so zu formulieren: ⲇⲓⲁⲧⲁⲅⲙⲁ und ⲡⲣⲟⲥⲧⲁⲅⲙⲁ *kommen in den dort publizierten Urkunden und Briefen nicht vor*. Damit bleibt die Rolle, die die hagiographischen Texte für die Bedeutungsbestimmung spielen, ganz entscheidend.

ⲇⲓⲁⲧⲁⲅⲙⲁ UND ⲡⲣⲟⲥⲧⲁⲅⲙⲁ BEI SCHENUTE: SCHLUSSFOLGERUNGEN FÜR DIE ÄGYPTISCHE HAGIOGRAPHIE

Kann nunmehr der semantische Hintergrund der Worte bei Schenute als geklärt gelten, so ist abschließend noch einmal auf die Frage einzugehen, die schon oben einmal vorläufig beantwortet wurde[368]: Welche Konsequenzen ergeben sich aus der Wortwahl des Schenute für den Stand der literarischen Entwicklung der ägyptischen Märtyrerlegende? Zwei wichtige Voraussetzungen für die Beurteilung seien hier rekapituliert:

a) Die Wortwahl des Schenute ist gewiß nicht unabsichtlich, sozusagen nebenbei erfolgt.[369] Selbst wenn sie es wäre, hätte Schenute sich mit ihr auf den dargestellten Bedeutungsrahmen "Verfolgungsedikt (des Diokletian)" bzw. "Anordnung, Erlaß (des Königs)" bezogen. Der Einsatz der Worte erfolgt vielmehr im vollen Bewußtsein ihres spezifischen Bedeutungsgehaltes und folgt einem geschickt konzipierten rhetorischen Plan, der auf vollem semantischen Verständnis beim Hörer aufbaut. Die Strafe Gottes an denen, die seine ⲡⲣⲟⲥⲧⲁⲅⲙⲁ mißachten,

366 Vgl. Anm.363; dort wird das einzige Auftreten von ⲇⲓⲁⲧⲁⲅⲙⲁ - in einem hagiographischen Text! - innerhalb von BKU III besprochen. Das im Index verzeichnete Auftreten von ⲡⲣⲟⲥⲧⲁⲅⲙⲁ (Nr.403, Einl.) ist höchst fraglich; der Herausgeber hat seine Auflösung der Kürzung ⲡⲣⲟⲥⲧ selber mit Fragezeichen versehen.

367 A. ARTHUR SCHILLER (Hrsg. u. Bearb.), Ten Coptic Legal Texts. Ed. with translation, commentary, and indexes together with an introduction, New York 1932.

368 S. die Zusammenfassung zu §2 unter (2) und vgl. insbesondere Anm.111.

369 Dagegen spricht schon die zu beobachtende rhetorische Planung des Schenute in diesem Textabschnitt; vgl. dazu etwa Anm.105, 111 und 115.

wird nämlich durch die Strafe für die, die ⲇⲓⲁⲧⲁⲅⲙⲁ und ⲡⲣⲟⲥⲧⲁⲅⲙⲁ des Königs nicht Gehorsam leisten, illustriert[370]; als Paradebeispiel dafür werden die Märtyrerlegenden herangezogen. Die Argumentationskette Schenutes läßt sich folgendermaßen verdeutlichen:

ⲛⲉⲡⲣⲟⲥⲧⲁⲅⲙⲁ Gottes[371]
↓
ⲛⲉⲡⲣⲟⲥⲧⲁⲅⲙⲁ (einschl. ⲛⲇⲓⲁⲧⲁⲅⲙⲁ)[372] des Königs (allgemein)[373]
↓
ⲛⲉⲡⲣⲟⲥⲧⲁⲅⲙⲁ (einschl. ⲛⲇⲓⲁⲧⲁⲅⲙⲁ) des Königs (in den Märtyrerlegenden)[374]
↓
ⲛⲉⲡⲣⲟⲥⲧⲁⲅⲙⲁ (einschl. ⲛⲇⲓⲁⲧⲁⲅⲙⲁ) des Königs (allgemein)[375]
↓
ⲛⲉⲡⲣⲟⲥⲧⲁⲅⲙⲁ Gottes[376]

Das Leitwort der Kette ist eindeutig ⲡⲣⲟⲥⲧⲁⲅⲙⲁ; dieses assoziiert sich im Blick auf den König sein "Schwesterwort" ⲇⲓⲁⲧⲁⲅⲙⲁ.[372] Die Assoziierung erfolgt rhetorisch ganz bewußt: Schenute lenkt sein Publikum, obwohl er anfangs noch ganz allgemein vom König spricht, schon hier in die Richtung der Märtyrerlegende.

b) Als Kronzeugen für das ⲇⲓⲁⲧⲁⲅⲙⲁ (und die ⲡⲣⲟⲥⲧⲁⲅⲙⲁ) des Königs in den Märtyrerlegenden bemüht Schenute das Mart. Psote (Kurzfassung). In diesem Text kommen aber, wie oben festgestellt, die beiden Worte überhaupt nicht vor. Dort wird weder vom Erlaß des Verfolgungsediktes berichtet noch über ein ⲡⲣⲟⲥⲧⲁⲅⲙⲁ, das auf Grund dieses Ediktes

370 Das läßt sich auch so formulieren: Der aus dem koptisch-biblischen Sprachgebrauch bekannte Bedeutungsbereich (und Assoziationsgehalt) von ⲡⲣⲟⲥⲧⲁⲅⲙⲁ wird mit Hilfe des aus den Märtyrerlegenden bekannten Bedeutungsbereiches (und Assoziationsgehaltes) von ⲇⲓⲁⲧⲁⲅⲙⲁ und ⲡⲣⲟⲥⲧⲁⲅⲙⲁ bildkräftig erläutert.

371 S.o. die Beispiele für Schenutes Verwendung der Worte, Belegstelle II (1).

372 Aus dem Aufbau des Textes ergibt sich, daß ⲡⲣⲟⲥⲧⲁⲅⲙⲁ der Begriff ist, der die folgende Erläuterung auslöst. In dieser ist ⲡⲣⲟⲥⲧⲁⲅⲙⲁ folgerichtig der Leitbegriff, der dann auch wieder zum zu erläuternden ⲡⲣⲟⲥⲧⲁⲅⲙⲁ Gottes zurückführt. In den Erläuterungen selber tritt der Begriff zusammen mit ⲇⲓⲁⲧⲁⲅⲙⲁ auf - eine Verdeutlichung Schenutes, um den anvisierten Bedeutungsbereich (eben nicht irgendwelche Anordnungen des Königs) bei seinen Hörern klarzustellen. Der in der Erläuterung angesteuerte semantische Hintergrund "Märtyrerlegenden diokletianischer Märtyrer, in denen das Verfolgungsedikt eine Rolle spielt" zeigt nun, daß ⲡⲣⲟⲥⲧⲁⲅⲙⲁ auch als Bezeichnung für ⲇⲓⲁⲧⲁⲅⲙⲁ verwendet wird, ja außerhalb der Martyriumseinleitung die ausschließliche Bezeichnung darstellt, s. die Schlußfolgerungen zum "Sitz im Leben" der beiden Worte unter (4). Insoweit ist ⲡⲣⲟⲥⲧⲁⲅⲙⲁ hier der umfassendere Begriff, der auch ⲇⲓⲁⲧⲁⲅⲙⲁ einschließt. Beachte auch den konsequent pluralischen Gebrauch bei Schenute, der die Leitwortfunktion unterstreicht: "*die* 'Prostagma' Gottes / *die* 'Prostagma' des Königs".

373 S.o. die Beispiele für Schenutes Verwendung der Worte, Belegstellen II (2) + I (1).

374 Ebd. Belegstellen II (4) + I (3).

375 Ebd. Belegstellen II (5) + I (5).

376 Ebd. Belegstelle II (6).

nach Ägypten gesandt wird, um die Christen dort zum Opfer zu zwingen. Es ist vielmehr von einer individuellen königlichen Maßnahme die Rede, die sich gegen Psote und Kallinikos richtet; bei dieser ist allerdings eine vorgängige kaiserliche Anordnung (Verfolgungsedikt) vorausgesetzt.[377]

Unter diesen Voraussetzungen läßt sich konstatieren: Schenute und seiner Hörerschaft müssen Legenden ganz geläufig gewesen sein, die die Stichworte ⲇⲓⲁⲧⲁⲅⲙⲁ und ⲡⲣⲟⲥⲧⲁⲅⲙⲁ enthalten. Das sind aber Legenden des Typs, der zum "Sitz im Leben" der beiden Worte oben skizziert wurde, also Legenden, die über den Erlaß des Verfolgungsediktes durch Diokletian und seine Durchführung in Ägypten berichten. Die in der Belegliste zum "Sitz im Leben" von ⲇⲓⲁⲧⲁⲅⲙⲁ und ⲡⲣⲟⲥⲧⲁⲅⲙⲁ aufgeführten einschlägigen Märtyrerlegenden[378] können daher, was diese Eigenart angeht, nicht als Produkte fabulierfreudiger ägyptischer Hagiographen späterer Jahrhunderte angesehen werden. Der Erzähltypus, auf den sie zurückzuführen sind, war vielmehr, mindestens in seinen Grundzügen, schon um ca. 400 n.Chr. entwickelt; vgl. dazu auch die Zusammenfassung zu §2 unter (2). Aber nicht nur Grundzüge, auch Einzelheiten dieses Typus lagen zur Zeit des Schenute bereits vor. Wir haben in §2 gesehen, daß Schenute (bewußt) auf die Topik dieses Erzähltypus der Märtyrerlegende zurückgreift, nämlich die Adressatenliste des Verfolgungsediktes, die er als seinen Hörern bekanntes Motiv voraussetzt; vgl. Anm.105 und die Zusammenfassung zu §2 unter (3). Die Lebendigkeit dieses literarischen Typus führt dazu, daß Schenute auch das Mart. Psote (Kurzfassung) im Sinne dieses Typus interpretiert, obwohl es ihm nicht angehört: Den Verfolgungsmaßnahmen gegen Psote und Kallinikos liegen, für Schenute ganz selbstverständlich, ⲇⲓⲁⲧⲁⲅⲙⲁ bzw. ⲡⲣⲟⲥⲧⲁⲅⲙⲁ des Herrschers zugrunde. In diesem Sinne ist es nur konsequent, daß Schenute im Zitat aus diesem Martyrium den Begriff "Anordnung, Befehl" durch ⲇⲓⲁⲧⲁⲅⲙⲁ ersetzt (vgl. o. §3, Kommentar zu (6) der Textsynopse). Damit verfehlt Schenute keineswegs den Sinn der Stelle; er präzisiert hier die untechnische Begrifflichkeit des Mart. Psote im Sinne eines "moderneren" Erzähltypus der Märtyrerlegende.

377 Das ergibt sich aus zwei Formulierungen im Bericht des Arianus bzw. im Brief des Diokletian, wo von einer vorher ergangenen Anordnung des Kaisers die Rede ist, s. Anm.309. Vom Erlaß der vorgängigen Anordnung des Diokletian und ihrem Inhalt wird im Mart. Psote nicht berichtet; sie wird vielmehr als bekannt vorausgesetzt - eben weil es sich bei ihr um das (bekannt-berüchtigte) Verfolgungsedikt des Kaisers handelt.

378 Vgl. weiterhin die Zusammenstellung in Anm.120 und den Hinweis auf Martyrien, in denen kaiserliche Edikte oder offizielle Briefe sonst eine Rolle spielen, in Anm.111.

FAZIT

Die technisch ungenaue und historisch unprätentiöse Art des Erzählens im Mart. Psote scheint mir literarhistorisch älter zu sein als der "Edikt"-Typus der ägyptischen Märtyrerlegende. Aber auch der letztere ist, wie die Rückgriffe des Schenute auf ihn zeigen, relativ alt. Die ägyptische Märtyrerlegende - sowohl die griechische als auch die koptische - hat also bereits um 400 Bahnen eingeschlagen, die wir aus nur koptisch belegten Legenden sehr gut kennen. Gleichzeitig können wir aber aus dem Werk des Schenute entnehmen, daß er das Schema der Martyrien des koptischen Konsenses noch nicht als maßgebliches kannte (vgl. die Aufzählung der Folterungs- und Todesarten der Märtyrer in §2 und den Kommentar dazu). Das Werk des Schenute bietet also entscheidende Orientierungspunkte für die Frühgeschichte der Entwicklung der ägyptischen Märtyrerlegende.

ANHANG: EIN SA^c IDISCHES LITURGISCHES LIED ("ANTIPHON") AUF PSOTE UND KALLINIKOS

Zum Festtag des Kallinikos und zu den literarischen Traditionen über ihn war auch das (bohairisch-arabische) Difnār der koptischen Kirche herangezogen worden. Dabei stellte sich heraus, daß dieses kirchenpoetische Sammelwerk den 27.Kīhak als Tag des Psote und Kallinikos ansieht.[379] Wir hatten diese Überlieferung als unterägyptische Tradition bezeichnet. Sie ist uns bisher nur durch sehr junge Handschriften bekannt, die sich teilweise allerdings bis auf Vorlagen des 14. Jahrhunderts zurückverfolgen lassen.[380] Einen großen Schritt zurück in der Frage der Kirchenpoesie zu Psote und Kallinikos, nämlich in das 9. Jahrhundert, führt aber eine unpublizierte sa^c idische Handschrift.[381] Es handelt sich um die Hs. New York, Pierpont Morgan Library M 575, die durch eine fotografische Ausgabe beschränkt zugänglich ist.[382] Eine erste Orientierung über den In-

379 S. o. S.58f.

380 Die von O'Leary für seine Textausgabe herangezogenen Hss. entstammen allesamt erst dem 18. Jahrhundert, s. O'LEARY (ed.), Difnār (s.o. Anm.199) Part I Blatt 2 Vs.; Part II Bl.1 Rs.; Part III Bl.1 Rs. Zu den von O'Leary herangezogenen bzw. genannten Hss. des Fonds Borgia der Bibliotheca Apostolica Vaticana vgl. ARNOLD VAN LANTSCHOOT, Codices Coptici Vaticani, Barberiniani, Borgiani, Rossiani Tomus II Pars 1 (Codices Barberiniani Orientales 2 et 17, Borgiani Coptici 1 - 108), Città del Vaticano 1947. Die von O'Leary benutzten Handschriften stellen Abschriften dar, die teilweise auf sehr viel ältere Vorlagen zurückgehen. So geht Cod. Vat. Borg. Copt.54 (Abschrift R. Tuki von 1760 A.D.) auf drei andere Borgia-Hss. zurück, die wiederum auf Vorlagen von 1385 A.D. (Cod. Vat. Borg. Copt.101 und 102, s. VAN LANTSCHOOT, op.cit. S.421 und 428f) bzw. 1387 A.D. (Cod. Vat. Borg. Copt.104, s. ebd. S.440) fußen.

381 Den Hinweis auf das liturgische Lied zu Ehren des Psote und Kallinikos in dieser Hs. verdanke ich Martin Krause. Ihm sei an dieser Stelle auch für die Überlassung einer Abschrift gedankt, die dann anhand einer Kopie der Fotoausgabe der Hs. aus der Universitätsbibliothek Tübingen überprüft wurde.

382 Bybliothecae Pierpont Morgan codices coptici photographice expressi (ed. HENRICUS HYVERNAT), Romae 1922, Tomus XIV (Siglum bei Crum, Dict.: Mor 14). Zwei Blätter dieser Hs. fehlen in der Pierpont Morgan Library. Es handelt sich um die pp.23 - 26 mit den "Antiphonen" Nr.59 - 73, die in die Papyrussammlung der Staatlichen Museen zu Berlin gelangt sind und dort als P. 11967 inventarisiert sind. Sie sind in der fotografischen Ausgabe der Hs. M 575 nicht enthalten und bisher auch nicht anderweitig publiziert. Zu den Berliner Blättern s. WALTER BELTZ, Katalog der koptischen Handschriften der Papyrussammlung der Staatlichen Museen zu Berlin (Teil 1), APF 26 (1978), 57 - 119 (110; Kat. Nr. III 37); die Zugehörigkeit der Blätter zur New Yorker Hs. M 575 wurde von Beltz nicht erkannt, daher bei ihm auch die unzutreffende Altersangabe "10.Jahrh." (vgl. u. Anm.384).
Die Edition lag früher (bis zu ihrem Tode) in den Händen von Maria Cramer. Diese hat in einer Reihe von Publikationen Abschnitte aus der Hs. - meist in deutscher Übersetzung - bekanntgemacht, vgl. Anm.383. Heute wird die Publikation dieser wichtigen Hs. von Martin Krause vorbereitet.

halt der Hs. bietet Quecke in seinen Studien zum koptischen Stundengebet.[383] Die Handschrift wurde im Jahre 609 A.M. = 892/3 A.D. geschrieben.[384] Den größten Teil der Handschrift, nämlich ihre foll. 1 - 68 bzw. pp.1 - 140, nimmt eine Gruppe von Texten ein, die unter folgendem Titel stehen:

"Das Buch der heiligen Antiphonen[385] für die Märtyrer und die Festtage der Heiligen; wir haben sie nacheinander so aufgeschrieben, wie die Schreiber[386] der Kirche sie niedergelegt haben."[387]

Die kirchenpoetischen Texte dieser Gruppe werden also als "Antiphonen" (ⲁⲛϯⲫⲁⲛⲟⲛ) bezeichnet.[388] Der Schreiber hat sie durchlaufend nume-

383 HANS QUECKE, Untersuchungen zum koptischen Stundengebet, PIOL 3, Louvain 1970, 87 - 90 und 215 - 218; dort auch Hinweise auf weitere Lit. Ebd. 87f Anm.45 Angaben über bisher veröffentlichte Stücke aus der Hs.; füge hinzu: MARIA CRAMER, Koptische Hymnen auf St. Kosmas und St. Damian, die Heilkundigen der spätantik-frühchristlichen Welt, in: Beiträge zur alten Geschichte und deren Nachleben (FS Franz Altheim). Hg. v. R.STIEHL und H.E. STIER, Bd. II, Berlin 1970, 192 - 207 (197 - 201 mit Abb.39); dieselbe, Einige Antiphonen aus dem ältesten erhaltenen koptisch-saidischen Antiphonarium, im Jahre 893 vollendet, in: dies., Koptische Liturgien. Eine Auswahl (Sophia. Quellen östlicher Theologie. 11) Trier 1973, 68 - 79 (einige Abschnitte in deutscher Prosa-Übersetzung: Johannes der Täufer, ebd. 68 - 73; Über das Kreuz des Erlösers, ebd. 74 - 76; Kirchweihe in Kalamon, ebd. 76 - 78). Abbildungen von Seiten aus der Handschrift finden sich bei:
a) JULES LEROY, Les manuscrits coptes et coptes-arabes illustrés (Institut Français d'Archéologie de Beyrouth. Bibliothèque Archéologique et Historique. 96), Paris 1974, Pl. 12,2: fol.1r = p.1.
b) DRESCHER, Apa Mena (vgl. QUECKE, op.cit. 87f Anm.45 a.E.) Pl.X: fol.12v = p.28.
c) CRAMER, Hymnen auf Kosmas und Damian (s.o.) Abb. 39: foll.15v / 16r = pp.34/35 (korrigiere die von Cramer in der Legende zur Abb. angegebene Foliierung "fol. 17v und 18r"!).
d) CRAMER, Theotokie Abb. 4 (= S.220; s. Quecke aaO): foll.19v / 20r = pp.42/43.

384 Das Entstehungsjahr der Hs. ergibt sich aus ihrem Kolophon, der auf fol. 76v = Tafel 154 der fotografischen Ausgabe steht. Edition des Kolophons bei ARNOLD VAN LANTSCHOOT, Recueil des colophons des manuscrits chrétiens d'Egypte. Tome I: Les Colophons coptes des manuscrits sahidiques (Bibliothèque du *Muséon*. 1), Louvain 1929, No. XVIII.

385 Der koptische Text bietet "das heilige Antiphonenbuch" (ⲡϫⲱⲱⲙⲉ ⲛ̄ⲁⲛϯⲫⲁⲛⲟⲛ ⲉⲧⲟⲩⲁⲁⲃ); der Text ist aber wegen der Genitivkette zu ⲛ̄ⲛ̄ⲁⲛϯⲫⲁⲛⲟⲛ ... "der Antiphonen (für ...)" zu korrigieren, vgl. "die Antiphonen für Apa Johannes den Täufer" (fol.1r = p.1 der Hs., Zeile 5).

386 Zur Deutung von "Schreiber" (ⲥⲁϩ) s. QUECKE, op.cit. 88 Anm.46.

387 M 575 fol.1r (= p.1), Zeile 1 - 4: In der fotografischen Ausgabe (s. Anm.382) auf Tafel 3 abgebildet; vgl. auch die Abb. bei Leroy, s. Anm.383.

388 Vgl. auch die in Anm.385 zitierte Überschrift zu Johannes dem Täufer. Die Handschrift M 575 insgesamt wird in ihrem Kolophon ⲁⲛϯⲫⲟⲛⲁⲣⲓ "Antiphonarium" genannt, s. VAN LANTSCHOOT, Colophons (s. Anm.384) No. XVIII, Zeile 2f. Die koptischen Bezeichnungen "Antiphon" und "Antiphonarium" (> Difnār) sind zwar offensichtlich aus dem Griechischen entlehnt, aber nichtsdestoweniger historisch nicht klar faßbar, s. QUECKE, op.cit. 88 Anm.48; Quecke aaO: "Auch darüber, warum die Kopten den Hymnus auf den jeweiligen Tagesheiligen früher als 'Antiphon' bezeichneten, lassen sich nur Vermutungen anstellen."

riert; die Handschrift enthält 406 Antiphonen.[389] Über ihre Verwendung ist nur so viel klar, daß sie zu bestimmten Tagen bzw. Festen im kirchlichen Jahreslauf gehören. Da die Handschrift - außer den Überschriften zu den Heiligentagen bzw. zu den sonstigen Festen - keine Rubriken enthält, wissen wir nicht, bei welcher liturgischen Feier sie verwendet und wie sie dort rezitiert wurden.[390] Zwar erinnert der oben zitierte Titel zu diesen Texten an ein späteres liturgisches Buch der koptischen Kirche, das auch heute noch gebraucht wird, nämlich das *Difnār* (Antiphonarium).[391] Einige Texte aus der Hs. M 575 lassen sich tatsächlich im Difnār nachweisen.[392] Wir sind aber nicht berechtigt, die Verwendungsweise der Difnār-Hymnen ohne weiteres auf die Texte in M 575 zu übertragen. Dagegen spricht, daß ein Teil dieser Texte seine Parallele nicht im Difnār, sondern in anderen liturgischen Büchern hat.[393] Außerdem ist zu bedenken, wie weit der "Antiphonen"-Teil in M 575 noch von der Gestalt des Difnārs entfernt ist: Wir haben in M 575 nur ein sehr unvollständiges Festjahr der koptischen Kirche - im Gegensatz zum Difnār, das jeden Tag des Jahres abdeckt.[394] Dazu kommt, daß M 575 zu bestimmten Festen eine bedeutend kleinere Textmenge als das Difnār, zu anderen Festen eine überproportionale Textmenge bietet, vgl. etwa die Antiphonen-Folge Nr.295 - 353 "Über die Auferstehung des Herrn und sein Grab".[395] Diese Antiphonen haben keine adäquate Entsprechung im Difnār - zumal es sich ja mit Ostern um ein bewegliches Fest handelt.[396]

389 Die Zählung des Schreibers reicht bis Antiphon Nr. 403; es folgen noch drei ungezählte Antiphonen "Auf Bischöfe, die zu uns kommen" (fol. 68v = p.140 der Hs.; Tafel 138 in der fotografischen Ausgabe (s. Anm.382)).

390 Vgl. QUECKE, op.cit. 89 und 216. Quecke nimmt vermutungsweise das Offizium (vielleicht auch die Messe) bestimmter Tage im Kirchenjahr als Ort der Verwendung an.

391 Zur Entstehung der Bezeichnung *difnār* (*difnārī*) aus (ⲁⲛ)ϯⲫⲱⲛⲁⲣⲓ (< ἀντιφωνάριον) s. QUECKE, op.cit. 88 Anm.48. (Teil-)Edition des Difnārs (ohne die vollständige arabische Fassung der Hymnen!) durch O'LEARY, vgl. Anm.380; Literatur zum Difnār bei GRAF, GCAL I 643f.

392 S. die Hinweise bei QUECKE, op.cit. 88f Anm.50. Zum Verhältnis der Antiphon auf Psote und Kallinikos in M 575 zu den entsprechenden Hymnen im Difnār s. weiter unten.

393 S. QUECKE, op.cit. 88f; vgl. auch ebd. 215 - 217.

394 Der von QUECKE, op.cit. 216 zitierte Jacob Muyser möchte das Antiphonar in M 575 als eine "abgekürzte Form" ansehen. Muysers Arbeit "Maria's heerlijkheid in Egypte" - s. QUECKE, op.cit. XXVII -, die eine Analyse großer Teile der Hs. enthält, war mir leider bisher nicht zugänglich.

395 Foll.54r - 61v = pp.111 - 126 der Hs.; Tafel 109 - 124 in der fotografischen Ausgabe (s. Anm.382). QUECKE, op.cit. 216 Anm.87 schlägt vor, die Texte als solche anzusehen, die nicht nur für das Osterfest selbst, sondern für die ganze Osterzeit bestimmt waren.

396 Es gibt allerdings neben dem beweglichen Osterfest einen festen Tag im Jahresablauf, an dem der Auferstehung gedacht wird, nämlich den 29.Baramhāt; s. Synaxarium

Die Hs. M 575 besitzt gegenüber dem Difnār noch eine Eigenheit, die ihre Deutung erschwert: Sie bietet keine Monatsdaten für die Festtage, zu denen Antiphonen vorhanden sind. Zwar sind Überschriften zu den jeweiligen Texten vorhanden, aber ohne Angabe des Datums, an dem dieses Fest begangen wird.[397] Vergleicht man die Abfolge der Texte in der Hs. mit den Gedenktagen des Kirchenjahres, wie sie etwa im Synaxar der koptischen Kirche festgehalten sind, so ergibt sich, daß die Anordnung der Texte im großen und ganzen dem Lauf des Kirchenjahres folgt.[398] Wir dürfen vermuten, daß der größte Teil der Festtage, für die die Hs. Texte bietet, bereits zur Zeit, als die Hs. geschrieben wurde, auf die (oder: in die Nähe der) Daten fiel, die uns Synaxar oder Difnār überliefern.[399]

Alexandrinum (ed. Forget) II (Textus) 51,16 - 52,6; II (Versio) 52,4 - 20. Im Difnār tritt aber dieses Gedenken gegenüber der ersten Kommemoration des Tages - Ankündigung der Geburt Christi an Maria durch den Erzengel Gabriel - ganz zurück, jedenfalls in den bohairischen Texten zum Tage, s. O'LEARY, Difnār Part II 87 - 89. Woher O'Leary die mehr dem Synaxar entsprechende Widmung des Tages im Inhaltsverzeichnis zu Difnār Part II hat (ebd. Blatt 4 Vs.: "Salvation perfected by the resurrection of Christ: also the Annunciation by the angel Gabriel"), ist nicht ersichtlich.

397 Vgl. etwa die o. Anm.385 zitierte Überschrift zu Johannes dem Täufer oder die weiter unten mitgeteilte Überschrift zu Psote und Kallinikos.

398 Vgl. QUECKE, op.cit. 216 (unter Hinweis auf Muysers entsprechende Übersicht). Queckes ergänzender Hinweis in Anm.88 zu den Berliner Blättern (Antiphonen auf die Kirchweihe in Kalamon), daß das Datum der Kirchweihe nach dem äthiopischen Synaxar (14.Hatūr) zu dem Platz passe, den das Fest in M 575 einnehme, muß allerdings relativiert werden. Die Kirchweih-Antiphonen stehen nämlich zwischen den Antiphonen Nr.54 - 65 auf die Erzengel Michael und Gabriel - wahrscheinlich zum 12. Bāba - und Nr. 75 - 76 auf das Konzil von Nicäa - wahrscheinlich zum 9.Hatūr; sie passen sich also *nicht* der Abfolge der Daten im aus sonstigen Quellen (insbesondere Synaxar-Überlieferung) bekannten Festkalender an. Ähnliche Unstimmigkeiten lassen sich auch an anderen Stellen - so auch bei Psote und Kallinikos, s. u. - beobachten.

399 Doch sei an Queckes Warnung erinnert, den Festkalender der Hs. M 575 als repräsentativ für die ägyptische Kirche am Ausgang des 9. Jahrhunderts anzusehen. (op.cit. 216). Um eine genauere Vorstellung vom (oberägyptischen) Festkalender des 9./10. Jahrhunderts zu erhalten, wäre es vordringlich, die Typika des Weißen Klosters - vgl. dazu o. Anm.130 - entsprechend auszuwerten. Einer umfassenden Auswertung steht leider der unzureichende Publikationsstand dieser Handschriften (-Fragmente) entgegen. Zu den ältesten erhaltenen Kalendarien aus Ägypten, die stark durch örtliche Traditionen geprägt erscheinen, vgl. o. Anm.129.

Die so in Umrissen charakterisierte Hs. M 575 enthält nun auch einen Text auf Psote[400] und Kallinikos[401]. Es handelt sich um die Antiphon Nr.231, die auf fol.42v = p.88 der Hs., Zeilen 6 - 18 steht (Zeile 6: Überschrift; Z. 7 - 18: Text der Antiphon).[402] Wegen des Alters der Handschrift kommt diesem Text eine besondere Bedeutung für unseren Zusammenhang zu. Er sei daher im folgenden im koptischen Wortlaut und in deutscher Übersetzung vorgestellt. Dabei wird gegenüber der Hs. Worttrennung durchgeführt und die dort vorhandene Zeichensetzung (übergesetzter Strich[403], Markierung des ⲓ durch ¨[404]) normalisiert.

400 Namensform in der Hs.: ⲯⲁⲧⲉ. Das ist eine ganz geläufige Nebenform zu ⲯⲟⲧⲉ, vgl. etwa den Textzeugen C des Mart. Psote (Kurzfassung), ed. ORLANDI, Psote 42f. Überall, wo im parallelen Text des Textzeugen A (ed. ORLANDI, Psote 34,15 - 36,13) ⲯⲟⲧⲉ steht, steht hier ⲯⲁⲧⲉ, vgl.:

Textzeuge A	Textzeuge C
aliter (vgl. 34,15)	42, Kol. I 3
34,16	6
17	19
21	42, Kol.II 3
22	6
36, 5	43, Kol. I 8
13	43, Kol.II 23

Vgl. auch die Erwähnungen des Psote in den Klaudios-Texten (ed. GODRON, St. Claude, s. Anm.74):

Textzeuge M		andere Textzeugen	
78,24	ⲯⲁⲧⲉ	-	
104, 3	ⲯⲟⲧⲉ	104, 4	[ⲯ]ⲁⲧⲉ
104,31	ⲯⲟⲧⲉ	104,32	ⲯⲁⲧⲉ
124, 1	ⲯⲟⲧⲉ	124, 2	ⲯⲁⲧⲉ

401 Namensformen in der Hs. ⲕⲁⲗⲗⲓⲛⲓⲕⲟⲥ (Überschrift) und ⲅⲁⲗⲗⲓⲛⲓⲕⲟⲥ (Text der Antiphon). Zu den Formen des Namens dieses Märtyrers, insbesondere zum Anlaut mit ⲅ, s.o. Abschnitt 1 des Exkurses zu Kallinikos.

402 In der fotografischen Ausgabe (s. Anm.382) auf Tafel 86 abgebildet. Quecke hält den Text für den kürzesten seiner Art in der Hs., op.cit. 216 Anm.87. Das will mir nicht ganz sicher erscheinen; es wären erst noch die auch nur aus einem Abschnitt bestehenden Antiphonen Nr. 120 (Merkurios), 121 (Jacobus Intercisus) und 141 (Apa Eustratios und Genossen) zu überprüfen, die ebenfalls zu Märtyrerfesten gehören.

403 Der übergesetzte Strich reduziert sich in der Handschrift vielfach auf einen über-

M 575 FOL.42V (P.88)

Zeile 6 ⲥⲗⲁ[405] ⲉⲧⲃⲉ ⲁⲡⲁ ⲯⲁⲧⲉ ⲙ̄ⲛ̄ ⲕⲁⲗⲗⲓⲛⲓⲕⲟⲥ ⲛ̄ⲉⲡⲓⲥⲕⲟⲡⲟⲥ ⲉⲧⲧⲁⲓⲏⲩ:[406]

7 ⲯⲁⲧⲉ ⲙ̄ⲛ̄ ⲅⲁⲗⲗⲓⲛⲓⲕⲟⲥ ⲛ̄ⲉⲡⲓⲥⲕⲟⲡⲟⲥ ⲉⲧⲟⲩⲁⲁⲃ

8 ⲛ̄ⲧⲉⲭⲱⲣⲁ ⲛ̄ⲕⲏⲙⲉ ⲛⲓⲁⲕⲟⲛⲓⲥⲧⲏⲥ ⲛ̄ⲣⲉϥϫⲣⲟ

9 ⲉⲩⲧⲁϫⲣⲟ ⲛ̄ⲛ̄ⲉⲕⲕⲗⲏⲥⲓⲁ ϩ̄ⲛ̄ ⲧⲡⲓⲥⲧⲓⲥ ⲙ̄ⲡⲉⲭ̄ⲥ̄

10 ⲙ̄ⲛ̄ ⲡⲧⲁⲫⲉⲟⲉⲓϣ ⲙ̄ⲡⲉⲩⲁⲅⲅⲉⲗⲓⲟⲛ ⲙ̄ⲡⲙⲟⲛⲟ

11 ⲅⲉⲛⲏⲥ ⲙ̄ⲡⲉⲓⲱⲧ. ⲉⲩϯⲥⲃⲱ ⲛ̄ⲟⲩⲟⲛ ⲛⲓⲙ ⲉⲡⲱⲧ

12 ⲉⲃⲟⲗ ⲛ̄ⲛ̄ⲉⲓⲇⲱⲗⲟⲛ ⲉⲧⲣⲉⲩⲟⲩⲱϣⲧ ⲛ̄ⲧⲉⲧⲣⲓⲁⲥ

gesetzten Punkt, beispielsweise Zeile 13 ⲛ̇ⲥⲉϫⲓ̈, kommt also der Form des Zeichens in bohairischen Hss. nahe. Er wird recht konsequent über solche Buchstabenzeichen gesetzt, die einen Laut repräsentieren, der für sich alleine eine Silbe bildet, vgl. etwa ⲛ̄ⲣⲉϥϫ̇ⲣⲟ (Zeile 8), ⲛⲉⲕⲕ̇ⲗⲏⲥⲓⲁ (Zeile 9), ⲧ̇ⲡⲓ̈ⲥⲧⲓ̈ⲥ (ebd.), ϯⲥ̇ⲃⲱ (Zeile 11), ⲛ̇ⲛⲉⲓ̈ⲇⲱⲗⲟⲛ (Zeile 12), ⲉ̇ⲃⲟⲗ (Zeile 12, 15, 18) als Beispiele. Zur Setzung des übergesetzten Punktes in bohairischen Hss. s. HANS JAKOB POLOTSKY, Une question d'orthographe bohairique, BSAC 12, 1949, 25 - 35 (wieder abgedruckt in: ders., Collected Papers, Jerusalem 1971, 378 - 388). Die Hs. M 575 enthält nun nicht nur die Fallgruppen 1 (o. Beispiel 6) und 2 (o. Beispiel 5) des "modernen" Systems der Setzung des Punktes, sondern auch genügend Beispiele für die Fallgruppen 3 (o. Beispiel 1, 2, 4) und 5 (o. Beispiel 3); Zusammenstellung der Fallgruppen bei POLOTSKY aaO 25f. Nach Polotsky kennt das "ältere System" der bohairischen Orthographie im Prinzip nur die Fallgruppen 1 und 2, aaO 26. Im Blick auf die Setzung des Striches (Punktes) in der saᶜidischen Hs. M 575 wäre es nun interessant, die Polotskyschen Beobachtungen zur bohairischen Orthographie zu überprüfen. Dazu ist auf QUECKE, op.cit. 359 - 371 zu verweisen. Quecke untersucht dort im Sinne der genannten Fragestellung die Setzung des Striches (Punktes) in der Hs. New York, Pierpont Morgan Library M 574. Diese weist im großen und ganzen dieselben Eigenschaften bei der Setzung des Striches auf wie die Hs. M 575. Beide Hss. bezeugen also das "moderne System" der bohairischen Orthographie um ein halbes Jahrtausend früher, als es von Polotsky angesetzt wird (vgl. QUECKE aaO 371). Da hier Fragen der saᶜidischen Orthographie der Hs. außer Betracht bleiben können - diese hätten im Rahmen der Gesamtedition der Hs. ihren Platz -, habe ich auf die konsequente Wiedergabe aller Striche bzw. Punkte innerhalb des koptischen Textes verzichtet und im Sinne einer "Standardorthographie" normalisiert.

404 Das Zeichen ̈ über ⲓ wird teilweise als kurzer Strich oder sogar Punkt realisiert, vgl. etwa ⲕⲁⲗⲗⲓ̄ⲛⲓ̇ⲕⲟⲥ in Zeile 6 mit ⲅⲁⲗⲓ̈ⲛⲓ̈ⲕⲟⲥ in Zeile 7. Da *jedes* Zeichen ⲓ mit ̈ bzw. seinen Varianten (Strich, Punkt) versehen wird, kommt dem Zeichen ̈ keine differenzierende Kraft zu. Es wurde von mir daher in der Wiedergabe des koptischen Textes weggelassen.

405 Die Zahl für die Numerierung der ersten Antiphon zu einem Festtag steht jeweils neben der Überschrift zu diesem Festtag auf dem äußeren Rand der Seite; vgl. u. Zeile 19 zum Festtag des Evangelisten Johannes, zu dem die Antiphonen Nr. 232 bis 234 gehören.

406 Die Überschrift ist - wie auch die anderen Überschriften - oben und unten durch eine Folge von Strichen und Punkten hervorgehoben; vgl. die o. in Anm. 383 genannten Abbildungen von Seiten der Hs. Das Mittel der Abgrenzung von Abschnitten durch eine solche Folge von Strichen und Punkten auch in der Hs. M 574, s. QUECKE, op.cit., Tafel nach S. 96 und die typographischen Wiedergaben ebd. 394 - 444.

Zeile 13 ϩⲛ̄ ⲟⲩⲙⲛ̄ⲧⲟⲩⲁ ⲛ̄ⲁⲧⲡⲱⲣϫ̄. ⲁⲩⲱ ⲛ̄ⲥⲉϫⲓ ⲙ̄
14 ⲡⲉⲕⲗⲟⲙ[407] ⲙ̄ⲡⲱⲛ̄ϩ ϩⲓⲧⲙ̄ ⲡⲛⲟⲩⲧⲉ ⲡⲉⲛⲥⲱⲧⲏⲣ
15 ⲙⲛ̄ ⲑⲉⲗⲡⲓⲥ ⲛ̄ⲛⲁⲅⲁⲑⲟⲛ ⲉⲧⲙⲏⲛ ⲉⲃⲟⲗ ⲛ̄ϣⲁⲉⲛⲉϩ.
16 ⲁⲣⲓ ⲡⲉⲛⲙⲉⲉⲩⲉ ϩⲁⲧⲙ̄ ⲡϫⲟⲉⲓⲥ ⲱ ⲛⲉⲛⲉⲓⲟⲧⲉ ⲙ̄ⲙⲁⲣ
17 ⲧⲩⲣⲟⲥ ⲉⲧⲣⲉϥϣⲁⲛϩⲧⲏϥ ϩⲁⲣⲟⲛ ⲛ̄ϥⲕⲁ ⲛⲉⲛ
18 ⲛⲟⲃⲉ ⲛⲁⲛ ⲉⲃⲟⲗ:——
19 ⲥⲗⲃ[405] > ⲡⲉⲩⲁⲅⲅⲉⲗⲓⲥⲧⲏⲥ ⲓⲱϩⲁⲛⲛⲏⲥ.[408]
20 ......

ÜBERSETZUNG

Nr.231 Auf Apa Psote und Kallinikos, die ruhmreichen Bischöfe.
Psote und Kallinikos, die heiligen Bischöfe der Chora von Ägypten[409], die siegreichen Kämpfer - sie stärken die Kirchen durch den Glauben an Christus (*10*) und durch die Predigt des Evangeliums vom eingeborenen Sohn des Vaters[410], und sie unterweisen jedermann dahingehend, die Götzen(bilder) zu fliehen, auf daß er anbete die Dreieinigkeit in untrennbarer Einheit[411], und daß er

407 Haplographie in der Hs.: ⲡⲉⲕⲗⲟⲙ̄ⲡⲱⲛϩ (sic).

408 Überschrift zum Abschnitt für den nächsten Festtag, der dem Evangelisten Johannes gewidmet ist (Antiphonen Nr. 232 bis 234).

409 Das ist die kirchenpoetische Gestalt der hagiographischen Formel "Pstoe und Kallinikos, die beiden großen Bischöfe der Chora", der wir im Mart. Psote so häufig begegnet waren. Zu dieser Formel s. Anm.212.

410 Die Phrase "der eingeborene Sohn des Vaters" klingt für einen kirchenpoetischen Text merkwürdig dogmatisch. Doch scheint es so, daß der Verfasser des Textes gern dogmatische Formulierungen für seine Hymnik verwendete, um diese der christlichen Gemeinde einzuschärfen; s. folgende Anm.

411 Mit "die Dreieinigkeit in untrennbarer Einheit anbeten" haben wir wiederum eine sehr dogmatisch klingende Phrase, vgl. Anm. 410. Mit der Formel "in untrennbarer Einheit" (ϩⲛ̄ ⲟⲩⲙⲛ̄ⲧⲟⲩⲁ ⲛ̄ⲁⲧⲡⲱⲣϫ̄) scheint mir eindeutig Polemik gegen die Christologie des Konzils von Chalkedon vorzuliegen. Vgl. dazu den klassisch zu nennenden Erzähltext der koptischen Kirche gegen Chalkedon, das dem Dioskur zugeschriebene Enkomion auf den Bischof Makarios von Tkow (ed. D.W.JOHNSON, A Panegyric on Macarius Bishop of Tkôw Attributed to Dioscorus of Alexandria, CSCO 415 (Script. Copt. 41), Louvain 1980). Dort erläutert Dioskur seine Christologie und benutzt dazu ein Bild, das auf Kyrill zurückgeht; abschließend sagt er: "So verhält es sich auch mit der Gottheit und der Menschheit meines Erlösers, indem sie Gemeinschaft miteinander haben sowohl in den Leiden, die er auf sich nahm, als auch in den Wundern, die er tat." (nach der Hs. M 609; op.cit. 92,22 - 26). Hier hat die bohairische Version (bei JOHNSON, op.cit. nicht herangezogen) eine Präzisierung, die der Formel in der Antiphon auf Psote und Kallinikos genau entspricht: "... indem sie gleichzeitig *in untrennbarer Einheit* (ϧⲉⲛ ⲟⲩⲙⲉⲧⲟⲩⲁⲓ ⲛ̀ⲁⲑⲫⲱⲣϫ) Anteil haben an den Leiden ..." (ed. AMÉLINEAU, MMAF IV (1), 1888, 138 Z.4 - 6).
Zur polemischen Funktion des Stichwortes ⲡⲱⲣ̄ϫ "spalten, trennen" bei der Vertretung ägyptisch-monophysitischer Positionen der Christologie s. den Abschnitt 2.1 meines Beitrages "Kontinuität im Übergang. Ein Beitrag zum Problembereich 'pharaonisches' vs. 'christliches' Ägypten" (in: Ausgewählte Vorträge des XXII. Deutschen Orientalistentages (Tübingen 1983), Supplement VI zur ZDMG, Stuttgart 1985, 53 - 73): Die Gegner können als "Spalter" bezeichnet werden, die die Gottheit in vier (!) Personen zerlegen, also die Trinität der Gottheit zerstören. Von da aus erklärt sich dann auch der Gebrauch der Formel "in untrennbarer Einheit" im Hinblick auf die Trinität (ⲧⲉⲧⲣⲓⲁⲥ) in unserer Antiphon.

die Krone des Lebens[412] empfange von Gott, unserem Heiland, *(15)* und die Hoffnung auf die Güter, die ewiglich Bestand haben[413]. Gedenket unser beim Herrn, o unsere Märtyrerväter, daß er sich unser erbarme und uns unsere Sünden vergebe!

Nr.232 Der Evangelist Johannes.

......

412 Zur Krone (dem Kranz) des Lebens s. Anm.116; dort auch zum Empfang der Märtyrerkrone durch Psote (ebd. Absatz 3).

413 "Hoffnung auf die Güter, die ewiglich Bestand haben" ist eine typische Phrase, um die Jenseitshoffnung der Christen, insbesondere aber der Märtyrer, zu charakterisieren. Vgl. etwa: Schenute, De necessitate mortis et iudicio finali (ed. FRANCESCO ROSSI, Memorie R. Accad. Scienze Torino Ser. II T. 41, 1891, 1 - 121 = ders., I papiri copti del Museo Egizio di Torino II (3), Torino 1891) 30, Kol. III 6 - 10 ⲛ̄ⲁⲅⲁⲑⲟⲛ ⲉⲧϩⲛ̄ ⲧⲙⲛ̄ⲧⲉⲣⲟ ⲛ̄ⲙ̄ⲡⲏⲩⲉ ϣⲁ ⲉⲛⲉϩ "die Güter, die auf ewig im himmlischen Königreich sind"; Mart. Jacobus Intercisus (edd. BALESTRI-HYVERNAT, AM II (s.o. Anm. 70), 24 - 61) 32,13 (Hoffnung auf) ⲛⲓⲁⲅⲁⲑⲟⲛ ⲉⲑⲙⲏⲛ ⲉⲃⲟⲗ; ebd. 49,16 - 18 (erbe das ewige Leben und) ⲛⲓⲁⲅⲁⲑⲟⲛ ⲉⲧⲁⲩⲥⲉⲃⲧⲱⲧⲟⲩ ⲛⲁⲕ ⲛⲁⲓ ⲉⲑⲙⲏⲛ ⲉⲃⲟⲗ ϣⲁ ⲉⲛⲉϩ.
Die Phrase von den himmlischen Gütern, die den ausharrenden Christen (Märtyrern) zuteil werden, ist als solche nicht neutestamentlich; vgl. die bei BAUER, Wörterbuch (s. Anm.318) 6 unter dem Sublemma τὰ ἀγαθά Bed. γ angegebenen Stellen. Sie wird aber gerne mit dem Zitat - insgesamt oder in Teilen - verknüpft, das Paulus in 1 Kor 2,9 aus einer bis heute nicht identifizierten apokryphen Schrift bietet: Die Güter, die den standhaften Christen erwarten, sind das, "was kein Auge gesehen und kein Ohr gehört hat und keinem Menschen ins Herz emporgestiegen ist, was Gott denjenigen bereitet hat, die ihn lieben." Als locus classicus aus der martyrologischen Lit. vgl. Mart. Polycarpi 2,3; als koptische Beispiele vgl. Mart. Jacobus Intercisus (s.o.) 29,6 - 9; Mart. Apatil (edd. BALESTRI-HYVERNAT, AM I) 105,14 - 16. Diese Charakterisierung der himmlischen Güter verdient eine nähere Untersuchung, die dann auch neues Licht auf die heftig diskutierte Stelle des kopt. Test Jac (ed. GUIDI, AAL.R Ser. V Vol. 9, 1900) 254,4 - 10 werfen würde. Zum Diskussionsstand s. WOLFGANG SCHRAGE, Die Elia-Apokalypse, JSHRZ V (3), 1980, 195f (Lit. ebd. Anm.9).

ZUM TEXT DER ANTIPHON UND SEINEN LITERARISCHEN QUELLEN

Der Text legt geringen Wert auf eine Bezugnahme auf das Martyriumsgeschehen, wie es im Mart. Psote geschildert wird. Psote und Kallinikos werden zwar als Märtyrer vorausgesetzt, das Schwergewicht der Antiphon wird aber auf die Unterweisung der christlichen Gemeinde durch sie gelegt.[414] Der Text läßt sich folgendermaßen gliedern (ohne seine Überschrift):

I. Einleitung: Anrufung (Namhaftmachung) der Heiligen (Z. 7 - 8)
II. Hauptteil: Apostrophierung der Unterweisung der Heiligen (Z. 9 - 15)
 (1) Ihre Predigt allgemein (Z. 9 - 11)
 (2) Ihre Unterweisung speziell: Meiden des Götzendienstes = Aufforderung zum Martyrium (Z. 11 - 15)
III. Schluß: Bitte um Interzession der Heiligen (Z. 16 - 18)

Fragen wir, woher sich der Text in seinem Hauptteil nach Inhalt und Phraseologie speist, so haben wir sicher mit der Erfindungsgabe des Verfassers zu rechnen. Diese ist aber nicht ungebunden - sie kann sich nicht neben oder unter Absehung von den vorhandenen Traditionen über Psote und Kallinikos entfalten. Die zur Zeit der Abfassung wichtigste davon ist sicher das Mart. Psote.[415] Und dieses - in seiner Kurzfassung - scheint mir auch der Ideenlieferant für unseren Kirchenpoeten gewesen zu sein. Er hat für seinen Text nämlich die §§1 und 2 des Mart. Psote (Kurzfassung) ausgewertet - also den Abschnitt, in dem beide Märtyrer tatsächlich außerhalb der hagiographischen Formel "Psote und Kallinikos, die großen Bischöfe der Chora" zusammen genannt werden.[416] Um die Basis der kirchenpoetischen Aussagen über Psote und Kallinikos und ihre Lehre klarer zu sehen, sei der entsprechende Text des Mart. Psote in Übersetzung zum Vergleich hierher gesetzt[417]:

414 Die Unterweisung der christlichen Gemeinde bildet auch im Mart. Psote einen ganz wichtigen Aspekt, s. Mart. Psote (Kurzfassung) §1 (Einleitung: Verkündigungs- und Unterweisungstätigkeit der Heiligen), §2 (Brief des Arianus an Diokletian: Denunzierung der Heiligen wegen ihrer Lehre) und §§6 - 8 (Aufschub der Abreise, um die Gemeinde zu unterweisen; vgl. dazu Anm.255). Sie ist anscheinend als so wichtig empfunden worden, daß sie auch in der Zusammenfassung des Mart. Psote (und der Parallelbildung "Mart. Kallinikos") im Synaxar aufgenommen wurde, s. die synoptische Zusammenstellung des ersten Teiles der Synaxarnotizen im Exkurs unter "Zu den literarischen Traditionen über Kallinikos". In der oberägyptischen Rezension der Notiz zum 27.Kīhak nicht ganz so betont, aber doch vorhanden: Die Unterweisung des Psote erregt den Zorn des Kaisers Diokletian (Synaxarium Alexandrinum (ed. Forget) I (Textus) 360, 15f bzw. I (Versio) 284,29 - 32.

415 Daß es kein echtes "Mart. Psote *und* Kallinikos" gegeben hat, wurde o. im Exkurs zu den literarischen Traditionen über Kallinikos nachgewiesen.

416 Vgl. Anm.294.

417 Koptische Stichworte im Text des Mart. Psote, die in der Antiphon wiederkehren, werden in der Übersetzung in Klammern beigegeben.

a) Hauptteil (1) < Mart. Psote (Kurzfassung) §1:

"... sie verkünden das Wort Gottes Ort für Ort, und sie richten die Kirchen (ⲛ̄ⲉⲕⲕⲗⲏⲥⲓⲁ) auf, und sie stärken (ⲧⲁϫⲣⲟ) jedermann, der im Worte Gottes steht, indem sie ihn durch die Schrift trösten und durch Lebensworte, die aus ihrem Munde kommen. Sie sagten: Laßt nicht zu, daß die kleine Zeit und der Reichtum dieser vergänglichen Welt (euch) betrügen um diese große Zeit, die ewiglich nicht vorübergeht."[418,419]

b) Hauptteil (2) < Mart. Psote (Kurzfassung) §2 (im Brief des Arianos an Diokletian):

"... sie bestärken vielmehr auch die anderen, dir darin keinen Gehorsam zu leisten[420], den Göttern zu opfern. Viele Leute wollten auf sie hören[420] und haben sich auf Grund der Unterweisung (ⲥⲃⲱ) durch diese der Lehre der Christen zugewandt."[421]

Sicherlich sind die direkten Übereinstimmungen zwischen der Martyriumseinleitung und der Antiphon recht gering. Aber wichtiger als die wörtlichen Entsprechungen scheint mir die innere Korrelation zwischen den beiden Texten zu sein, die beide die Unterweisung der Heiligen um zwei Themen zentrieren:

418 Mit dem Hinweis auf "diese große Zeit, die ewiglich nicht vorübergeht", d.h. das dem Christen zugesagte ewige Leben, scheint mir indirekt schon die Thematik "Martyrium" angesprochen: Nur der Christ, der sich durch die Anfechtungen dieser Welt nicht täuschen läßt, der standhaft bleibt, erlangt das ewige Leben. Zu den Täuschungen in dieser Welt, durch die der Christ seiner ewigen Hoffnungen verlustig gehen kann, gehört aber auch das Verlangen des Kaisers, seinen Göttern zu opfern. Nur Widerstand gegen dieses Verlangen (= Martyrium) läßt den Christen die Täuschung bestehen. Insoweit werden schon am Schluß des einleitenden Paragraphen (literarisch) die Weichen in Richtung "Martyrium" gestellt.

419 ORLANDI, Psote 24,4 - 9.

420 Beachte, daß dieselbe Verbalrektion, nämlich ⲥⲱⲧⲙ̄ ⲛ̄ⲥⲁ- "hören auf jdn., jdm. gehorchen", in beiden hier zitierten Sätzen vorliegt, und zwar
a) negativ: "auf dich (scil. Diokletian) nicht zu hören";
b) positiv: "auf sie (scil. Psote und Kallinikos) zu hören".
Hier liegt eine besondere Spitze des Briefes des Arianos in der koptischen Fassung: Die Anordnung des Kaisers, dem doch Gehorsam geschuldet wird, wird nicht befolgt - während die Unterweisung der beiden Bischöfe, denen im Prinzip kein Gehorsam zukommt, Gefolgsleute findet! Diese Spitze illustriert die geradezu staatsgefährdende Tätigkeit, die Psote und Kallinikos ausüben - und warum Arianos den Fall der Bischöfe dem Kaiser vorträgt. Psote und Kallinikos geraten also deshalb in die Mühlen der römischen Justiz, weil sie nicht nur eine persönliche Entscheidung für sich vollziehen, nämlich die Verweigerung des Götteropfers, sondern diese Entscheidung durch ihre Unterweisung auch anderen Christen nahelegen.

421 ORLANDI, Psote 24,14 - 16.

a) Stärkung (ⲧⲁϫⲣⲟ) bzw. Aufrichtung (ⲧⲁϩⲟ ⲉⲣⲁⲧⲟⲩ) der christlichen Gemeinden und ihrer Glieder;[422]

b) Aufforderung an die Christen, die Verehrung der Götter (das Götteropfer) zu verweigern, d.h. das Martyrium auf sich zu nehmen.

Wird nun im Mart. Psote beim zweiten Thema der Unterweisung die Linie bis zum Martyrium noch nicht ausgezogen[423], so erfolgt das in der Antiphon ganz in der Logik der Märtyrerliteratur: Die Unterweisung des Psote und Kallinikos, vor den Götzen(bildern) zu fliehen (Z. 11f), bedeutet, die vom römischen Kaiser verlangte Verehrung der heidnischen Götter zu verweigern. Das hat dann einerseits die Verehrung des wahren Gottes zur Konsequenz (Z. 12f), andererseits aber folgerichtig das Martyrium der so handelnden Christen (Z. 13 - 15) - man könnte anfügen: wie es Psote und Kallinikos vorgelebt haben. Das wird im Text zwar nicht gesagt, scheint mir aber deutlich der (bei Abfassung und Verwendung der Antiphon) mitgedachte Hintergrund zu sein. Denn zum Festtag des Psote und Kallinikos gehört weiterhin der Text des Martyriums[424], der ja durch die Antiphon auf sie nicht ersetzt wird.

422 Die Terminologie "Stärkung" / "Aufrichtung" weist darauf hin, daß die Kirche in Ägypten durch die diokletianischen Verfolgungsedikte in eine Krisensituation geraten ist, in der das standhafte Bekenntnis nicht die fraglose Handlungsalternative darstellt. Diese Handlungsalternative wird nach der Darstellung des Mart. Psote von den beiden Bischöfen eifrig propagiert, darin liegt ihre besondere Rolle. Der Verfasser des Mart. Psote (Kurzfassung) hat also noch ein Bewußtsein von der Gefährdungssituation, die die diokletianische Verfolgung für die ägyptische Kirche bedeutet. Dieses Bewußtsein wird von der sa^{c}idischen Antiphon - durch den Rückgriff auf das Mart. Psote - konserviert. Es geht dann in den späteren Elaborierungen der koptischen Hymnik zu Psote und Kallinikos - bedingt auch durch den zeitlichen Abstand - verloren; s.u. zum Verhältnis zwischen der Antiphon und den Difnār-Hymnen.

423 Das ist durch den Aufbau des Martyriums als Erzähltext, aber auch durch die historischen Umstände bedingt. Zwar ist der Märtyrertod der beiden Bischöfe die Basis der Martyriumserzählung, aber in Mart. Psote §2 ist die Erzählsituation (eventuell: = historische Situation) noch so, daß Arianos über die Tätigkeit der Bischöfe berichtet und wissen will, was er unternehmen soll. Er sieht sich augenscheinlich noch nicht legitimiert, mit körperlicher Gewalt gegen die Bischöfe vorzugehen. Der spätere Tod der beiden kündigt sich erst in Mart. Psote §3 mit der Antwort des Diokletian an (ORLANDI, Psote 24,22f).

424 Eventuell in einer Zusammenfassung, wie sie uns in arabischer Sprache im Synaxar der koptischen Kirche zum 27.Kīhak (und 2.Tūba) vorliegt. Zur Bindung des Martyriumstextes an den Festtag des Heiligen vgl. BAUMEISTER, Martyr Invictus 172f und die Leseanweisungen der Typika des Weißen Klosters für die Gedenktage (vgl. Anm. 130). Zur Verwendung der Synaxarnotiz(en) zum Tage in der heutigen Liturgie der koptischen Kirche s. O.H.E. KHS-BURMESTER, The Egyptian or Coptic Church. A Detailed Description of Her Liturgical Services ... (Publications de la Société d'Archéologie Copte. Textes et Documents), Le Caire 1967, 44. 58f. 108.

DAS VERHÄLTNIS DER (SA^C^IDISCHEN) ANTIPHON ZU DEN (BOHAIRISCHEN) HYMNEN ("PSALI") DES DIFNĀR

Fragt man danach, ob die Antiphon (oder Teile von ihr) in die bohairische Hymnik des Difnārs zum 27.Kīhak[425] übernommen wurde, ergibt sich ein negativer Befund.[426] Die wörtlichen Übersinstimmungen zwischen dem Text der Antiphon und dem Psali "Adam" bzw. "Batos" auf Psote und Kallinikos sind so gering, daß man sagen könnte: Die bohairischen Hymnen sind aus einer anderen Quelle geschöpft. Und doch ergibt ein genauerer Vergleich, daß sie von ihrem Verfasser aus einem Text von der Art unserer Antiphon entwickelt worden sind - sie stellen *elaborierte Formen des in der sa^c^idischen Antiphon vorliegenden Musters* dar. Um das nachzuweisen, ist zuerst eine kurze formale Analyse der bohairischen Hymnen notwendig, der dann eine inhaltliche folgen muß.

Beide Hymnen - Psali "Adam" und "Batos" - haben jeweils zwölf Strophen plus Schlußformel (Bitte um Interzession der Heiligen); letztere ist nur abgekürzt in den Hss. wiedergegeben, läßt sich also nicht mit dem Schluß der sa^c^idischen Antiphon - in der Gliederung oben III - inhaltlich vergleichen. Beide Hymnen zerfallen deutlich in zwei Teile, wobei der zweite Teil nicht durch eine Rubrik markiert ist[427], sondern dadurch kenntlich wird, daß die Einleitung des Psali (Namhaftmachung der Heiligen) in variierter Form wiederholt wird. Die Teile sind von ungleicher Länge; das Verhältnis der Teile gestaltet sich so:

	Psali "Adam"	*Psali "Batos"*
A (Erster Teil):	Str. 1 - 7	Str. 1 - 4
B (Zweiter Teil):	Str. 8 - 12	Str. 5 - 12

Im Psali "Adam" wird eine zusätzliche Markierung der Teile dadurch erzielt, daß sie jeweils mit einer biblischen Anspielung enden.[428]

425 Edition von O'LEARY, Difnār Part I 97f (s.o. Anm.199). Die Difnār-Hymne auf Kallinikos zum 2.Ṭūba kann hier ganz außer Betracht bleiben, da sie völlig aus den Hymnen zum 27.Kīhak entlehnt ist, s. den Nachweis o. im Exkurs am Ende der Ausführungen zu den literarischen Traditionen über Kallinikos.

426 Eine Reihe von positiven Befunden für die Weitertradierung von Antiphon-Texten der Hs. M 575 im Difnār hat QUECKE, op.cit. 88f Anm.50 zusammengestellt. Quecke betont dort die Wichtigkeit des Vergleiches zwischen M 575 und dem bohairischen Difnār.

427 Häufig wird ein zweiter Teil des Psali durch die (arabische) Rubrik "Von hier an vor der Ikone des / der ... zu singen" markiert, vgl. etwa den Vermerk nach Strophe 11 des Psali "Adam" zum 28.Kīhak: "Von hier an vor der Ikone der glorreichen Geburt oder der Ikone der Jungfrau Maria zu singen" (O'LEARY, Difnār Part I 98).

428 Str. 7: Mt 13,8 (par.); Str. 12: Röm 8,18.

Berücksichtigen wir die Zweiteiligkeit der Difnār-Hymnen und vernachlässigen wir die Schlußformel, so ergibt sich folgende inhaltliche Gliederung:

	Psali "Adam"	*Psali "Batos"*
I. Einleitung: Anrufung (Namhaftmachung) der Heiligen	A Str. 1 - 2 B Str. 8 - 9	A Str. 1 B Str. 5 - 6
II. Hauptteil: Apostrophierung der Unterweisung der Heiligen	A Str. 3 - 7 B Str. 10 - 12	A Str. 2 - 4 B Str. 7 - 9 (+ Str. 10 - 12)[429]

Im Hauptteil läßt sich folgende Feingliederung feststellen, die in ihren Teilen jeweils ihre Entsprechung in der sa^{c}idischen Antiphon findet:

II. Hauptteil	*Antiphon*	*Psali "Adam"*	*Psali "Batos"*
(1) Ihre Predigt allgemein	Z. 9 - 11	A: Str. 3 - 4 +7 B: om.	A: Str. 2 - 3 B: Str. 7 - 9
(2) Ihre Unterweisung speziell	Z. 11 - 15	A: Str. 5 - 6 B: Str. 10 - 12	A: Str. 4 B: (Str. 10 - 12)[430]

429 Der Verfasser des Psali "Batos" hat augenscheinlich eine Apostrophierung des Martyriums der beiden Heiligen vermißt, die ja auch im Psali "Adam" wie in der sa^{c}idischen Antiphon fehlt. Er hat daher an die Stelle der Apostrophierung des Teiles der Unterweisung, der in der Aufforderung der Heiligen zu Bekenntnis und Martyrium besteht - oben II (2) in der Gliederung zur Antiphon; s. auch den Einzelvergleich zu II (2) unten in der Tabelle - im zweiten Teil des Psali eine Bezugnahme auf den Märtyrertod von Psote und Kallinikos gesetzt (Str. 10 - 12). Das stellt eine aus poetischer Freiheit geborene Umarbeitung seiner Vorlage dar, deren Stichworte "Verehrung des wahren Gottes (= Bekenntnis)" (in Str. 11) und "Hoffnung des Märtyrers" (in Str. 12.c.d) aber beibehalten werden; eventuell können wir auch das Stichwort "Götzendienst" in der Gestalt der "Könige, die Gott verlassen haben" - d.h. ja: die sich den Götzen zugewandt haben - wiedererkennen (in Str. 10). Jedenfalls machen die Stellung von Str. 10 - 12 und inhaltliche Berührungspunkte mit den Z. 11 - 15 der sa^{c}idischen Antiphon, dazu der Vergleich mit dem Psali "Adam" klar, daß es sich hier um eine umgearbeitete Fassung handelt, die sich aber durchaus an ihrer Vorlage orientiert.

430 Umarbeitung des entsprechenden Passus in der Antiphon (und im Psali "Adam"), um den Märtyrertod der beiden Heiligen einzubringen; s. Anm.429.

(II. Hauptteil)	*(Antiphon)*	*(Psali "Adam")*	*(Psali "Batos")*
(2) im einzelnen:			
a) Meidung des Götzendienstes	Z. 11 - 12	A: Str. 5 B: Str. 10[431]	A: Str. 4a.b B: (Str. 10)[430]
b) Verehrung des wahren Gottes	Z. 12 - 13	A: Str. 6[432] B: Str. 11[432]	A: Str. 4c.d[432] B: (Str. 11)[430]
c) Hoffnung des Märtyrers	Z. 13 - 15	A: om. B: Str. 12[433]	A: om. B: (Str. 12)[430]

Zwar hat nicht jedes Element der Gliederung seine genaue Entsprechung in den jeweiligen Teilen A und B der beiden Psali; worauf es aber ankommt, ist, *daß alle Gliederungselemente der saᶜidischen Antiphon ihre - teilweise doppelte - Entsprechung in den bohairischen Psali insgesamt finden*. Dazu kommt, daß auch die *Abfolge der Gliederungselemente* gewahrt bleibt[434], also auch im Difnār

a) II (2) auf II (1) folgt;

b) II (2)b auf II(2)a folgt, usw.

Nehmen wir nun noch die (ganz geringen) wörtlichen Übereinstimmungen[435] hinzu, so erscheint es ganz eindeutig, daß die bohairischen Difnār-Hymnen aus einem Muster entwickelt worden sind, wie es in der Antiphon der Hs. M 575 vorliegt. Zumindest von dieser Antiphon läßt sich sagen, daß sie der Ausgangspunkt der entsprechenden Difnār-Hymnik gewesen ist. Inwieweit sich diese Aussage zur Hs. M 575 noch verallgemeinern läßt,

431 Zwar werden die "Götzenbilder", die zu meiden sind, nicht genannt. Sie stehen aber im Hintergrund der Formulierung, denn die drohenden Foltern (ⲛⲓⲃⲁⲥⲁⲛⲟⲥ ⲛ̀ⲧⲉ ⲡⲁⲓⲥⲏⲟⲩ ⲉⲑⲛⲁⲥⲓⲛⲓ), die hier genannt werden, sind das, was den das Götzenopfer Verweigernden erwartet. Der Verfasser illustriert also die Meidung des Götzendienstes durch den Christen mit Hilfe der zu erwartenden Folge dieser Meidung.

432 Der Gedanke von der Verehrung des wahren Gottes (= Bekenntnis) durch den Christen wi in verschiedener Weise elaboriert:
a) Psali "Adam" Str.6: "sondern zu essen vom Baum des Lebens, nämlich dem Leibe Christi und seinem ehrwürdigen Blut".
b) ebd. Str. 11: "Christus Jesus vor den Königen zu bekennen, denn er ist der Sohn Gottes".
c) Psali "Batos" Str. 4c.d: "und sich Christus anzuschließen, denn er ist der Schöpfer".
Beachte auch die christologische Variation in b und c zur dogmatischen Aussage "die Dreieinigkeit in untrennbarer Einheit anbeten" in der Antiphon; vgl. o. Anm.411.

433 Die Güter, auf die der standhafte Christ hoffen darf - "Krone des Lebens" und "Güter, die ewiglich Bestand haben" - werden hier unter Rückgriff auf Röm 8,18 variiert: "Die Leiden dieser Zeit hier sind der Herrlichkeit nicht würdig, die uns geoffenbart werden wird in den Himmeln."

434 Ich sehe von der kleinen Unstimmigkeit in Teil A des Psali "Adam" ab; dort wird ja in Str. 3 - 7 Abschnitt II (2) von II (1) eingerahmt, s. Tabelle. Diese Unstimmigkeit dürfte auf den Gestaltungswillen des Verfassers zurückgehen, der für Teil A mit einem "schweren Schluß" (biblische Anspielung in Str. 7, s.o. Anm. 428) enden lassen wollte. Durch diese Abänderung des Aufbaus wird aber die Gesamtgliederung und Abfolge des Psali nur ganz unerheblich gestört.

435 Diese beschränken sich im Grunde auf Psali "Batos" Str. 4 a.b: "Sie unterweisen das (christliche) Volk dahingehend, vor den Götzen(bildern) zu fliehen"; s. Antiphon Z. 11f.

kann allerdings erst nach der Edition und Analyse dieser Hs. insgesamt gesagt werden.

Allerdings verändert die bohairische Hymnik ihr sa^c^idisches Muster auch in entscheidender Weise. Während die Antiphon in Z. 9 - 11 noch Spuren der Krisensituation erkennen läßt, in die die Verfolgungsmaßnahmen die Kirche in Ägypten bringen, und in der Psote und Kallinikos durch ihre Unterweisung ihre besondere Rolle spielen[436], apostrophiert der Verfasser der bohairischen Psali die Lehrtätigkeit der beiden Bischöfe zwar hymnisch-überschwenglich, aber doch so allgemein, daß ihre spezifische Rolle unerkennbar wird. Vgl. etwa:

a) Psali "Adam" Str. 4: "Und sie bewahrten die heilige Herde Christi, unseres Gottes, vor den bösen Wölfen."
b) Psali "Batos" Str. 2 und 3: "Sie weideten die Schafe der Kirche Christi, die sich der große Hirte der Schafe durch sein Blut erworben hat. Sie nährten ihre Seelen mit der himmlischen Speise, und sie tränkten sie aus der lebendigen Wasserquelle."

Die Anlehnung an neutestamentliche Phraseologie ist ganz deutlich[437]; hier wird die Bibel als Quelle für die Elaborierung der Hymnik fruchtbar gemacht.[438] Andererseits entfernt man sich von den Quellen, die dem sa^c^idischen Muster zugrunde lagen, nämlich dem Martyriumstext. Man könnte formulieren: Mit der starken Zunahme des Wort- und Bildreichtums der Hymnen auf Psote und Kallinikos nimmt die Spezifizität der Heiligen ab. Was in den bohairischen Hymnen über ihre bischöfliche Tätigkeit im allgemeinen gesagt wird, könnte genauso gut zum Preise anderer Bischöfe formuliert werden.

DIE STELLUNG DER ANTIPHON IN DER HS. M 575 UND DER FESTTAG DES PSOTE UND KALLINIKOS

Die Antiphon ist nach ihrer Überschrift Psote und Kallinikos gewidmet; sie scheint also für einen Tag bestimmt zu sein, an dem beider Märtyrer gedacht wird. Einen solchen Tag, nämlich den 27.Kīhak, kennen die kirchenpoetischen Sammelwerke Difnār, Ṭurūḥāt und Doxologien, wie

436 Stichwort "die Kirchen stärken"; s.o. Anm. 422.

437 Als Hintergrund zu beiden Stellen s. Act 20,28f (Gemeinde als Herde; Aufgabe der ЄΠΙCΚΟΠΟC, die Kirche zu weiden, die Christus sich durch sein Blut erworben hat; Auftreten von Wölfen, die die Herde bedrohen); Christus als großer Hirte der Schafe: Heb 13,20; Tränkung aus lebendiger Wasserquelle: Apc 21,6.

438 Biblische Anspielungen, wie sie die bohairischen Difnār-Hymnen durchziehen, lassen sich in der sa^c^idischen Antiphon nicht nachweisen. Das ist eine Bestätigung dafür, daß die Phraseologie dort aus einer anderen Quelle als der Bibel - nämlich dem Mart. Psote, s.o. - gespeist wird.

im Exkurs zum Festtag des Kallinikos dargestellt.[439] Dieser Überlieferung steht eine andere Tradition gegenüber (Typika des Weißen Klosters, Synaxar): 27.Kīhak als Gedenktag des Psote, 2.Ṭūba als Gedenktag des Kallinikos. Wir hatten die erste Tradition im erwähnten Abschnitt des Exkurses unterägyptisch, die zweite dagegen oberägyptisch genannt. Die Antwort auf die Frage, welchem Traditionszweig die Antiphon angehört, scheint ganz einfach zu sein: Die Verwandschaft der Überschriften in der Hs. M 575 und den kirchenpoetischen Sammelwerken, ebenfalls der Duktus der Texte von Antiphon und Difnār spricht eindeutig für die unterägyptische Tradition mit dem Gedenktag 27.Kīhak.

Leider gibt es Gründe, die gegen diese so eindeutig erscheinende Ansetzung sprechen. Sie liegen im Aufbau der Handschrift und der Zuordnung von Abschnitten der Hs. zu zwei Heiligen.

a) Die Stellung der Antiphon in der Hs.

Nehmen wir einmal an, daß die Antiphon zum 27.Kīhak gehört, so müßte ihre Stellung in der Hs. diesem Datum entsprechen, da oben angenommen wurde, daß die Folge der Abschnitte in der Hs. dem Lauf des koptischen Kirchenjahres entspricht.[440] Der der Antiphon Nr.231 vorausgehende Abschnitt - das sind die Antiphonen Nr. 142 - 230 - sollte also für ein Datum bestimmt sein, das vor dem 27.Kīhak liegt, während der folgende Abschnitt - Antiphonen Nr. 232 - 234 - zu einem Datum gehören sollte, das auf den 27.Kīhak folgt.

(1) Antiphonen Nr. 142 - 230: "Auf unseren Heiland und seine Mutter, die Jungfrau"[441]: Dieser umfangreiche Abschnitt gehört nach dem Aufbau der Hs. zum Monat Kīhak. Er ist, wie Quecke mit guten Gründen dargelegt hat, für das Weihnachtsfest bestimmt, eventuell auch für die weihnachtliche Vorbereitungszeit, den Advent.[442]. Das Weihnachtsfest liegt nach dem koptischen Festkalender auf dem 28. /29. Kīhak (= 24./25. Dez. jul.).[443]

439 Quellennachweise zum 27.Kīhak als Gedenktag des Psote *und* Kallinikos s.o. Anm.235.

440 S.o. in der Einleitung zu diesem Anhang und vgl. die Anm. 398, in der auf einige Schwierigkeiten dieser Annahme hingewiesen wird.

441 M 575 foll.26r - 42v (= pp.55 - 88); in der fotografischen Ausgabe (s. Anm.382) auf Tafel 53 - 86 abgebildet.

442 QUECKE, op.cit. 216.

443 28.Kīhak: Vorabend des Weihnachtsfestes (Heiliger Abend bzw. Heilige Nacht); 29. Kīhak: Weihnachtsfeiertag. Zu den zwei Festtagen s. das Synaxar und das Difnār unter den beiden Daten. Als zusätzlicher Grund, das Weihnachtsfest an zwei Tagen zu feiern, gilt der koptischen Kirche, daß in Schaltjahren der Weihnachtsfeiertag am 28.Kīhak begangen wird (?? Die Argumentation des Synaxars ist nicht einleuchtend) s. Synaxarium Alexandrinum (ed. Forget) I (Textus) 179,13 - 18 bzw. I (Versio) 287,21 - 29.

(2) Antiphonen Nr.232 - 234: "Der Evangelist Johannes"[444]: Der koptische Festkalender kennt zwei Festtage des Evangelisten Johannes, den 4.Ṭūba und den 16.Bašans, vgl. dazu Synaxar und Difnār. Der 4.Ṭūba gilt der ägyptischen Kirche als Todestag des Johannes, oder besser: als der Tag seiner Anapausis (ⲁⲛⲁⲡⲁⲩⲥⲓⲥ)[445], die als direkte Versetzung (Metastasis) in den Himmel verstanden wird.[446] Der 16.Bašans dagegen wird als Gedächtnistag für die Predigt des Johannes, dazu für die Weihung einer Johannes-Kirche in Alexandria begangen; wegen der Doppelung der Gedenktage steuert das Synaxar am 16.Bašans ausdrücklich eine entsprechende Erläuterung dieses Tages bei.[447] Schon aus dieser Erläuterung, aber auch aus der Erwägung, daß der Todestag eines Heiligen regelmäßig seinen Gedenktag darstellt, ergibt sich, daß der 4.Ṭūba den Hauptfesttag des Evangelisten Johannes darstellt; dem 16.Bašans kommt demgegenüber nur eine Nebenrolle zu. Wir dürfen daher annehmen, daß die Antiphonen für den Hauptgedenktag (4.Ṭūba) bestimmt sind.

Sofern wir berechtigt sind, das Datengerüst des koptischen Festkalenders nach Synaxar und Difnār auf die Hs. M 575 zu projizieren, ergibt sich nunmehr folgendes: Der Festtag des Psote und Kallinikos müßte in

444 M 575 foll.42v - 43v (= pp.88 - 90); in der fotografischen Ausgabe (s. Anm.382) auf Tafel 86 - 88 abgebildet.

445 S. den den wunderbaren Ereignissen um den Tod des Johannes gewidmeten Text bei E.A. WALLIS BUDGE, Coptic Apocrypha in the Dialect of Upper Egypt (Coptic Texts. Vol. III), London 1913, 51 - 58; der Titel des Werkes lautet "Das Entschlafen (ⲧⲁⲛⲁⲡⲁⲩⲥⲓⲥ) des heiligen Johannes, des Evangelisten und Apostels Christi" (ebd. 51). Zur koptischen Überlieferung dieses Werkes s. KNUT SCHÄFERDIEK bei Hennecke-Schneemelcher, Neutestamentliche Apokryphen in deutscher Übersetzung, 3. Aufl., Band II, Tübingen 1964, 135f. Das Werk, das sowohl selbständig als auch als Teil der Johannes-Akten (Act Joh cap. 106 - 115 Bonnet) griechisch und in mehreren anderen Sprachen überliefert ist, wird gewöhnlich als die "Metastasis (Entrückung) des Johannes" bezeichnet; vgl. SCHÄFERDIEK in op.cit. 129 - 136.

446 S. den in vielen Sprachen umlaufenden Erzähltext "Metastasis (Entrückung) des Johannes", der in der koptischen Literatur als "Anapausis (Entschlafen) des Johannes" tradiert wird, vgl. Anm.445. Leider bietet der koptische Text bei BUDGE, Apocrypha kein Monatsdatum, zu dem er gehört. Doch läßt sich aus den Entlehnungen, die der Synaxarbericht zum 4.Ṭūba aus diesem Text vornimmt, entnehmen, daß er - liturgisch-kalendarisch gesehen - für dieses Datum bestimmt ist; s. Synaxarium Alexandrinum (ed. Forget) I (Textus) 189,3 - 14 bzw. I (Versio) 308,13 - 35. Der Tag wird im Synaxar als Tag des *intiqāl* des Johannes bezeichnet (op.cit. I (Textus) 187,13; s. auch die Überschrift im Difnār zum Tage). Das Wort ist insofern mißverständlich, als es im Synaxar auch für "Translation (der Gebeine eines Heiligen)" verwendet wird. Hier heißt es aber "Heimgang, Tod", s. GEORG GRAF, Verzeichnis arabischer kirchlicher Termini, 2. verm. Aufl., CSCO 147 (Subsidia 8), Louvain 1954, 113.

447 Syn. Alex. (ed. FORGET) II (Textus) 123,7f bzw. II (Versio) 122,22 - 24.

dem Kloster, für das die Hs. geschrieben wurde[448], zwischen dem 29. Kīhak und dem 4.Ṭūba gelegen haben. Es stehen also vier Tage zur Verfügung - 30.Kīhak; 1., 2. und 3.Ṭūba -, von denen nur einer nach der sonstigen (oberägyptischen) Tradition etwas mit den Heiligen zu tun hat, nämlich der 2.Ṭūba als Gedenktag des Kallinikos allein.[449] Wir hatten aber festgestellt, daß alle bisher vorliegenden Materialien, die den 2.Ṭūba nennen, nicht von dem Paar "Psote und Kallinikos" sprechen, sondern *nur dem Kallinikos* gewidmet sind. Eine Bestimmung der Antiphon für den 2.Ṭūba scheidet angesichts dieses Befundes aus. Bevor wir nun annehmen, daß der Gedenktag des Psote und Kallinikos im Fayyūm auf einen anderen Tag als sonst in Ägypten gefeiert fiel - beispielsweise den 30.Kīhak -, sollten wir noch eine andere Möglichkeit prüfen, nämlich die Zusammenfassung zweier Heiliger mit verschiedenen Gedenktagen in einem Abschnitt.

b) Die Nennung von zwei Heiligen in der Überschrift des Abschnittes

Bisher waren wir davon ausgegangen, daß die Nennung von Psote und Kallinikos zusammen bedeute, daß dieser Abschnitt für einen gemeinsamen Festtag der Heiligen bestimmt sei - etwa im Sinne des Difnārs (und anderer kirchenpoetischer Sammelwerke), das den 27.Kīhak als Gedenktag der beiden Heiligen ansieht.[450] Auch die Paarbildung "Psote und Kallinikos", die auf Traditionen zurückgeht, die älter als das Mart. Psote (Kurzfassung) sind[451], macht die Ansetzung eines gemeinsamen Gedenktages verführerisch. Der Befund im Synaxar sollte uns allerdings vor vorschnellen Schlüssen warnen: Der 27.Kīhak ist dort nur der Gedenktag des Psote allein, auch wenn Kallinikos erwähnt wird.

Zwar ist es richtig, daß Psote und Kallinikos hagiologisch zusammengehören. Ihre gemeinsame Nennung kann aber in der Hs. M 575 auch einen anderen Grund haben als den, daß sie ein Märtyrerpaar bilden. Die Hs. hat nämlich einige Abschnitte, die *zwei (oder mehreren) Heiligen mit verschiedenen Gedenktagen* gewidmet sind. Dabei liegen die Gedenktage teilweise in relativer Nähe, sind zum anderen Teil aber durch Monate getrennt. Hier die wichtigsten Beispiele:

448 Das ist das sog. Ḫamūlī-Kloster im Fayyūm bzw., mit einem seiner häufigsten koptischen Namen, das "Kloster des Erzengels Michael von P-hantow (ⲡϩⲁⲛⲧⲟⲟⲩ, ⲡϩⲁⲛⲧⲁⲩ u.ä.) im Gau Fayyūm"; vgl. den Kolophon der Hs. Zeile 6f, ed. A. VAN LANTSCHOOT, Colophons (s. Anm.384). Zu den verschiedenen Bezeichnungen des Klosters und zu seiner Lage s. VAN LANTSCHOOT, op.cit., Anm.3 zu Nr.I.

449 S.o. im Exkurs zu §3: Zum Festtag des Kallinikos.

450 S. die einleitenden Bemerkungen zu diesem Anhang.

451 Uns greifbar in der hagiologischen Formel "Psote und Kallinikos, die großen Bischöfe der Chora ... haben das Martyrium erlitten", die der Abfassung des Mart. Psote (Kurzfassung) vorausging; s.o. im Exkurs zu §3: Zum Martyriums- und Begräbnisort des Kallinikos.

(1) Antiphonen Nr. 21 - 28[452]: Erzbischof Dioskur von Alexandria (Gedenktag: 7.Tūt) und Bischof Makarios von Tkow (27.Bāba). Die Antiphonen sind nach dem Gedenktag des Dioskur in die Hs. aufgenommen. Der Gedenktag des Makarios liegt über einen Monat später. Zwischen den Monatsdaten der Gedenktage bietet die Hs. noch vier andere Abschnitte (Erzmärtyrer Stephanus / Johannes Chrysostomus / Auf das Kreuz Christi / Erzengel Michael und Gabriel).
Und doch hat die Koppelung ihre innere Logik: Beide Heiligen sind die Erzheroen der ägyptischen Kirche gegen Chalkedon; Dioskur gilt als der Verfasser des Enkomions, das das Martyrium des oberägyptischen Bischofs verherrlicht, und in dem Dioskur selbst eine nicht geringe Rolle spielt.[453]

(2) Antiphonen Nr. 77 - 105[454]: Apa Mena und alle Märtyrer; Gedenktag des Apa Mena: 15.Hatūr. Die Antiphonen Nr. 97 - 99 bilden eventuell einen selbständigen Abschnitt "Kosmas und seine Brüder" (22.Hatūr), der eigentlich (?) erst auf Antiphon Nr. 105 folgen sollte.[455] Wahrscheinlicher ist aber, daß er aus einer Erwähnung des Kosmas (und seiner Märtyrergenossen) in den Teilen des Abschnittes entstanden ist, die von "allen Märtyrern" handeln und dabei auch einige Märtyrer namentlich erwähnen; vgl. dazu eine Übersicht über den bisher übersehenen Schluß des Abschnittes[456]:

452 M 575 foll.4r - 5v = pp.7 - 10; fotografische Ausgabe (s. Anm.382): Tafel 9 - 12.

453 Zu diesem Enkomion und seiner Edition s.o. Anm.411.

454 M 575 foll. 12v - 17r = pp.28 - 37; fotograf. Ausg.: Tafel 26 - 35. Die foll.12v - 15v = pp.28 - 34 wurden von Drescher als Appendix zu seiner Ausgabe der Menas-Texte publiziert (JAMES DRESCHER, Apa Mena. A Selection of Coptic Texts relating to St. Menas (Publications de la Société d'Archéologie Copte. Textes et Documents), Le Caire 1946, 175 - 186); die Antiphonen Nr. 97 - 99 auf fol. 15v = p.34 (auf Kosmas und seine Brüder) auch von MARIA CRAMER, Hymnen auf Kosmas und Damian ediert, s.o. Anm.383 (kein Hinweis auf die vorhergehende Edition der Antiphonen bei DRESCHER, op.cit. 182!). Bei DRESCHER, op.cit. Pl.X Abb. von fol.12v = p.28; bei CRAMER, op.cit. Abb.39 sind foll.15v/16r = pp.34/35 abgebildet (korrigiere Cramers Bildlegende, s.o. Anm.383 am Ende).

455 Zu Editionen dieses Abschnittes s. Anm.454.

456 Drescher hat in seiner sorgfältigen Edition die Überschrift zu Kosmas und seinen Brüdern auf fol. 15v zu ernst genommen. Er ist augenscheinlich davon ausgegangen, daß sie das Ende des Abschnittes über Apa Mena und alle Märtyrer markiert: Zwar bietet er den vollständigen koptischen Text von fol. 15v, also auch die Antiphonen Nr. 97 - 99 (op.cit. 182), seine Übersetzung bricht aber mit dem Schluß von Antiphon Nr. 96 ab (op.cit. 186). Daß der Abschnitt hier noch nicht zu Ende ist, ergibt sich eindeutig aus Antiphon Nr. 102, wo wiederum Apa Mena apostrophiert wird. Aus der großen Zahl "aller Märtyrer" werden gegen Schluß des Abschnittes offensichtlich einige herausgegriffen, die namentlich genannt werden sollen - darunter auch Kosmas und seine Brüder. Die Reihe dieser Erwähnungen wird durch eine Apostrophierung von "prototypischen" Märtyrern, den Drei Jünglingen im Feuerofen, eröffnet, s. folgende Anm. Die Wendung des Abschnittes zu konkreten Märtyrern als Repräsentanten "aller Märtyrer" wurde von Drescher nicht erkannt.

Nr. 95 - 96 Ananias, Azarias, Misael (Die Drei Jünglinge im Feuerofen; Gedenktag: 10.Bašans)[457]

97 - 99 Apa Kosma und seine Brüder (Gedenktag: 22.Hatūr)[458]

100 alle Märtyrer

101 Apa Epima (Gedenktag: 8.Abīb)[459]

102 Apa Mena (!)

103 Gregorius Mart.[460]

104 alle Märtyrer

105 Apa Epima (s. Nr. 101)

Die inhaltliche Mischung in diesen Antiphonen, die - bis auf Apa Kosma und seine Brüder - keine eigene Überschrift haben, und die Nennung des Apa Mena in Nr. 102 machen klar, daß wir es mit dem Schluß des Abschnittes zu tun haben, der mit Nr. 77 beginnt.

(3) Antiphonen Nr. 259 - 260[461]: Polykarp (Gedenktag: 29.Amšīr) und Arianos (8.Baramhāt)[462]. Hier sind die Gedenktage (relativ) benachbart. Die Hs. bietet auch keinen Text, der für einen Tag zwischen diesen Daten bestimmt ist. Eine logische Verknüpfung zwischen diesen beiden Märtyrern ist nicht ersichtlich.

(4) Antiphonen Nr. 382 - 384[463]: Die Erzbischöfe Theodosius (Gedenktag:

457 Die Drei Jünglinge werden als eine Art Prototyp des Märtyrers angesehen - ein alttestamentliches Gegenstück zum neutestamentlichen Protomärtyrer Staphanus, dem in unserer Hs. ebenfalls ein Abschnitt gewidmet ist (Antiphonen Nr. 29 - 38, M 575 foll.5v - 6v = pp.10 - 12). Die drei alttestamentlichen Heiligen genießen in der koptischen Kirche eine weit verbreitete Verehrung; auf sie wird in koptischen martyriologischen Texten häufig Bezug genommen. Zu ihrem Kult in Ägypten - mit Zusammenstellung der Belege aus der koptischen Lit. - s. JACOB MUYSER, Le culte des Trois Saints Jeunes Gens chez les Coptes, Cahiers coptes No.6, 1954, 17 - 31.

458 Editionen dieses (Unter-)Abschnittes von Drescher und Cramer, s. Anm.454. Die Antiphonen auf Apa Kosma und seine Brüder haben eine eigene Überschrift erhalten, M 575 fol. 15v (= p.34) Zeile 2. Das erweckt den (falschen) Eindruck, als würde mit Zeile 1 dieser Seite der Hs. der Abschnitt auf Apa Mena und alle Märtyrer enden. Er geht aber mit den Antiphonen Nr. 100 - 105 weiter, s. die Übersicht im Text und Anm.456. Die Überschrift dürfte sekundärer Zusatz und daher zu erklären sein, daß dieser Unterabschnitt auch am Tage des Kosmas und Damian, also am 22.Hatūr, zu verwenden ist. Der Tag liegt ja in der Nähe des Gedenktages des Apa Mena; der zu ihm gehörige Abschnitt würde nach dem Aufbau der Hs. auf den Abschnitt für Apa Mena folgen. Der Irrtum, die Überschrift markiere das Ende des vorhergehenden Abschnittes, ist daher erklärlich.

459 Zum Martyrium des mittelägyptischen Märtyrers Apa Epima s. BAUMEISTER, Martyr Invictus 110 - 112.

460 Um welchen Märtyrer Gregorius es sich hier handelt, vermag ich im Augenblick nicht zu sagen. Sollte es sich hier eventuell um eine Anleihe beim armenischen Heiligenkalender handeln? Eine solche liegt anscheinend mit dem Abschnitt auf Apa Eustratios und seine Genossen (Antiphon Nr. 141) vor, vgl. dazu BHO 300.

461 M 575 fol. 48v = p.100; fotograf. Ausg.: Tafel 98.

462 Der Gedenktag 8.Baramhāt (Paremhotep) ist bereits durch das sa[c]idische Mart. Arianos gesichert, s. FRANCESCO ROSSI (ed.), Un nuovo codice copto del Museo Egizio di Torino ..., AAL. M Ser. V Vol. 1, 1893, 86, Kol. II 19f.

463 M 575 foll. 65v - 66r = pp.134 - 135; fotograf. Ausg.: Tafel 132 - 133.

28.Ba'ūna) und Kyrill (3.Abīb) von Alexandria. Die Nachbarschaft der Daten entspricht dem Befund unter (3). Ein einsehbarer Grund für die Verknüpfung der beiden Erzbischöfe - außer dem Amt, das sie ausgeübt haben - ist nicht ersichtlich.

(5) Antiphonen Nr. 401 - 403[464]: Schenute (Gedenktag: 7.Abīb) und Ignatius von Antiochien (7.Abīb)[465]. Hier scheint die Identität des Gedenktages ausschlaggebend zu sein.

Bedenken wir nun, daß in den Fällen, wo ein Abschnitt der Hs. für zwei (oder mehrere) Heilige bestimmt ist, nur in einem Falle Identität des Gedenktages gegeben ist - oben (5) -, im übrigen aber die Daten der Gedenktage divergieren, so können wir die zweite Möglichkeit auch für den Abschnitt "Psote und Kallinikos" erwägen. Einerseits sind in diesem Falle Voraussetzungen gegeben, wie sie in den Beispielen (3) und (4) vorliegen, nämlich relative Nähe der Monatsdaten der Gedenktage (nach dem Synaxar: 27.Kīhak und 2.Ṭūba) und Fehlen von Textabschnitten, die die Folge der Monatsdaten stören würden. Andererseits ist bei den beiden Heiligen eine inhaltliche Verknüpfung gegeben, wie wir sie oben zu Beispiel (1) festgestellt haben, und die weit über die Verknüpfung in Beispiel (3), (4) und (5) hinausgeht. Angesichts dieses Befundes ist die Zusammenfassung der beiden Heiligen in einem Abschnitt leicht erklärlich, auch wenn sie verschiedene Gedenktage haben. Dem steht nicht entgegen, daß der Abschnitt nur eine Antiphon enthält: Diese läßt sich sehr gut an beiden Gedenktagen verwenden.

c) Schlußfolgerungen

Gegenüber der Ansetzung einer Sonderüberlieferung des Fayyūm im Gegensatz zu den sonst bekannten Festtagen der Heiligen bietet die eben besprochene Interpretation des Abschnittes den Vorteil des Einklanges der Festkalender. Zu beachten ist dabei auch, wie oben schon festgestellt wurde, daß die oberägyptische Tradition der zwei Festtage - s. Typika

464 M 575 fol. 68r/v = pp.139 - 140; fotograf. Ausgabe: Tafel 137 - 138.

465 Der Märtyrerbischof Ignatius von Antiochien hat nach dem Synaxar zwei Gedenktage, den 24.Kīhak und den 7.Abīb. Beim zweiten Gedenktag wird er mißverständlich als "Ignatius, Papst von Rom" bezeichnet: Syn.Alex. (ed. Forget) II (Textus) 209,16 bzw. II (Versio) 205,32 (O'LEARY, Saints of Egypt 157 konstruiert daher zwei verschiedene Märtyrer, von denen der zweite - natürlich - sonst nicht belegt ist). Daß hier der 7.Abīb als Gedenktag des Ignatius gemeint ist, ergibt sich nicht nur aus seiner Zusammenstellung mit Schenute, sondern auch aus der Bestimmung des koptischen Mart. Ignatius für diesen Tag: L.-TH. LEFORT (ed.), Les Pères Apostoliques en copte, CSCO 135 (Script. Copt. 17), Louvain 1952, 67 Z.8f. Vgl. auch die Titulierung des Ignatius als "Theophoros" in der Überschrift des Abschnitts in M 575 und im Titel des koptischen Martyriums (op.cit. 67 Z. 2 bzw. 3). Das Difnār reduziert das Gedenken des 7.Abīb auf Schenute (O'LEARY (ed.), Difnār Part III 26) - wohl deshalb, weil es zum 24.Kīhak bereits einen Psali auf Ignatius gebracht hat (O'LEARY (ed.), Difnār Part I 94f).

des Weißen Klosters und Synaxar - sich auch in Unterägypten durchgesetzt hat, selbst wenn es dort früher einen gemeinsamen Festtag gegeben haben sollte.[466] Das Fayyūm liegt zwar in einer geographischen Zone, die in gewisser Weise eine Mittlerstellung - "Mittelägypten" - zwischen Oberägypten (im engeren Sinne) und Unterägypten einnimmt, die aber geographisch viel näher an den oberägyptischen Einflüssen liegt als der Bereich des Deltas.[467] Alle genannten Gründe machen es sehr wahrscheinlich, daß der hier untersuchte Abschnitt *für zwei Gedenktage bestimmt* ist, daher die einzige in ihm enthaltene Antiphon an zwei Tagen, nämlich dem 27.Kīhak und 2.Ṭūba, zu verwenden ist.

Auf der Basis dieser Feststellung ist es nun möglich, daß der Verfasser der Difnār-Hymnen zum 27.Kīhak einem Irrtum erlegen ist. Wie oben dargelegt, hat er eine saᶜidische Antiphon wie die unsere als Muster benutzt, das er elaboriert hat. Bei der Verwendung dieses Musters war ihm nicht mehr klar, daß es eigentlich für zwei Festtage bestimmt ist - den Tag des Psote und den Tag des Kallinikos. Er hat daher die Überschrift seines Musters so gedeutet, als bezöge sie sich auf einen Festtag, nämlich den 27.Kīhak. Vielleicht erklärt sich von daher die dem Synaxar widersprechende Widmung des Tages im Difnār, die doch am 2.Ṭūba (Tag des Kallinikos) ganz dem Synaxar entspricht.

466 S. den Exkurs zu §3: Zum Festtag des Kallinikos.

467 Zu bedenken ist dabei, daß das Fayyūm ebenso wie die Region, die als "Mittelägypten" bezeichnet wird (also das Niltal von der südlichen Deltaspitze bis etwa in die Gegend von Hermopolis / Antinoopolis), nach der traditionellen Landeseinteilung zu Oberägypten gehört. Auch die kirchliche Landeseinteilung bezeichnet die in dieser Region liegenden Bistümer als zu Oberägypten (*as-Saᶜīd*) gehörig. Die römisch-byzantinische Gliederung des Landes hatte aber den Realitäten der ungeheuren Ausdehnung Oberägyptens insoweit Rechnung getragen, als es zur Bildung von zwei Einheiten in diesem Bereich kommt:
a) "Mittelägypten" ≙ Heptanomia bzw. Arcadia
b) "Oberägypten im engeren Sinne" ≙ Thebais.
Sprechen wir hier von "oberägyptischer Überlieferung", so sind durchweg Traditionen gemeint, die ihre Wurzeln in der Thebais, also in Oberägypten im engeren Sinne haben.
Die Hs. M 575 bietet übrigens ganz wenig bis gar kein hagiographisches Material, das man als "typisch oberägyptisch" bezeichnen könnte; genauso fehlt Überlieferung, die sich als "typisch unterägyptisch" bezeichnen ließe. Zieht man die wenigen Fälle mit regional-mittelägyptischer Bindung ab (Nr. 66 - 74: Kirchweihe in Kalamon; Nr. 101 und 105: Apa Epima, s. Anm.459; Nr. 133 - 140: Samuel von Kalamon), und vernachlässigt man ein "armenophiles" Einsprengsel (Nr. 141: Apa Eustratios und Genossen, s. Anm.460), so erhält man eine Kette von Festtagen, deren Anerkennung in ganz Ägypten ganz unproblematisch sein dürfte. Beachtenswert dafür ist die geringe Präsenz von Heiligen in der Hs., die die schärfste regionale Typik aufweisen, nämlich von Märtyrern, von denen doch der Festkalender des Synaxars geradezu wimmelt. Insoweit könnte Muysers Gedanke von der hier vorliegenden "abgekürzten Form" des Antiphonars - s. Anm.394 - ganz zutreffend sein: M 575 bietet - im großen und ganzen - nur das, was am Ende des 9.Jahrhunderts gemeinägyptische Anerkennung besitzt; das übrige Material wird größtenteils weggelassen.

Eine letzte Schwierigkeit der hier vorgetragenen Deutung des Abschnittes bleibt zu besprechen, nämlich die Folge des Abschnittes für den 27.Kīhak / 2.Ṭūba auf den Abschnitt zum 28./29.Kīhak. Da die Daten des Psote und Kallinikos das Weihnachtsfest "einrahmen" - und das nicht nur in einem bloß kalendarischen Sinne -[468], ihre Zusammenfassung andererseits aus den genannten Gründen auf der Hand lag, kam eine störungsfreie Einordnung des Abschnittes in den Text der Hs. nicht mehr in Betracht. Es gab nur noch die Alternative, den Abschnitt vor oder hinter die Texte zum Weihnachtsfest zu setzen. Der Kompilator hat sich für die zweite Alternative entschieden. Dafür war eventuell ein Gesichtspunkt ausschlaggebend, auf den Quecke hingewiesen hat: die Verwendung von Texten des Weihnachts-Abschnittes bereits in der Adventszeit, also vor dem 27.Kīhak.[469] Die Stellung unseres Abschnittes mit der Antiphon Nr.231 entspricht also durchaus dem Aufbau der Hs., der am auch sonst bekannten koptischen Festkalender orientiert ist.

468 Die Martyriumsdaten des Psote und Kallinikos schließen nämlich in der oberägyptischen Tradition ein Martyriumsgeschehen - Märtyrer von Achmim - ein, das sich vom 28.Kīhak über das Weihnachtsfest genau bis zum 1.Ṭūba erstreckt; s. den Exkurs zu §3: Zum Festtag des Kallinikos (zweite Hälfte).

469 Dazu s.o. den Abschnitt "Die Stellung der Antiphon ..." a unter (1).

INDEX I: KOPTISCHE UND ARABISCHE WÖRTER

(nur solche, zu deren Bedeutung bzw. kulturellem Hintergrund in dieser Arbeit Angaben gemacht werden)

A: KOPTISCHE WÖRTER ÄGYPTISCHER HERKUNFT

ⲉⲓⲛⲉ *Subst.* "Exemplar" — 20 Anm.109

ⲕⲗⲟⲙ

- ⲡⲉⲕⲗⲟⲙ ⲙ̄ⲡⲱⲛϩ — 21 Anm.116
- ϫⲓ ⲙ̄ⲡⲉⲕⲗⲟⲙ — 24f

ⲛⲓⲙ

- ⲛⲓⲙ ⲙⲛ̄ ⲛⲓⲙ "der und der" bzw. "N.N. und N.N." — 20 Anm.113; 25

ⲡⲱⲣϫ̄

- ⲁⲧⲡⲱⲣϫ̄ "untrennbar" — s. ⲟⲩⲁ

ⲣ̄ⲣⲟ

- ⲡⲣ̄ⲣⲟ "der (ägyptische) König" = "der (römische) Kaiser" — 16 Anm.89

ⲧⲟⲟⲩ

- ⲡⲧⲟⲟⲩ + *Genitiv einer Ortsbez.* — 29 Anm.132

ⲟⲩⲁ

- ⲙⲛ̄ⲧⲟⲩⲁ ⲛ̄ⲁⲧⲡⲱⲣϫ̄ "untrennbare Einheit" (auf die Trinität bezogen) — 107 Anm.411

ⲟⲩⲉϩⲥⲁϩⲛⲉ *Subst.* — 32 Anm.145; 38f; 85; 86 - 88

ϩⲉ "Art"

- ⲛ̄ⲑⲉ ⲉⲧⲥⲏϩ "wie zum Beispiel geschrieben steht" — 33 Anm.149

B: KOPTISCHE WÖRTER DES LEHNWORTSCHATZES

(nach den Anordnungsprinzipien des kopt.-ägypt. Wörterbuches, n i c h t des griech. Wörterbuches)

ⲁⲅⲁⲑⲟⲛ

- ⲛ̄ⲁⲅⲁⲑⲟⲛ "die (himmlischen) Güter" — 108 Anm.413

ⲁⲛⲁⲡⲁⲩⲥⲓⲥ "Entschlafen" — 117

ⲁⲛϯⲫⲁⲛⲟⲛ "Antiphon" — 102f

ⲁⲛϯⲫⲱⲛⲁⲣⲓ "Antiphonarium" — 102 Anm.388; 103 Anm. 391

ⲆⲞⲨⲜ 17 Anm.100

ⲆⲒⲀⲦⲀⲄⲘⲀ 16 Anm.90; 32f; 38; 79 - 100

ⲈⲠⲀⲢⲬⲈⲒⲀ 17 Anm.101

ⲈⲠⲀⲢⲬⲞⲤ 17 Anm.95

ⲔⲈⲖⲈⲨⲤⲒⲤ 32 Anm.145; 38

ⲔⲞⲘⲎⲤ 17 Anm.96

ⲔⲀⲚⲰⲚ "kirchl. Rechtsvorschrift" 6 Anm.35

ⲖⲀⲘⲠⲀⲤ 14 Anm.75

ⲘⲀⲢⲦⲨⲢⲒⲀ "Martyrium (Märtyrerlegende)" 19 Anm.107; 22

ⲘⲀⲢⲦⲨⲢⲞⲖⲞⲄⲒⲞⲚ "Martyrium (Märtyrerlegende)" 19 Anm.107; 22

ⲠⲀⲄⲀⲚⲞⲤ 18 Anm.104. 105

ⲠⲢⲞⲤⲦⲀⲄⲘⲀ 16 Anm.91; 32f; 38f; 79 - 100

ⲠⲢⲰⲦⲞⲤ 17 Anm.98

ⲦⲀⲜⲒⲤ 17 Anm.99

ⲦⲞⲠⲞⲤ s. Index II unter "Topos"

ⲦⲨⲠⲞⲤ "vorgeschriebene Form" 6 Anm.34

ϨⲎⲄⲈⲘⲰⲚ 17 Anm.97. 100

ϨⲨⲠⲞⲘⲚⲎⲘⲀ
- ⲚϨⲨⲠⲞⲘⲚⲎⲘⲀ "die (Märtyrer-)Akten" 19 Anm.107; 22f

C: ARABISCHE WÖRTER

(Korrelate zu koptischen Wörtern)

ḥāgir "Damm"
- *ḥāgir* + Genitiv einer Ortsbez. "Damm von ..." 29 Anm.132. 134

difnār (*difnārī*) 103 Anm.391; s. auch Index II unter "Difnār"

naqala
- *intiqāl* "Heimgang, Tod" / "Translation" 117 Anm.446

Index II: Begriffe und Namen

N.B.: Die Namen von Märtyrern bzw. sonstigen Heiligen sind unter den Hauptstichwörtern "Märtyrer (nach Namen)" bzw. "Heilige (außer Märtyrer; nach Namen)" eingeordnet, in gleicher Weise die Namen von Orten unter "Ortsnamen".

Antiphonarium (sa^{c}id. Sammlung der "Antiphonen" der kopt. Kirche)	101 - 104; 116 - 123
"Antiphon(en)" (liturg. Lied(er) für Märtyrer- und Heiligenfesttage)	102 - 104
Arianus (röm. Statthalter der Thebais)	31 Anm.141; 60 Anm. 242; 61; 63; s. auch unter Märtyrer (nach Namen)
Difnār (boh.-arab. "Antiphonarium" der kopt. Kirche)	101; 103f; 112 - 115
Diokletian (röm. Kaiser)	
- ägypt. D.-Legende	60 Anm.142
- Edikt(e) gegen die Christen: s. Verfolgungsmaßnahmen gegen die Christen, diokletianische	
Festkalender, ägypt.-christlicher	
- frühe Formen	7f; 27f
- s. auch Antiphonarium; Difnār; Gedenktage des kopt. Kirchenjahres; Typikon	
Gedenktage des kopt. Kirchenjahres (nach Monatsdaten; sofern in dieser Arbeit näher besprochen)	
- 7.Tūt s. Heilige: Dioskur	
- 27.Bāba s. Märtyrer: Makarios von Tkow	
- 15.Hatūr s. Märtyrer: Menas	
- 22.Hatūr s. Märtyrer: Kosmas, Damian und ihre Brüder	
- 24.Kīhak (Ignatius von Antiochia)	121 Anm.465
- 27.Kīhak (Psote; teilweise: Psote und Kallinikos)	28 Anm.130; 58 - 60; 115f; 122
- 28.Kīhak bis 1.Ṭūba s. Märtyrer: Märtyrer von Panopolis / Achmim	
- 28./29.Kīhak s. Weihnachtsfest	
- 30.Kīhak ("Ankunft des Arianus in Achmim")	61
- 1.Ṭūba s. Märtyrer: Dioskoros und Asklepios	
- 2.Ṭūba (Kallinikos)	57 - 64; 73 - 76; 116 - 118; 121 - 123
- 4.Ṭūba s. Heilige: Johannes Evang.	

- 1.Amšīr ("Abadion" = Pinūtion von Antinoopolis) 60 - 64
- 29.Amšīr s. Märtyrer: Polykarp
- 8.Baramhāt s. Märtyrer: Arianus
- 29.Baramhāt (Gedenken der Auferstehung) 104 Anm.396
- 10.Bašans s. Heilige: Drei Jünglinge im Feuerofen
- 16.Bašans s. Heilige: Johannes Evang.
- 28.Ba'ūna s. Heilige: Theodosius
- 3.Abīb s. Heilige: Kyrill
- 7.Abīb s. Heilige: Schenute; Märtyrer: Ignatius
- 8.Abīb: s. Märtyrer: Epima

Hagiographie, ägyptische
- Verfahren und Tendenzen der Märtyrerliteratur 46 - 48; 67f; 73 - 76
- s. auch Kirchenpoesie auf Märtyrer

Heilige (außer Märtyrer; nach Namen)
- Dioskur, Ebf. von Alexandria 119
- Drei Jünglinge im Feuerofen 120
- Johannes Evang. 117
- Kyrill, Ebf. von Alexandria 120f
- Schenute, Abt des "Weißen Klosters" 121
- Theodosius, Ebf. von Alexandria 120f

Kirchenjahr, ägypt.-koptisches 103f; s. auch Festkalender; Gedenktage des kopt. Kirchenjahres; Märtyrer (allgemein): Festtag des M.

Kirchenpoesie auf Märtyrer
- Verfahren der ägypt. Verfasser 73f; 76; 109 - 115
- s. auch Antiphonarium; Difnār

Märtyrer (allgemein)
- Empfang der Krone (des Kranzes) 21f Anm.116; 24f
- Festtag des M.s 7 - 9
- Kirchenpoesie ("Hymnen") zum M.-Festtag 101 - 123
- Unterscheidung wahrer und falscher M. 8f
- s. auch Hagiographie; Martyrium (Märtyrerlegende); Topos

Märtyrer(nach Namen)
- "Abadion", Bf. von Antinoopolis 60; 61f (Anm.247)
- Arianus, Statthalter der Thebais 120
- Bisāda s. Psote
- Dioskoros und Asklepios 57 Anm.229; 61 Anm. 243
- Epima 120

- Eustratios und Genossen 120 Anm.460; 122 Anm. 467
- Gregorios 120
- Ignatius von Antiochia 121
- Kallinikos (Bf.) 21 Anm.115; 24; 36 - 43; 46f; 49 - 77; 101 - 123
- Kosmas, Damian und ihre Brüder 119f
- Makarios, Bf. von Tkow 119
- Märtyrer von Panopolis / Achmim 57 Anm.229; 60 - 64
- Menas (Apa Mena) 119f
- Phoibammon von Preht (der Soldat) 67 Anm.273
- Pinūtion, Bf. von Antinoopolis 62 - 64
- Polykarp von Smyrna 120
- Psote (Psate; Bf.) 21 Anm.115; 24; 27 - 48; 58 - 60; 62 - 64; 66 - 69; 71 - 76; 101 - 123

Martyrium (Märtyrerlegende)
- frühe Belege aus Ägypten 11 Anm.58
- kopt. Bezeichnungen für M. 19f Anm.107; 22f
- Edikt-Topik in den M.n 15 - 21; 23f; 88 - 96; 98f
- Topik der Folterungs- und Tötungsarten 12 - 15
- Verhältnis des M.s zu kirchenpoetischen Texten 109 - 115
- Verlesung am Märtyrer-Festtag 8f; 12
- s. auch Hagiographie

Opferedikt, diokletianisches s. Verfolgungsmaßnahmen ...: Verfolgungsedikte)

Ortsnamen
- Abṣāy s. Psoi
- Antaeopolis s. Tkow
- Atkū: andere Form für Itkū, s. dort
- Ausīm s. Ūšēm
- Dêr Abū (Anbā) Bisāda 29 Anm.134; 30 Anm. 135. 136. 137
- Ḥamūlī, Kloster von s. P-hantow
- Ibṣāy: andere Form für Abṣāy, s. Psoi
- Itkū 64f Anm.261
- Letopolis s. Ūšēm
- al-Manšīya (heutige Bez. für die Ortslage von Psoi) 28 Anm.131; 29 Anm. 134
- al-Minšā(h): = al-Manšīya, s. dort

- Minšāt Iḫmim (jüngere Bez. für die Ortslage von Psoi) 29 Anm.134
- P-hantow (ⲡϩⲁⲛⲧⲟⲟⲩ u.ä.) 118 Anm.448
- Psoi (ⲡⲥⲟⲓ) ⲯⲟⲓ) / Ptolemais (Hermiu) / Abṣāy 28 Anm.131; 29 Anm. 134; 31
- Ptolemais (Hermiu) s. Psoi
- Qāw (al-Kabīr) s. Tkow
- Tkow (ⲧⲕⲟⲟⲩ) / Antaeopolis / Qāw (al-Kabīr) 64 - 66
- Ṭūḫ (Ṭ. Bakrīma bzw. Ṭ. al-Gabal) 69f
- Ūšēm (ⲟⲩϣⲏⲙ) / Letopolis / Ausīm 55 - 57
- Wasīm: andere Form für Ausīm, s. Ūšēm

Topos (Begräbnisstätte, -kapelle eines Märtyrers) 5 - 7

Typikon, Typika 28 Anm.130; 57f; 104 Anm.399

Verfolgungsmaßnahmen gegen die Christen, diokletianische
- Verfolgungsedikt(e) 32; 95f; 99; s. auch Martyrium ...: Edikt-Topik
- Wirkung in Ägypten 110 Anm.420; 111 Anm. 422; 115

Weihnachtsfest (28./29.Kīhak = Vorabend des W.s / W.-Tag)
- "Antiphonen" zum W. 116
- Verhältnis zu den Märtyrerfesttagen des 27.Kīhak bis 2.Ṭūba 61 - 64; 123